LIBRO DEL ALUMNO

Curso de español basado en el enfoque por tareas

Ernesto Martín Peris
Neus Sans Baulenas

Nueva Edición

This new edition of GENTE that you have in your hands has come about thanks to the suggestions, reactions and comments of users of the course since its publication.

To our great satisfaction, GENTE, the first task-based course for Spanish as a foreign language, has been extremely well received by teachers and learners alike. Language schools, universities and *Instituto Cervantes* centres all over the world have chosen our coursebook for teaching Spanish. The reasons are diverse but all refer to its task-based nature. As one user put it, "GENTE respects the intelligence of the learner and the teacher; its approach to learning is democratic because by starting off from the learners' own identity, learners feel that they have something to contribute and thus feel involved in the learning process."

Moreover, above and beyond the opinions of individual teachers and learners, an event of enormous importance has helped to consolidate the methodological structure of GENTE: the publication of the **Common European Framework for languages: learning, teaching and assessment of language competence.** This document, the result of ten years of research carried out by specialists in applied linguistics and in teaching from all over the world, has given a decisive impulse to tasks in stating that: "the focus adopted here, in general terms, centres on action inasmuch as it considers the users and learners of a language principally as social agents, that is to say, as members of a society that has tasks (not only related to language) to carry out in a determined series of circumstances, in a specific environment and within a concrete field of action."

The positive response on the part of teachers and learners, then, as well the state-of-the-art approach, have encouraged us to produce a new edition of GENTE. To do so, we have undertaken a thorough revision of the coursebook, which was overseen by a number of international working groups, who have all contributed their teaching experience to improving it.

This revision has been based on various criteria and objectives:

– **Educational Revision**: the working groups of consultants and the authors have carried out a detailed analysis of all the coursebook activities so as to modify (even to replace if necessary) those that failed to satisfy teachers and learners fully. In other cases, they have simply introduced changes intended to make the stated aims more transparent.

– **Matching to the Framework and to the European language Portfolio**: the revision carried out has also endeavoured to strengthen the methodological aspects closest to the approach proposed in the Framework. In addition, an icon has been used to indicate those activities that match the European Language Portfolio, reinforcing strategies of self-assessment and greater awareness of the learning process.

– **Updating**: images, references to public figures, the European currency and socio-cultural data have all been brought up to date.

– **Graphic Adaptation**: the team of designers have started again from scratch so as to make the structure and the units of the coursebook clearer and more practical, highlighting sections, as well as improving legibility and the visual impact.

– **Grammatical reference**: the grammatical summaries previously in the Workbook (which now includes a practical table of regular and irregular verbs), have been switched to the Student's book. The aim here is to facilitate the use of this tool and to encourage learner autonomy. To make this easier for English-speaking learners, contrastive grammar notes in English have been included.

– **Workbook**: in the new edition of GENTE 1 we have also included, the comic-novel *Gente que lee,* (People who read) which had been published separately until now. The plot of the novel unfolds in line with the functional and lexical progress of the Student's book.

– **Audio CD**: to facilitate autonomous work on the part of the learner, the CDs, with the audio material for both books, are included in the *Student's book* and the *Workbook.*

We are fully convinced that with this new edition of GENTE, the educational payoff from the course will be much greater both for teachers and for learners.

gente at a glance

ENTRAR EN MATERIA. These pages offer a first contact with the topics and vocabulary in the unit. We'll tell you the aims of the unit and what you're going to learn.

- The aims and the grammatical contents of the unit are presented.

5

En esta unidad vamos a elaborar una guía para vivir 100 años en forma.

Para ello, aprenderemos:
✔ a informar sobre nuestros hábitos relativos a la salud, y a valorarlos,
✔ a expresar frecuencia,
✔ a dar recomendaciones y consejos sobre actividades físicas y alimentación,
✔ el Presente de Indicativo de los verbos regulares y de algunos irregulares frecuentes,
✔ a cuantificar con **muy, mucho, demasiado,** etc.

gente en forma

50
Cincuenta

ENTRAR EN MATERIA 5

1 Para estar en forma
En esta lista hay costumbres buenas para estar en forma y otras malas. ¿Cuáles tienes tú? Marca dos buenas (+) y dos malas (–). También puedes añadir cosas que tú haces y que no están en la lista.

- ☐ Duermo poco.
- ☐ Voy en bici.
- ☐ Como pescado a menudo.
- ☐ Trabajo demasiadas horas.
- ☐ Bebo mucha agua.
- ☐ Como mucha fruta.
- ☐ Ando poco.
- ☐ Fumo.
- ☐ No tomo alcohol.
- ☐ Tomo demasiado café.
- ☐ No tomo medicamentos.
- ☐ Como poca fibra.
- ☐ Hago yoga.
- ☐ No hago deporte.
- ☐ Juego al tenis.
- ☐ Como muchos dulces.
- ☐ Estoy mucho tiempo sentado/a.
- ☐ Como mucha carne.
- ☐ No tomo azúcar.
- ☐ Como solo verduras.
- ☐ ____________
- ☐ ____________

Coméntalo con dos compañeros. Buscad costumbres que tenéis en común.

- *Yo voy en bici y no tomo alcohol.*
- *Yo también voy en bici, pero tomo demasiado café.*
- *Pues yo hago gimnasia y también voy en bici...*

Los tres vamos en bici y dormimos poco...

gente en forma

51
Cincuenta y uno

- There will normally be small comprehension activities.

How to work with these pages

✓ The artwork will help you a lot to understand texts and vocabulary.

✓ Your general knowledge, of other languages, or simply of the world, will also be useful. Make the most of this.

✓ When the activities ask you to talk or write, you can use the linguistic resources acquired in the previous sections.

EN CONTEXTO. **These pages have documents with images, along with written and oral texts that are similar to what you would find in real-life situations. They will introduce you to the contents of the unit and help develop your ability to understand.**

- There is a wide range of texts: conversations, ads, articles from the press, radio programmes, leaflets etc.

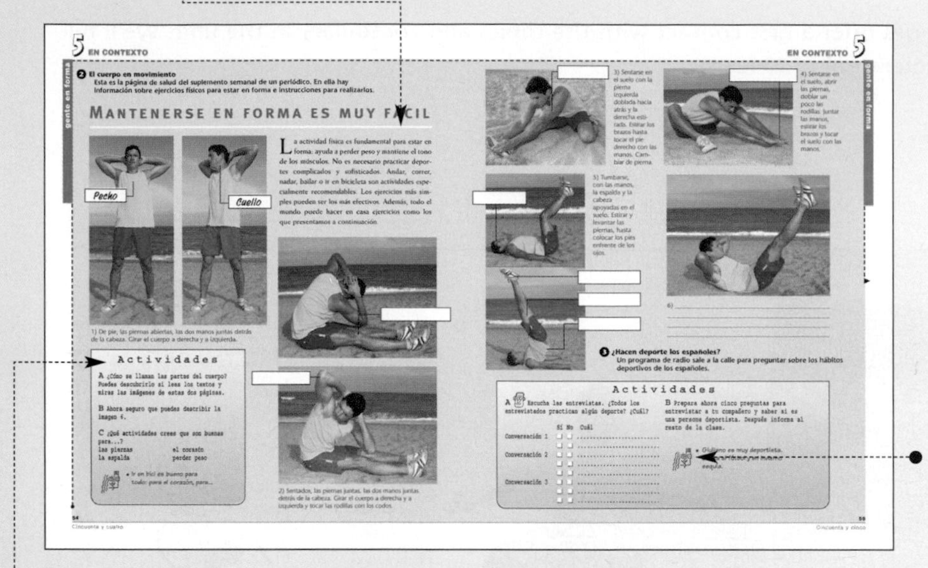

- What you'll be doing with every document is shown in the "Actividades" (Activities) box.

HOW TO WORK WITH THESE PAGES

✓ From the very beginning you'll be reading and listening to authentic examples of everyday Spanish. Don't worry if you don't understand absolutely everything; that won't be necessary to do the activities.

✓ You'll come across new structures and new contents. Relax, in the following sections you'll have lots of chances to get used to them.

- These icons indicate examples that will help you to prepare your own oral and written output.

FORMAS Y RECURSOS. **In the activities on these pages we'll be paying attention to various grammatical aspects from the point of view of how they're used and what they're used for in communication.**

- You'll find all the linguistic resources that are practised grouped together in a central column. This "crib sheet" will help you to do the activities and you'll be able to consult it as often as you like.

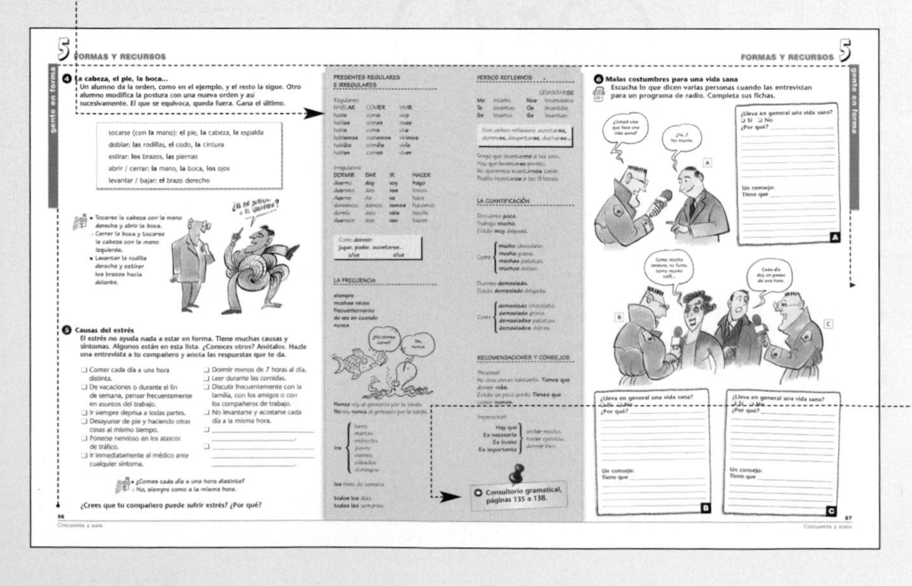

HOW TO WORK WITH THESE PAGES

✓ Very often you'll have to work with a partner, or with several, so you'll be getting plenty of interactive practice.

✓ At other times we'll suggest activities where you should explore the language, notice its structures and its mechanisms so that you can understand some particular rules better.

- In this note we indicate the "Consultorio gramatical" (grammar reference) pages of the unit, which are at the back of the book; this is where the "crib sheet" explanations are given in more detail.

TAREAS. Here you'll find tasks to do with a partner, in small groups or with the rest of the class. They are activities that make the classroom experience similar to real-life communicative situations: solving a problem, reaching an agreement with partners, exchanging information with them and creating a text, amongst other things.

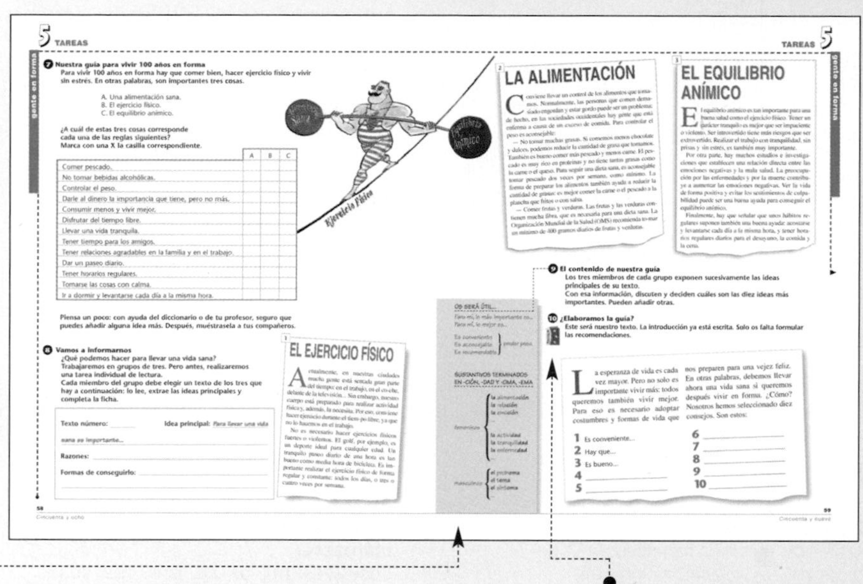

- On many occasions, the double page offers new practical resources for the presentation of the result of the task, or for preparation in groups. These resources are to be found in the "Os será útil" (This will be useful for you) section.

This icon indicates which activities can be put in your Portfolio.

How to work with these pages

✓ The most important thing is fluency and effective communication. Remember that on the previous pages you have practised the linguistic tools that you'll need in order to communicate with your partners; what is essential now is to be able to use what you have studied, naturally and effectively, and in context.

✓ In the preparation phase, ask the teacher what you need to know, or look it up in a book or in a dictionary, and discuss with your partners everything that you consider necessary to improve "the product".

MUNDOS EN CONTACTO. On these pages you'll find information and suggestions for you to reflect on cultures of the Spanish-speaking world, in everyday life as well as geographical, historical, artistic aspects.

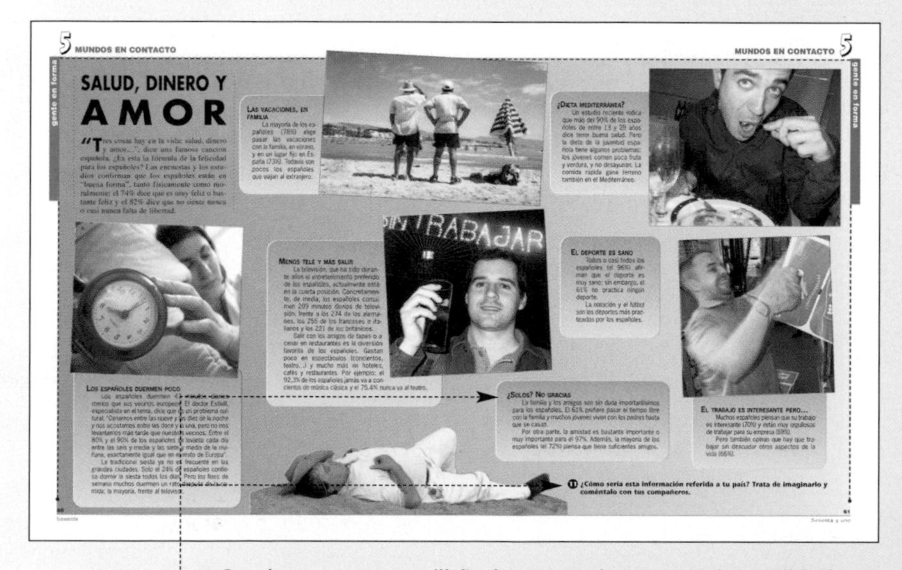

- On these pages you'll find texts and activities that will help you to understand Spanish-speaking societies as well as your own one.

How to work with these pages

✓ Very often we have to reflect on our own cultural identity and on our own experiences so as to understand other cultural realities better.

✓ There are texts that could look complicated, but bear in mind that you only have to understand them. You aren't being asked to produce similar texts.

Índice

CL = comprensión lectora
CA = comprensión auditiva
IO = interacción oral
EE = expresión escrita

	1 gente que estudia español	2 gente con gente
ENTRAR EN MATERIA	Identificar nombres propios a partir de una audición y de una lista de nombres para una primera sensibilización sobre la correspondencia entre sonidos y grafías en español.	Especular sobre la edad, la profesión y los rasgos del carácter de una serie de personas.
EN CONTEXTO	**COMUNICACIÓN** Expresar intereses respecto al español. **SISTEMA FORMAL** Numerales del 1 al 10. Artículo determinado. Concordancia de género y de número. **VOCABULARIO** Nombres de los países hispanohablantes. **TEXTOS** Concurso televisivo (CA).	**COMUNICACIÓN** Entender información sobre las personas. Entender opiniones y valoraciones sobre las personas. **VOCABULARIO** Edad, nacionalidad, estado civil, aficiones, estudios, profesión y carácter. **TEXTOS** Conversaciones (CA).
FORMAS Y RECURSOS	**COMUNICACIÓN** Dar y entender un número de teléfono. Identificar países en una mapa. Deletrear. Recursos de control de la comunicación. **SISTEMA FORMAL** Grafía de algunos fonemas. Pronombres sujeto: morfología. Presente de Indicativo del verbo **ser.** Artículos: **el, la, los, las.** Demostrativos: **esto; este/a/os/as.** **Sí, no.** **VOCABULARIO** Nombres de las letras.	**COMUNICACIÓN** Pedir y dar información sobre personas: nombre, edad, profesión, nacionalidad, estado civil. Valorar rasgos personales. **SISTEMA FORMAL** Presente de Indicativo: **-ar, -er, ir.** **Llamarse.** Posesivos: **mi, tu, su, mis, tus, sus.** Adjetivos: flexión de género y de número. **Muy, bastante, un poco, nada** + *adjetivo.* Numerales del 20 al 100. **VOCABULARIO** Relaciones de parentesco. Nacionalidades. **TEXTOS** Conversaciones (CA, IO).
TAREAS	**Conocer a los compañeros averiguando sus intereses respecto al mundo hispano y confeccionando la lista de la clase.** **COMUNICACIÓN** En un grupo, identificar a personas por el nombre. Dar información con diferentes grados de seguridad y expresar desconocimiento. Nombres y apellidos en español. **SISTEMA FORMAL** Numerales del 1al 20.	**Obtener información sobre un compañero y buscar personas afines a él.** **COMUNICACIÓN** Entender y dar información sobre personas. Razonar una decisión. **SISTEMA FORMAL** **Porque.** **También.** **El mismo/la misma.** **VOCABULARIO** Reutilización y ampliación de lo presentado en secciones anteriores. **TEXTOS** Conversaciones (CA, IO).
MUNDOS EN CONTACTO	Reflexionar sobre el estereotipo y la imagen parcial de las demás culturas a partir de la lectura de un texto y de una serie de imágenes del mundo hispano. Primera sensibilización sobre los diferentes acentos del español.	Aproximarse a la diversidad cultural de las regiones y ciudades españolas, mediante un texto informativo y un mapa ilustrado con algunas características culturales y socioeconómicas de cada zona.

3 **gente de vacaciones**	4 **gente de compras**	5 **gente en forma**
Obtener información de un folleto turístico y elegir un viaje, atendiendo a los propios intereses y preferencias.	A partir de la observación de una imagen panorámica de las distintas tiendas de un centro comercial y de una lista de productos, aprender vocabulario relacionado con esta área temática.	A partir de fotografías y de una lista de actividades, comparar con otros compañeros los hábitos propios relacionados con la salud.
COMUNICACIÓN Describir hábitos relativos a las vacaciones. Expresar gustos y preferencias. **SISTEMA FORMAL** **(A mí) me interesa, (a mí) me gusta/n, quiero.** **Porque.** **VOCABULARIO** Turismo y vacaciones. Medios de transporte. Estaciones del año. **TEXTOS** Conversaciones (CA y IO). Anuncios (CL).	**COMUNICACIÓN** Informarse sobre la existencia y el precio de un producto y sobre las formas de pago. Valorar productos y precios. **SISTEMA FORMAL** **Necesitar. Tener que** + *Infinitivo.* **VOCABULARIO** Tiendas y productos (domésticos y de uso personal). **TEXTOS** Lista de compras (CL). Ticket de compra (CL). Conversaciones (CL, CA).	**COMUNICACIÓN** Entender y referirse a descripciones de posturas corporales. Preguntar y opinar sobre actividades relativas al ejercicio físico. **VOCABULARIO** Partes del cuerpo humano. Actividades físicas. **TEXTOS** Revistas: artículos de divulgación (CL). Entrevista radiofónica (CA, IO). Conversaciones (IO).
COMUNICACIÓN Existencia y ubicación. Gustos y preferencias. **SISTEMA FORMAL** **Hay, tiene, está/n.** **Y, ni, también, tampoco.** **Querer, gustar.** Presencia / ausencia del artículo. **Qué, dónde, cuántos/as.** **VOCABULARIO** La ciudad: lugares y servicios. Alojamiento. **TEXTOS** Página web con información sobre una localidad española (CL). Conversaciones (CA y IO).	**COMUNICACIÓN** Preguntar el precio. Dar opiniones y razonarlas. **SISTEMA FORMAL** Numerales a partir de 100. Monedas y precios: concordancia de los numerales. Demostrativos: forma neutra y formas concordadas. Uso deíctico. Presente de Indicativo de **tener.** **Tener que** + *Infinitivo.* **¿Cuánto cuesta/n?** **Un/uno/una:** formas y usos. **VOCABULARIO** Nombres de monedas. Colores. Ropa, prendas de vestir y objetos de uso personal. Adjetivos relativos al estilo en el vestir. **TEXTOS** Conversaciones (IO).	**COMUNICACIÓN** Hablar sobre hábitos. Hacer recomendaciones y dar consejos. **SISTEMA FORMAL** Presentes de Indicativo regulares, e irregulares: **dormir, dar, ir, hacer,** y **o>ue, u>ue.** Verbos reflexivos: colocación del pronombre. **Es** + *adjetivo* + *Infinitivo.* **Hay que** + *Infinitivo.* Frecuencia: **siempre, todos los días, muchas veces, de vez en cuando, nunca...** Negación: **nunca** + *verbo,* **no** + *verbo* + **nunca.** Adverbios de cantidad: **muy, mucho, demasiado, más, menos.** Adjetivos: **mucho/a/os/as, demasiado/a/os/as.** **VOCABULARIO** Aspecto físico y actividades físicas. Partes del cuerpo. Días de la semana. **TEXTOS** Entrevista radiofónica (CA). Encuesta (CL, IO).
Elegir entre varias ofertas para las vacaciones y planificarlas en grupo. **COMUNICACIÓN** Referirse a fechas, a lugares, a alojamientos y a actividades. Manifestar preferencias. Llegar a un acuerdo. **SISTEMA FORMAL** **Preferir / querer** + *Infinitivo.* **VOCABULARIO** Meses. Actividades en vacaciones. **TEXTOS** Conversaciones (IO). Folletos turísticos (CL).	**Ponerse de acuerdo para adquirir lo necesario para una fiesta. Buscar regalos apropiados para algunas personas.** **COMUNICACIÓN** Hablar sobre la existencia de objetos. Informar sobre la necesidad. Ofrecerse a hacer algo. Elegir un objeto y razonar la elección. **SISTEMA FORMAL** Presente de Indicativo de **poder.** Pronombres átonos personales: objeto directo y objeto indirecto. **VOCABULARIO** Regalos personales. En una fiesta: objetos y productos. **TEXTOS** Conversaciones (CA, IO). Tabla (EE).	**Elaborar una guía para vivir 100 años en forma.** **COMUNICACIÓN** Lectura de textos: obtención de la información principal. Transmitir información de los textos leídos. Ponerse de acuerdo en los puntos más importantes. Elaborar una serie de recomendaciones. **SISTEMA FORMAL** Género de los sustantivos: **-ción, -dad, -oma, -ema.** **VOCABULARIO** Reutilización de lo aparecido en las secciones anteriores. **TEXTOS** Artículos periodísticos (CL). Guía con consejos (EE). Conversaciones (IO).
Obtener información sobre la oferta cultural de una región a partir de un folleto de promoción. Juego de ubicación de lugares en un mapa de Sudamérica.	Conocer las costumbres más generales de las fiestas navideñas en España, a través de la lectura de un texto informativo y de una carta a los Reyes Magos. Contrastar algunos usos sociales relativos a los regalos.	Conocer los horarios y las rutinas diarias más frecuentes en España, a partir de un reportaje periodístico. Contrastar con los del propio país.

	6 gente que trabaja	7 gente que come bien	8 gente que viaja
ENTRAR EN MATERIA	Establecer la correspondencia entre nombre e imagen de distintas profesiones y comentar las cualidades necesarias para cada una de ellas, con el apoyo de los recursos lingüísticos que se ofrecen.	Encontrar la correspondencia entre una serie de fotos de productos españoles y sus nombres, y comparar gustos sobre la comida.	Obtener información de una agenda y decidir el lugar y el momento para fijar una cita con su propietaria.
EN CONTEXTO	**COMUNICACIÓN** Dar y entender información sobre experiencias. Entender anuncios de trabajo. Opinar sobre ventajas y desventajas de las profesiones. Razonar opiniones. **VOCABULARIO** Nombres de profesiones. Perfiles y características profesionales. **TEXTOS** Anuncios de prensa (CL). Conversaciones (CA, IO).	**COMUNICACIÓN** Compra de alimentos básicos. Pesos y medidas. Desenvolverse en un restaurante. Descripción y valoración de hábitos alimentarios. Recomendaciones. **VOCABULARIO** Alimentos y envases. Cocina: ingredientes, platos y recetas. **TEXTOS** Menú de un restaurante (CL). Listas de la compra (CL). Entrevista periodística (IO, CL). Conversaciones (CA, IO).	**COMUNICACIÓN** Entender referencias a lugares de una ruta y a acciones futuras. Fórmulas al teléfono. **SISTEMA FORMAL** Horas y fechas. **Todavía, todavía no, ya. Estar en, estar entre... y..., pasar por, llegar a, estar a x km de...** **VOCABULARIO** Viajes, rutas. Enseñanza. **TEXTOS** Texto informativo (CL). Programa de estudios (CL). Al teléfono (CA).
FORMAS Y RECURSOS	**COMUNICACIÓN** Informar sobre habilidades y valorarlas. Dar y pedir información sobre experiencias. **SISTEMA FORMAL** Pretérito Perfecto: morfología. Participios irregulares: **visto, hecho, escrito, dicho.** Frecuencia: **una vez, dos/tres... veces, muchas veces, varias veces.** Valoración: **bien, regular, mal.** **Saber:** Presente de Indicativo. **VOCABULARIO** Datos personales y experiencias relacionadas con la profesión. Aficiones y habilidades. **TEXTOS** Conversaciones (CA, IO).	**COMUNICACIÓN** Pedir en un restaurante. Solicitar y dar información sobre un plato. **SISTEMA FORMAL** Pesos y medidas. **Poco/un poco de.** **Nada, ningún/ninguna.** **Demasiado/a/os/as, mucho/a/os/as, poco/a/os/as, suficiente/s.** Forma impersonal con **se.** **VOCABULARIO** Platos típicos e ingredientes. Bebidas. Envases. **TEXTOS** Menú (CL). Conversaciones (CA, IO).	**COMUNICACIÓN** Pedir y dar información: hora y fecha. Fórmulas frecuentes en los hoteles. Rutas (distancias, medios, origen y destino). **SISTEMA FORMAL** **De... a, desde... hasta.** **En** + medio de transporte. Marcadores de futuro: **próximo/a, ...que viene.** **Ya, todavía, todavía no.** Interrogativas: **cuándo, cuánto, qué.** Dar información sobre la fecha y la hora. **VOCABULARIO** Medios de transporte. Alojamiento en hoteles. Establecimientos. **TEXTOS** Reglas de un juego (CL). Rótulos (CL). Conversaciones (IO).
TAREAS	**Distribuir diferentes puestos de trabajo entre un grupo de personas.** **COMUNICACIÓN** Dar y entender información sobre perfiles profesionales. Hacer una propuesta y razonarla. Aceptar o rechazar otras propuestas. **VOCABULARIO** Datos personales: nombre y apellidos, edad, domicilio... Currículum profesional: estudios, idiomas, experiencia de trabajo, carácter y aptitudes. **SISTEMA FORMAL** **Sí, pero.** **Sí, y también.** **TEXTOS** Programa de radio (CA). Fichas personales con currículum vitae (CL, EE).	**Recopilar las mejores recetas de la clase en forma de "Libro de cocina".** **COMUNICACIÓN** Entender una receta a partir de una conversación, de un texto y de unas imágenes. Dar y entender instrucciones. Escribir una receta y explicarla. **SISTEMA FORMAL** Marcadores de secuencia: **primero, después, luego, al final.** **Con, sin.** **VOCABULARIO** Ampliación de lo presentado en secciones anteriores. **TEXTOS** Receta (CL, CA, EE). Conversaciones (CA, IO).	**Planificar un viaje de negocios decicidiendo vuelos y alojamiento.** **COMUNICACIÓN** Referirse a horarios. Obtener información sobre hoteles. Reservar billetes y hotel. Razonar ventajas e inconvenientes. **SISTEMA FORMAL** **Ir a** + *Infinitivo.* Marcadores temporales: **tarde / pronto, antes / después de, de día / de noche.** **Quisiera** + *Infinitivo.* **VOCABULARIO** Reutilización de lo presentado en secciones anteriores. **TEXTOS** Horarios (CL). Anuncios de hoteles (CL). Al teléfono (CA). Conversaciones (IO).
MUNDOS EN CONTACTO	Conocer la opinión de los españoles sobre la importancia del trabajo en sus vidas, reflejada en estudios sobre el tema. Reflexionar sobre estilos de vida a partir de un reportaje periodístico sobre un joven español.	Descubrir y comparar hábitos relacionados con la alimentación a partir de la lectura de un texto novelado. Asociar palabras con algunos alimentos y escribir un poema, a partir de la lectura de dos poemas.	Reflexionar sobre las diferencias culturales en el ámbito de las relaciones profesionales y sobre los malentendidos interculturales a partir de un artículo de opinión.

9 gente de ciudad

Leer una lista desordenada de informaciones de cuatro ciudades del mundo hispano, y decidir a cuál de ellas se refieren.

Comunicación
Una encuesta: entender y responder.
Hacer valoraciones, establecer prioridades personales e informar sobre ellas.

Vocabulario
La ciudad: servicios públicos (transportes, educación, sanidad...); cultura y ocio; ecología y clima; actividades comerciales e industriales; población, sociedad e historia.

Textos
Encuesta (CL). Textos breves de enciclopedia (CL). Conversaciones (IO).

Comunicación
Describir una ciudad.
Hacer valoraciones y comparaciones.
Expresar opiniones, acuerdo y desacuerdo.
Expresar gustos y deseos.

Sistema formal
Comparar: **más / menos... que, mejor, peor.**
Superioridad: **el/la/los/las más...**
Igualdad: **el/la/los/las mismo/a/os/as, tan... como, tanto/a/os/as.**
Oraciones de relativo: **que, en el/la/los/las que, donde.**
(A mí) me gusta / me gustaría.
(A mí) me parece que...
Yo (no) estoy de acuerdo con...

Vocabulario
Reutilización de lo aparecido en secciones anteriores.

Textos
Conversaciones (IO). Juego de lógica (CL).

Discutir los problemas de una ciudad y establecer prioridades en sus soluciones.

Comunicación
Hacer valoraciones.
Establecer prioridades.
Hacer propuestas y defenderlas.
Mostrar acuerdo y desacuerdo.

Sistema formal
Es urgente / fundamental /... + *Infinitivo.*
Eso (anafórico).

Vocabulario
Reutilización y ampliación de lo aparecido en las secciones anteriores.

Textos
Reportaje periodístico (CL).
Encuesta radiofónica (CA).
Ponencia (IO).

Escuchar las descripciones de tres ciudades e identificarlas con una fotografía.

Texto poético.

10 gente en casa

Sobre un plano de una vivienda, distribuir adecuadamente una serie de muebles.

Comunicación
Contactos sociales en una visita: saludar, hacer presentaciones, despedirse, ritos.
Entender descripciones de viviendas.

Vocabulario
La vivienda: situación, espacios.

Textos
Conversaciones (CA, CL).
Anuncios de prensa (CL).

Comunicación
Pedir y dar direcciones.
Ofrecer cosas.
Dar indicaciones en la ciudad.
Pedir y conceder permiso.
Hacer presentaciones.
Fórmulas más frecuentes al teléfono.
Criterios para la elección de **tú/usted.**

Sistema formal
Imperativo: las tres conjugaciones.
Contraste (en singular y plural) de **tú/usted:** Presente de Indicativo, Imperativo (con reflexivos y sin ellos), **te/le/se/os.**
Estar + *Gerundio.*
Marcadores espaciales: **por... hasta..., allí... y luego...**

Vocabulario
Abreviaturas en las direcciones postales.

Textos
Conversaciones (CA).

Simular una visita a una familia española en su casa.

Comunicación
Hacer invitaciones y aceptarlas.
Hacer cumplidos como anfitrión y como huésped: ofrecer algo, entregar un obsequio, interesarse por familiares.
Saludar y despedirse.
Dar y seguir instrucciones en trayectos a pie.

Sistema formal
¿Qué tal + *nombre*?
¡Qué + *nombre* + **tan** + *adjetivo*!
¿Por qué no...?
Así...

Vocabulario
La vivienda. La ciudad: direcciones y transportes.

Textos
Conversaciones (IO).

A partir de la información obtenida en un texto novelístico y unos anuncios de prensa, elegir distintos tipos de viviendas para distintas personas.

11 gente e historias

Relacionar fechas y acontecimientos importantes a partir de una serie de titulares de prensa e informar sobre los acontecimientos más importantes de la historia del propio país.

Comunicación
Entender la información objetiva en diarios personales.
Relacionar los datos obtenidos con el conocimiento general de la historia.
Fechar acontecimientos.

Vocabulario
Acontecimientos históricos.
Rutina cotidiana.

Textos
Diarios personales (CL).
Conversaciones (IO).

Comunicación
Fechas importantes de la propia vida.
Describir condiciones de vida en el pasado.
Relatar la jornada de una persona.

Sistema formal
Pretéritos Indefinidos regulares. **Ser, tener** y **estar.**
Pretéritos Imperfectos regulares. **Ser** e **ir.**
Contraste de los usos del Perfecto y del Indefinido: marcadores del pasado.
Usos del Imperfecto: circunstancias en un relato. Imperfecto de habitualidad.
Relacionar acontecimientos: **por eso, así que, luego, después, entonces.**

Vocabulario
Reutilización de lo aparecido en la sección anterior.

Textos
Entrevista de radio (CA). Conversaciones (CA, IO).

Escribir la biografía de una personalidad del mundo hispano.

Comunicación
Estructurar un texto biográfico.
Fechar momentos y acontecimientos.
Referirse a las condiciones y a las circunstancias históricas.

Sistema formal
A los... años. De niño / joven / mayor...
Al + *Infinitivo.*
Desde... hasta.

Vocabulario
Etapas de la biografía de una persona: edades, formación, vida profesional y familiar.
Acontecimientos históricos, políticos y sociales.

Textos
Fichas de trabajo con informaciones personales (CL). Conversaciones (IO). Relato biográfico (EE).

Informarse de la situación sociopolítica de la España de la posguerra a partir de la lectura de un texto novelístico que narra los recuerdos de infancia de su protagonista.

1

Vamos a tener un primer contacto con la lengua española y con los países en los que se habla. También vamos a conocer a los compañeros de la clase.

Para ello, aprenderemos:

- ✔ el alfabeto y la correspondencia entre sonidos y grafías,
- ✔ a dar y a pedir información sobre el nombre, el número de teléfono y la dirección electrónica,
- ✔ algunas preguntas útiles para la clase,
- ✔ los pronombres personales sujeto **yo, tú, él, usted...**
- ✔ **este, esta, estos, estas; esto,**
- ✔ el género y el número de los sustantivos.

gente que estudia español

1 El primer día de clase

Esto es una escuela de idiomas en España. Laura, la profesora, está pasando lista. ¿Están todos? Pon una cruz (X) al lado de los estudiantes que sí están.

NOMBRE	APELLIDOS
1 Ana	REDONDO CORTÉS
2 Luis	RODRIGO SALAZAR
3 Eva	TOMÁS ALONSO
4 José Antonio	VALLÉS PÉREZ
5 Raúl	OLANO ARTIGAS
6 Mari Paz	RODRÍGUEZ PRADO
7 Francisco	LEGUINECHE ZUBIZARRETA
8 Cecilia	CASTRO OMEDES
9 Alberto	VIZCAÍNO MORCILLO
10 Silvia	JIMÉNEZ LUQUE
11 Nieves	HERRERO GARCÍA
12 Paz	GUILLÉN COBOS
13 Gerardo	BERMEJO BERMEJO
14 David	BLANCO HERRERO

2 ¿Cómo suena el español?

Escucha otra vez los nombres. Tu profesor los leerá despacio. ¿Has oído sonidos "nuevos" para ti?

3 El español y tú

Cada uno de nosotros tiene intereses diferentes. ¿A ti te interesan estos temas?

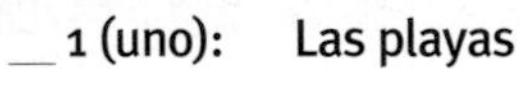

C

D

- __ 1 (uno): Las playas
- __ 2 (dos): La cultura
- __ 3 (tres): La gente people
- __ 4 (cuatro): El arte
- __ 5 (cinco): La comida food
- __ 6 (seis): La política
- __ 7 (siete): Los negocios business
- __ 8 (ocho): Las grandes ciudades
- __ 9 (nueve): Las fiestas populares
- __ 10 (diez): La naturaleza

Actividades

A Intenta relacionar los temas con las fotos.

B ¿Tú qué quieres conocer del mundo hispano?

• *Yo, las playas y la comida.*

C ¿Sabes ya contar hasta diez en español? A ver... Inténtalo sin mirar.

4 El español en el mundo

La televisión está transmitiendo el "Festival de la Canción Hispana". Participan todos los países en los que se habla español. Ahora está votando Argentina.

ARGENTINA
BOLIVIA
COLOMBIA
COSTA RICA
CHILE
CUBA
ECUADOR
ESPAÑA
FILIPINAS
GUATEMALA
GUINEA ECUATORIAL
HONDURAS
MÉXICO
NICARAGUA
PANAMÁ
PARAGUAY
PERÚ
PUERTO RICO
REP. DOMINICANA
EL SALVADOR
URUGUAY
VENEZUELA

Actividades

A ¿Cuántos puntos da Argentina a cada país? Anótalo en la pantalla.

B Cierra ahora el libro: ¿puedes decir el nombre de cinco países de la lista?

5 Un, dos, tres, cuatro, cinco...

Un alumno lee uno de estos números de teléfono. Los demás tienen que adivinar de quién es.

- *Nueve, cuatro, ocho, tres, seis, cinco, cero, cero, ocho.*
- *Pérez Pérez, V.*

Pérez Fernández, C. - Pl. de las Gardenias, 7	948 365 501
Pérez Medina, M.E. - Río Tajo, 9	948 387 925
Pérez Montes, J.L. - García Lorca, 5	948 313 346
Pérez Moreno, F. - Fernán González, 16	948 394 321
Pérez Nieto, R. - Pl. Santa Teresa, 12-14	948 303 698
Pérez Ordóñez, A. - Pl. Independencia, 2	948 374 512
Pérez Pérez, S. - Puente de Toledo, 4	948 344 329
Pérez Pérez, V. - Galileo, 4	948 365 008
Pérez Pescador, J. - Av. del Pino, 3-7	948 330 963
Pérez Pico, L. - Av. Soria, 11	948 357 590

6 Un poco de geografía

¿Podéis situar en el mapa los países de la lista? Trabajad en parejas.

- *(Yo creo que) esto es Perú.*
- *¿Perú? No, esto es Colombia.*

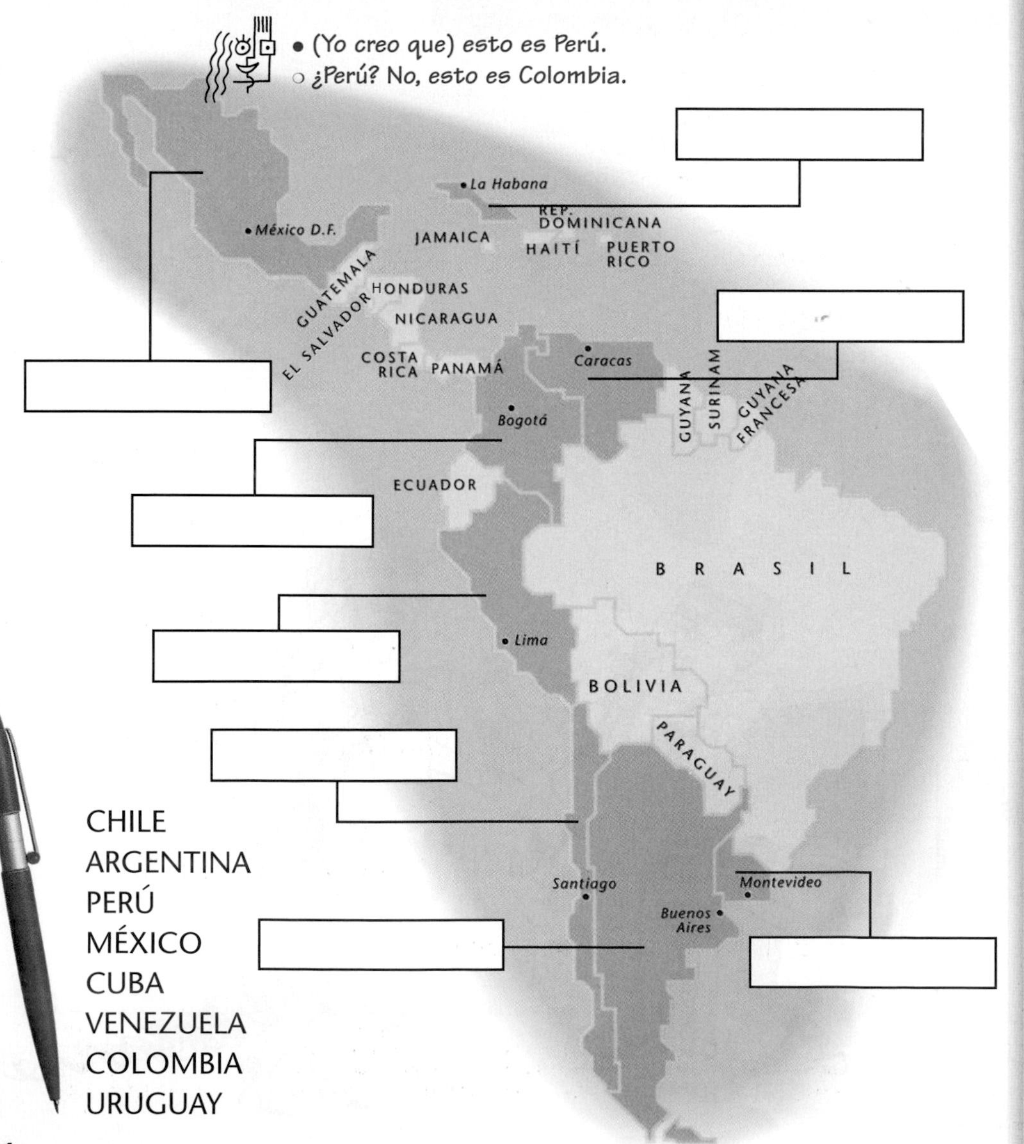

CHILE
ARGENTINA
PERÚ
MÉXICO
CUBA
VENEZUELA
COLOMBIA
URUGUAY

SER: EL PRESENTE

(yo)	soy
(tú)	eres
(él, ella, usted)	es
(nosotros, nosotras)	somos
(vosotros, vosotras)	sois
(ellos, ellas, ustedes)	son

GÉNERO Y NÚMERO

	masculino	femenino
singular	**el / este** **el** país **este** país	**la / esta** **la** ciudad **esta** ciudad
plural	**los / estos** **los** países **estos** países	**las / estas** **las** ciudades **estas** ciudades
	esto **Esto** es Chile.	

SÍ, NO

PARA LA CLASE

¿Cómo se escribe?
¿Se escribe con hache / be / uve...?
¿Cómo se dice... en español?
¿Cómo se pronuncia...?
¿Qué significa...?

EL ALFABETO

A a	B be	C ce
D de	E e	F efe
G ge	H hache	I i
J jota	K ka	L ele
M eme	N ene	Ñ eñe
O o	P pe	Q cu
R ere/erre	S ese	T te
U u	V uve	W uve doble
X equis	Y i griega	Z zeta

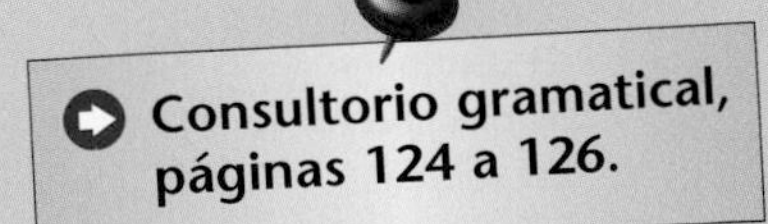
Consultorio gramatical, páginas 124 a 126.

7 Sonidos y letras

Escucha estos nombres y apellidos. Observa cómo se escriben.

H	C/Qu	G/J	B/V
Hugo Hernández Hoyo	Carolina Cueto Cobos Quique Quesada	Jaime Jiménez Juárez Gerardo Ginés	Borja Bermúdez Bárcena Vicente Velasco

C/Z	R	R/rr	Ch
Celia Cisneros Zara Zorrilla	Marina Pérez Arturo Aranda	Rita Rodrigo Curro Parra	Pancho Chaves Chelo

G/Gu	Ll	Ñ
Gonzalo Guerra Guadalupe Guillén	Valle Llorente Llanos	Toño Yáñez Paños

8 ¿Qué ciudad es?

Elige una de estas etiquetas de aeropuerto y deletréala. Tus compañeros tienen que adivinar el nombre de la ciudad.

¿Conoces otras abreviaturas de aeropuertos?

SOLUCIONES

MGA: Managua
GUA: Guatemala
BOG: Bogotá
MAD: Madrid
PML: Palma de Mallorca
SAL: San Salvador
ASU: Asunción
BCN: Barcelona
ALC: Alicante
SDQ: Santo Domingo
LIM: Lima
HAV: La Habana
CCS: Caracas
MEX: México

gente que estudia español

9 ¿Quién es quién?

Estos son algunos personajes famosos del mundo hispano. ¿Los conoces? Háblalo con tu compañero.

- ☐ PEDRO ALMODÓVAR
- ☐ PABLO PICASSO
- 1 ENRIQUE IGLESIAS
- 2 MIGUEL DE CERVANTES
- 3 GABRIEL GARCÍA MÁRQUEZ
- 4 CHE GUEVARA
- 5 PENÉLOPE CRUZ
- 6 RAÚL
- ☐ SHAKIRA

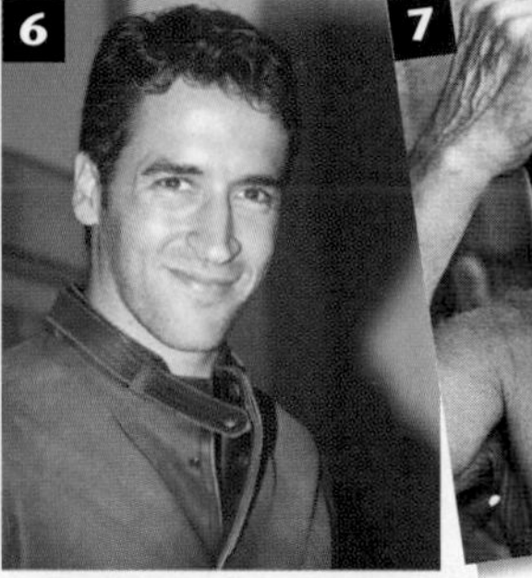

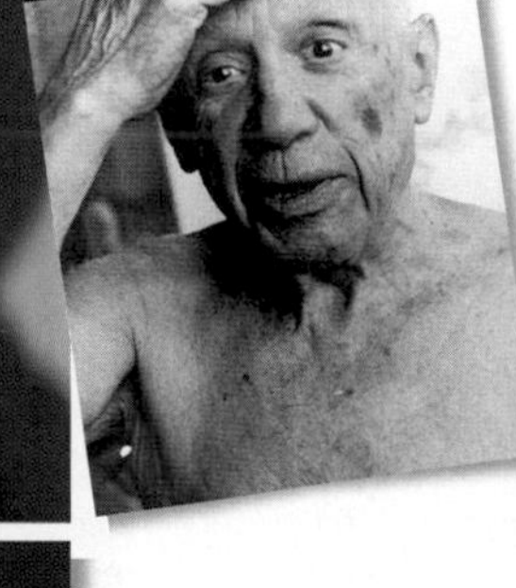

- Este es Raúl, ¿no?
- No, creo que es Enrique Iglesias. Raúl es este, el seis.
- ¿Y el ocho?
- No sé.
- Yo creo que es...

¿Conoces a otros personajes hispanos? ¿Cuáles?

10 El país más interesante para nuestra clase

¿Cuál es? Vamos a hacer una estadística en la pizarra. Primero, escribe aquí al lado los nombres de los tres que te interesan más.

3 puntos: __________
2 puntos: __________
1 punto: __________

ARGENTINA	FILIPINAS	PARAGUAY
BOLIVIA	GUATEMALA	PERÚ
COLOMBIA	GUINEA ECUATORIAL	PUERTO RICO
COSTA RICA	HONDURAS	REPÚBLICA DOMINICANA
CUBA	MÉXICO	EL SALVADOR
CHILE	NICARAGUA	URUGUAY
ECUADOR	PANAMÁ	VENEZUELA
ESPAÑA		

Si queréis, podéis buscar información sobre los países ganadores y presentarla a la clase.

OS SERÁ ÚTIL

11 once
12 doce
13 trece
14 catorce
15 quince
16 dieciséis
17 diecisiete
18 dieciocho
19 diecinueve
20 veinte

11 Nombres y apellidos

¿Puedes clasificar estos nombres y apellidos en su lugar correspondiente? Piensa en personajes famosos, en nombres parecidos en tu lengua... Compara, después, tu lista con las de dos compañeros.

José	Pablo
García	Miguel
Márquez	Ana
Susana	Ernesto
María	Mateo
Pedro	Juan
Luis	José
Isabel	Villa
Martínez	Casas
Fidel	Felipe
González	Salvador
Plácido	Fernández

- ¿García es nombre o apellido?
- No sé...
- Apellido. Por ejemplo, Gabriel García Márquez.

OS SERÁ ÚTIL

- ¿Cuál es tu número de teléfono?
- (Es el) 912 344 562 y el móvil, 606 113 423.

- ¿Tienes correo electrónico?
- Sí, mi dirección es luigi3@melo.net. / No, no tengo.

¿Cómo te llamas?
Luigi Caffo.
¿Caffo es nombre o apellido?

12 La lista

PORTFOLIO

¿Sabes cómo se llaman todos tus compañeros de clase? Vamos a hacer la lista. Tienes que preguntar a cada uno cómo se llama: nombre y apellido. Luego, pregúntales su número de teléfono y su dirección electrónica, si tienen. Ahora, alguien puede pasar lista. ¿Cuántos sois?

13 De la A a la Z

Mira la lista de la página 11 y ordénala alfabéticamente. Luego, vamos a comparar nuestros resultados.

- 1, Bermejo; 2, Castro...
- No, 1, Bermejo; 2, Blanco; 3, Castro...

EL MUNDO DEL ESPAÑOL

Todos sabemos algo de los países en los que se habla español: de sus ciudades, de sus tradiciones, de sus paisajes, de sus monumentos, de su arte y de su cultura, de su gente.

Pero muchas veces nuestra información de un país no es completa; conocemos solo una parte del país: sus ciudades más famosas, sus paisajes más conocidos, sus tradiciones más folclóricas.

El mundo hispano tiene muchas caras y cada país tiene aspectos muy diferentes.

14 **¿Puedes decir de dónde son estas fotos? ¿De España o de Latinoamérica?**

- La seis es Latinoamérica, ¿no? México...
- No, no. Yo creo que es España.

15 **El español también suena de maneras diferentes. Vas a escuchar tres versiones de una misma conversación. ¿Cuál te suena mejor?**

SOLUCIONES

1/ Los pirineos, España. 2/ Buenos Aires, Argentina. 3/ Segovia, España. 4/ Valparaíso, Chile. 5/ Tarragona, España. 6/ Gijón, España.

Vamos a conocer los gustos y las aficiones de un compañero y a buscar personas afines a él.

Para ello, aprenderemos:

- ✔ a pedir y a dar información sobre personas: nacionalidad, edad, profesión y estado civil,
- ✔ a expresar nuestra opinión sobre los demás y a hablar de sus cualidades,
- ✔ a hablar de relaciones entre personas,
- ✔ los numerales del 20 al 100,
- ✔ a dar explicaciones con **porque**,
- ✔ el Presente de Indicativo de las tres conjugaciones,
- ✔ el género y el número de los adjetivos.

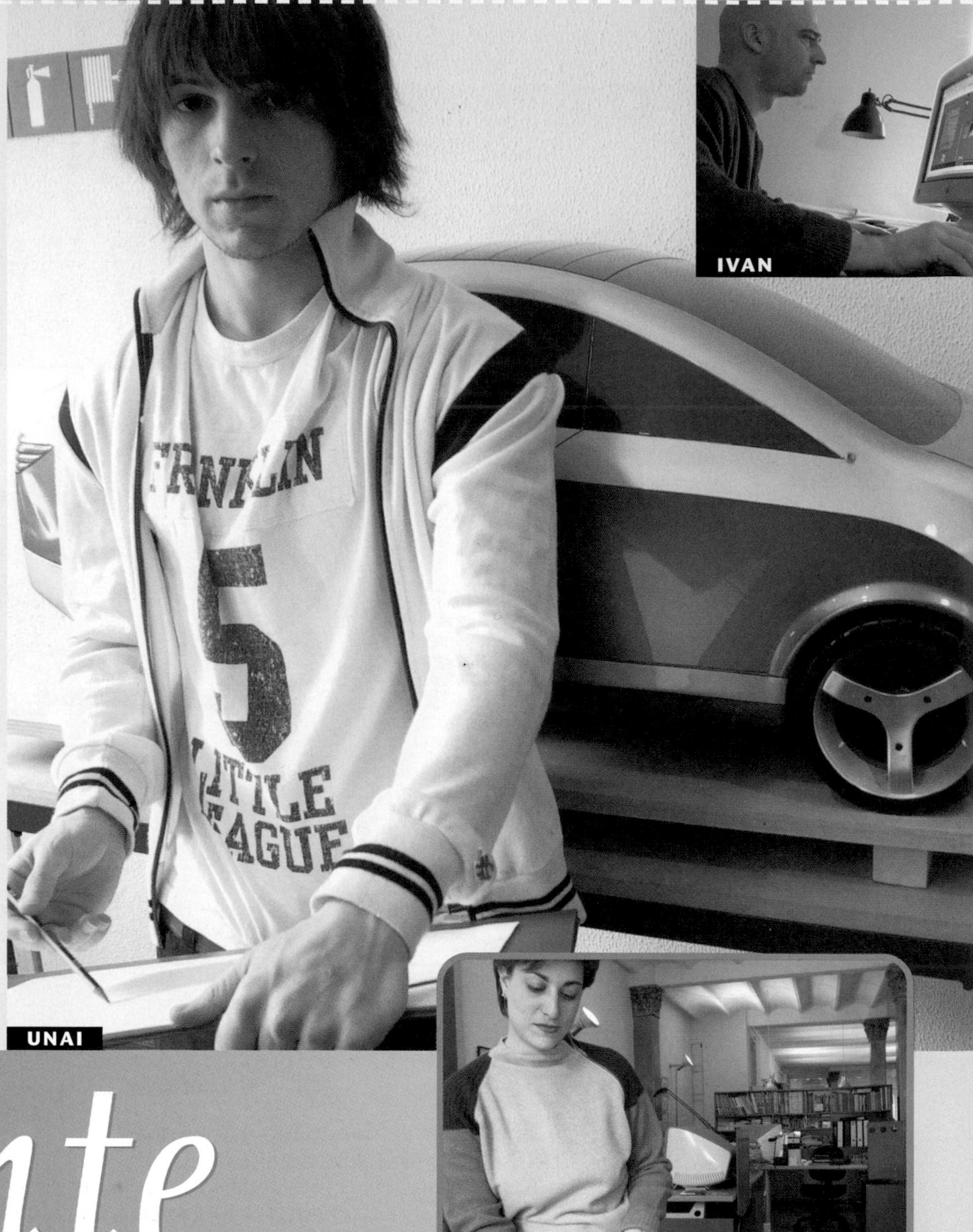

gente con gente

1 ¿Quiénes son?

Tú no conoces a estas personas pero tu profesor tiene información sobre ellos. ¿Tienes intuición? Asígnales los datos de las listas.

es profesor/a de español
es diseñador/a
es estudiante de ESO
trabaja en una editorial
estudia en la Universidad
es profesor/a de dibujo

(no) es español/a

tiene 15 (quince) años
tiene 19 (diecinueve) años
tiene 27 (veintisiete) años
tiene 39 (treinta y nueve) años
tiene 29 (veintinueve) años
tiene 52 (cincuenta y dos) años

PABLO
Es profesor de español.
Es español.
Tiene 27 (veintisiete) años.

MARIANNE
Es estudiante de ESO
Es española
tiene quince años

BEGOÑA
Es profesor de dibujo
Es española
Tiene cincuenta y dos años

UNAI

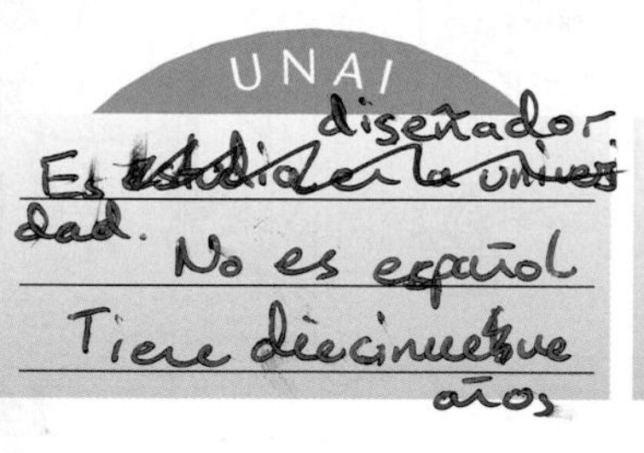

IVAN

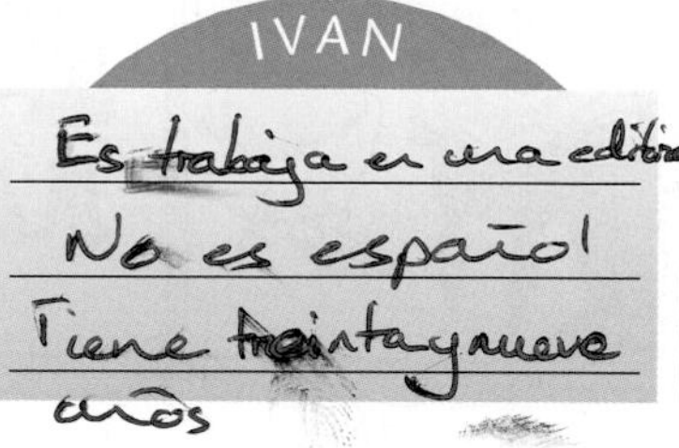

Es trabaja en una editorial
No es español
Tiene treinta y nueve años

MIREIA
Es estudia en la universidad
Es española
Tiene veintinueve años

Compara tus fichas con las de dos compañeros. Luego, preguntad al profesor si vuestros datos son correctos. ¿Quién ha tenido más intuición?

- *Yo creo que Unai es diseñador.*
- ○ *Sí, yo también creo que es diseñador.*
- *No... Yo creo que estudia en la Universidad.*

2 ¿De quién están hablando?

¿A qué personas de la actividad 1 crees que se refieren estas opiniones? ¿Tus compañeros están pensando en las mismas personas?

- ¡Qué simpático es!
- ○ Sí, es una persona muy agradable.
- Y muy trabajador.
- ○ Sí, es cierto. Y no es nada egoísta...
- No, qué va... Al revés...

- ■ Es una mujer muy inteligente.
- □ Sí, pero es pedante, antipática...
- ■ Sí, eso sí... Y un poco egoísta...
- □ ¡Muy egoísta...!

3 Las formas de los adjetivos

Subraya los adjetivos de las conversaciones anteriores. ¿Puedes clasificarlos en masculinos y en femeninos?

4 La gente de la calle Picasso

Todas estas personas viven en la calle Picasso. Son hombres y mujeres; niños, jóvenes y personas mayores; casados y solteros; españoles y de otros países... Hoy es sábado por la mañana y están todos en casa.

casa 1

MARIBEL MARTÍNEZ SORIA
Es ama de casa.
Es española.
Hace aeróbic y estudia Historia.
Es muy sociable y muy activa.

JUANJO RUIZ PEÑA
Trabaja en un banco.
Es español.
Corre y hace fotografías.
Es muy buena persona pero un poco serio.

MANUEL RUIZ MARTÍNEZ
Juega al fútbol.
Es muy travieso.

EVA RUIZ MARTÍNEZ
Toca la guitarra.
Es muy inteligente.

casa 2

BEATRIZ SALAS GALLARDO
Es periodista.
Es española.
Juega al tenis y estudia inglés.
Es muy trabajadora.

JORGE ROSENBERG
Es fotógrafo.
Es argentino.
Colecciona sellos.
Es muy cariñoso.

DAVID ROSENBERG SALAS
Come mucho y duerme poco.

casa 3

RAQUEL MORA VILAR
Estudia Económicas.
Es soltera.
Juega al squash.
Es un poco pedante.

SARA MORA VILAR
Estudia Derecho.
Es soltera.
Toca el piano.
Es muy alegre.

casa 4

JOSÉ LUIS BAEZA PUENTE
Es ingeniero.
Está separado.
Toca la batería.
Es muy callado.

UWE SCHERLING
Es profesor de alemán.
Es soltero.
Toca el saxofón.
Es muy simpático.

casa 5

LORENZO BIGAS TOMÁS
Trabaja en Iberia.
Está divorciado.
Es muy tímido.

SILVIA BIGAS PÉREZ
Es estudiante.
Baila flamenco.
Es un poco perezosa.

casa 6

ADRIANA GULBENZU RIAÑO
Trabaja en una farmacia.
Es viuda.
Pinta.
Es muy independiente.

TECLA RIAÑO SANTOS
Está jubilada.
Es viuda.
Hace punto y cocina.
Es muy amable.

Actividades

A Si miras la imagen y lees los textos, puedes saber muchas cosas de estas personas. Busca gente con estas características y escribe su nombre.

un niño ______________________

un hombre soltero ______________________

una persona que hace deporte ______________________

una chica que estudia ______________________

una señora mayor ______________________

una persona que no trabaja ______________________

B Escucha a dos vecinas. ¿De quién están hablando? ¿Qué dicen?

HABLAN DE...	DICEN QUE ES / SON...
1. Uwe Scherling	toca el saxofón y profesor de alemán
2. Jorge Rosenberg	argentino
3. Maribel Martínez Soria	estudia Historia; ~~es ama de casa~~ y tiene dos hijos
4. Sara y Raquel Mora Vilar	tiene hermanas hermanas
5. Lorenzo y Silvia Bigas Tomás	divorciado ... vive con una chica
6. Tecla Riaño Santos	sesenta y ... años

5 Personas y cosas famosas

¿Qué tal tu memoria? En equipos de dos o tres compañeros, vamos a completar esta lista. A ver qué equipo termina antes.

una actriz norteamericana
un plato chino
una marca italiana
un grupo musical inglés
una película española
un político europeo
un futbolista brasileño
un personaje histórico español
un escritor latinoamericano
un producto típico francés

- Un grupo inglés...
- U2.
- ¿Son ingleses?
- No, yo creo que son irlandeses...

Ahora, en parejas, podéis preparar preguntas sobre tres temas más.

6 Alemán, alemana...

Aquí tienes los nombres de algunos países en español. Encuentra, abajo, los adjetivos de nacionalidad correspondientes. Luego, con un compañero, intenta clasificar los adjetivos según sus terminaciones.

Alemania	**Brasil**	**Grecia**	**Italia**
Francia	**Luxemburgo**	**Holanda**	**Marruecos**
Austria	**Canadá**	**Inglaterra**	**Portugal**
Bélgica	**España**	**Irlanda**	

inglés / inglesa
irlandés / irlandesa
italiano / italiana
portugués / portuguesa
español / española
francés / francesa
canadiense / canadiense
holandés / holandesa
alemán / alemana
austriaco / austriaca
belga / belga
marroquí / marroquí
luxemburgués / luxemburguesa
griego / griega
brasileño / brasileña

¿Sabes ya el nombre de tu país y de sus habitantes? Si no, pregúntaselo a tu profesor. Pregúntale también por tu ciudad, a lo mejor tiene un nombre en español.

- ¿Cómo es München en español?
- Múnich.

Después, pregúntale a tu compañero de qué ciudad es.

- ¿De dónde eres?
- De Río de Janeiro.

EL PRESENTE

	TRABAJAR
(yo)	trabajo
(tú)	trabajas
(él, ella, usted)	trabaja
(nosotros, nosotras)	trabajamos
(vosotros, vosotras)	trabajáis
(ellos, ellas, ustedes)	trabajan

	LEER	ESCRIBIR
(yo)	leo	escribo
(tú)	lees	escribes
(él, ella, usted)	lee	escribe
(nosotros, nosotras)	leemos	escribimos
(vosotros, vosotras)	leéis	escribís
(ellos, ellas, ustedes)	leen	escriben

EL NOMBRE

	LLAMARSE
(yo)	**me** llamo
(tú)	**te** llamas
(él, ella, usted)	**se** llama
(nosotros, nosotras)	**nos** llamamos
(vosotros, vosotras)	**os** llamáis
(ellos, ellas, ustedes)	**se** llaman

ADJETIVOS

	masculino	*femenino*
o/a	simpático	simpática
conso-nante/a	trabajador alemán francés	trabajadora alemana francesa
e **a** **ista** **otros**	interesante belga pesimista feliz	

Es **muy** amable.
Es **bastante** inteligente.
Es **un poco** antipática.
No es **nada** sociable.

Un poco: solo para cosas negativas: *~~un poco guapa~~

	singular	*plural*
vocal	simpático inteligente trabajadora	simpáticos inteligentes trabajadoras
consonante	difícil trabajador	difíciles trabajadores

LA EDAD

- ¿Cuántos años tiene (usted)?
  ¿Cuántos años tienes?
- Treinta.
  Tengo treinta años.
  ~~*Soy treinta.~~

DEL 20 AL 100

20 veinte,
veintiuno, veintidós, veintitrés,
veinticuatro, veinticinco,
veintiséis, veintisiete,
veintiocho, veintinueve
30 treinta,
treinta y uno
40 cuarenta,
cuarenta y dos
50 cincuenta,
cincuenta y tres
60 sesenta
70 setenta
80 ochenta
90 noventa
100 cien

EL ESTADO CIVIL

Soy / Estoy { soltero/a. / casado/a. / viudo/a. / divorciado/a.

LA PROFESIÓN

- ¿A qué se dedica (usted)?
  ¿A qué te dedicas?
- Trabajo en un banco.
  Estudio en la Universidad.
  Soy camarero.

RELACIONES FAMILIARES

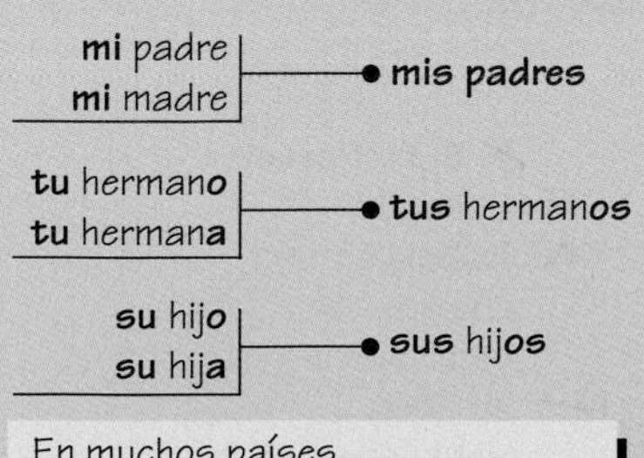

En muchos países latinoamericanos se dice: **mi mamá, mi papá** y **mis papás.**

Consultorio gramatical, páginas 127 a 130.

7 El árbol genealógico de Paula

Paula está hablando de su familia: escúchala y completa su árbol genealógico.

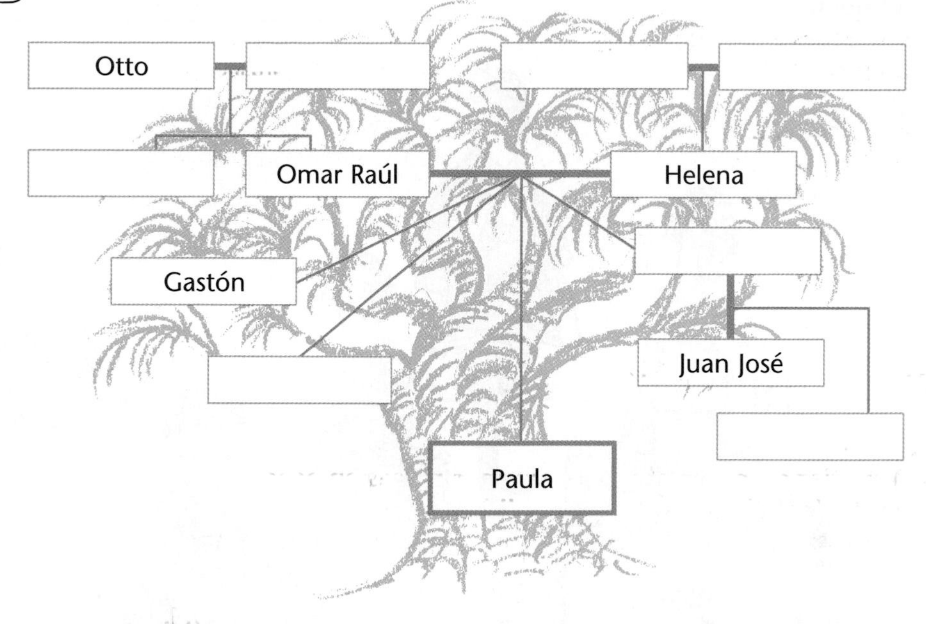

Compara tus resultados con los de un compañero. Después, haz preguntas a tu compañero para construir su árbol.

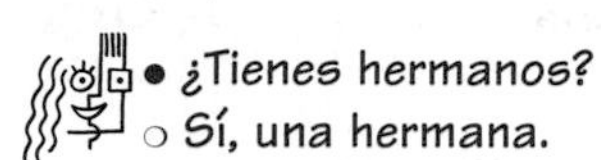

8 Los verbos en español: -ar, -er, -ir

¿Haces algunas de estas cosas? Señálalo con flechas.

-AR	-ER	-IR
juego	leo	escribo
hablo	soy	vivo
cocino	como	recibo
toco	tengo	
bailo		

______	música	______	el tango
______	un animal en casa	______	al fútbol
______	la guitarra	______	al tenis
______	poesía	______	cariñoso
______	francés	______	mucho
______	periódicos	______	soltero
______	correos electrónicos	______	solo
______	en restaurantes	______	platos españoles

Ahora hazle algunas preguntas a un compañero y toma notas. Luego vas a informar al resto de la clase de sus tres respuestas más interesantes.

- ¿Juegas al fútbol?
- No.
- ¿Tienes un animal en casa?
- Sí, un gato.

- Eva no juega al fútbol, lee mucho y tiene un gato.

9 Un crucero por el Mediterráneo

Todas estas personas van a hacer un crucero por las Islas Baleares. ¿Puedes reconocer en la imagen a los pasajeros de la lista? Escribe su número en las etiquetas.

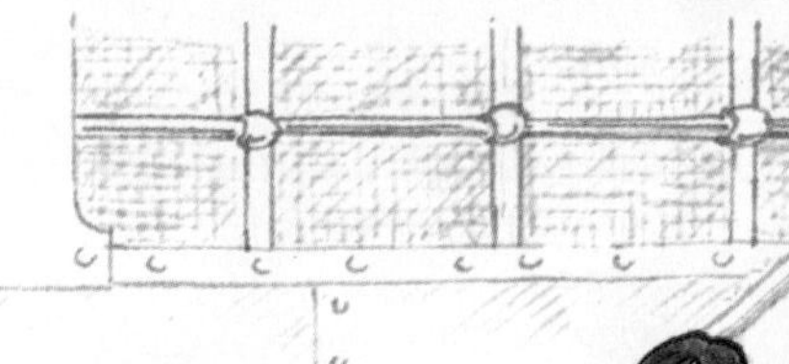

1. Sr. López Marín
Biólogo jubilado.
67 años.
Solo habla español.
Colecciona mariposas.

2. Sra. López Marín
Jubilada.
65 años.
Habla español y francés.
Muy aficionada al fútbol.

3. Marina Toledo
51 años.
Profesora de música.
Habla español e inglés.
Soltera.

4. Manuel Gálvez
Profesor de gimnasia.
50 años.
Separado.
Habla español y francés.
Colecciona mariposas.

5. Keiko Tanaka
Arquitecta.
35 años.
Habla japonés y un poco de inglés.
Casada.

6. Akira Tanaka
Pintor.
40 años.
Habla japonés y un poco de español.

7. Ikuko Tanaka
6 años.
Habla japonés.

8. Celia Ojeda
Chilena.
Arquitecta.
32 años.
Habla español y un poco de inglés.

9. Blas Rodrigo
Chileno.
Trabaja en una empresa de informática.
20 años.
Habla español, inglés y un poco de alemán.
Muy aficionado al fútbol.

10. Bernd Müller
Suizo.
Pianista.
35 años.
Soltero.
Habla alemán, italiano y un poco de francés.

11. Nicoletta Tomba
Italiana.
Estudia informática.
26 años.
Soltera.
Habla italiano, francés y un poco de inglés.

12. Valentín Ponce
Funcionario.
43 años.
Casado.
Solo habla español.
Muy aficionado al fútbol.

13. Elisenda García de Ponce
Ama de casa.
41 años.
Casada.
Solo habla español.

14. Javi Ponce García
8 años.

15. Silvia Ponce García
Estudia Biología.
18 años.
Habla español, inglés y un poco de italiano.

Compara tus resultados con los de tu compañero. ¿Lo habéis hecho igual?

10 Dónde se puede sentar tu compañero

Imagina que tu compañero también viaja en este crucero. ¿Con qué personas crees que puede sentarse en las comidas? Las mesas son de cinco o seis personas.

PORTFOLIO

Primero, completa una ficha con sus datos (edad, nacionalidad, profesión, aficiones, idiomas, etc.). Luego, escucha a algunos empleados del barco para tener más información sobre los pasajeros.

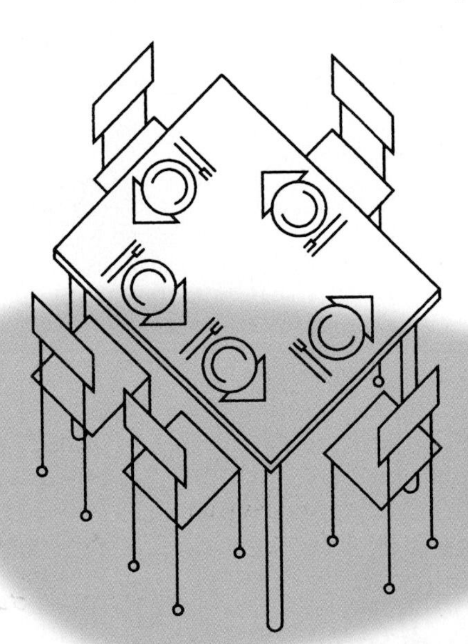

Ahora explica a toda la clase dónde se puede sentar tu compañero. ¿Está él o ella de acuerdo?

• *Beate se puede sentar con...*

OS SERÁ ÚTIL

Beate puede sentarse con el señor Ponce y la señora...

Bernd Müller **al lado** de Beate **porque...**

...tienen { **la misma** edad. / **la misma** profesión. / **el mismo** hobby.

...**los dos** hablan francés.

Beate habla francés **y** Nicoletta Tomba **también.**

¿DE DÓNDE ES USTED?

Dos españoles se conocen en una fiesta, o en un tren, o en la playa, o en un bar... **¿De dónde es usted?** o **¿De dónde eres?** son, casi siempre, las primeras preguntas. Luego, lo explican con muchos detalles. Por ejemplo: "Yo soy aragonés, pero vivo en Cataluña desde el 76... Mis padres son de Teruel y bla, bla, bla."

Y es que cada región española es muy diferente: la historia, las tradiciones, la lengua, la economía, el paisaje, las maneras de vivir, incluso el aspecto físico de las personas.

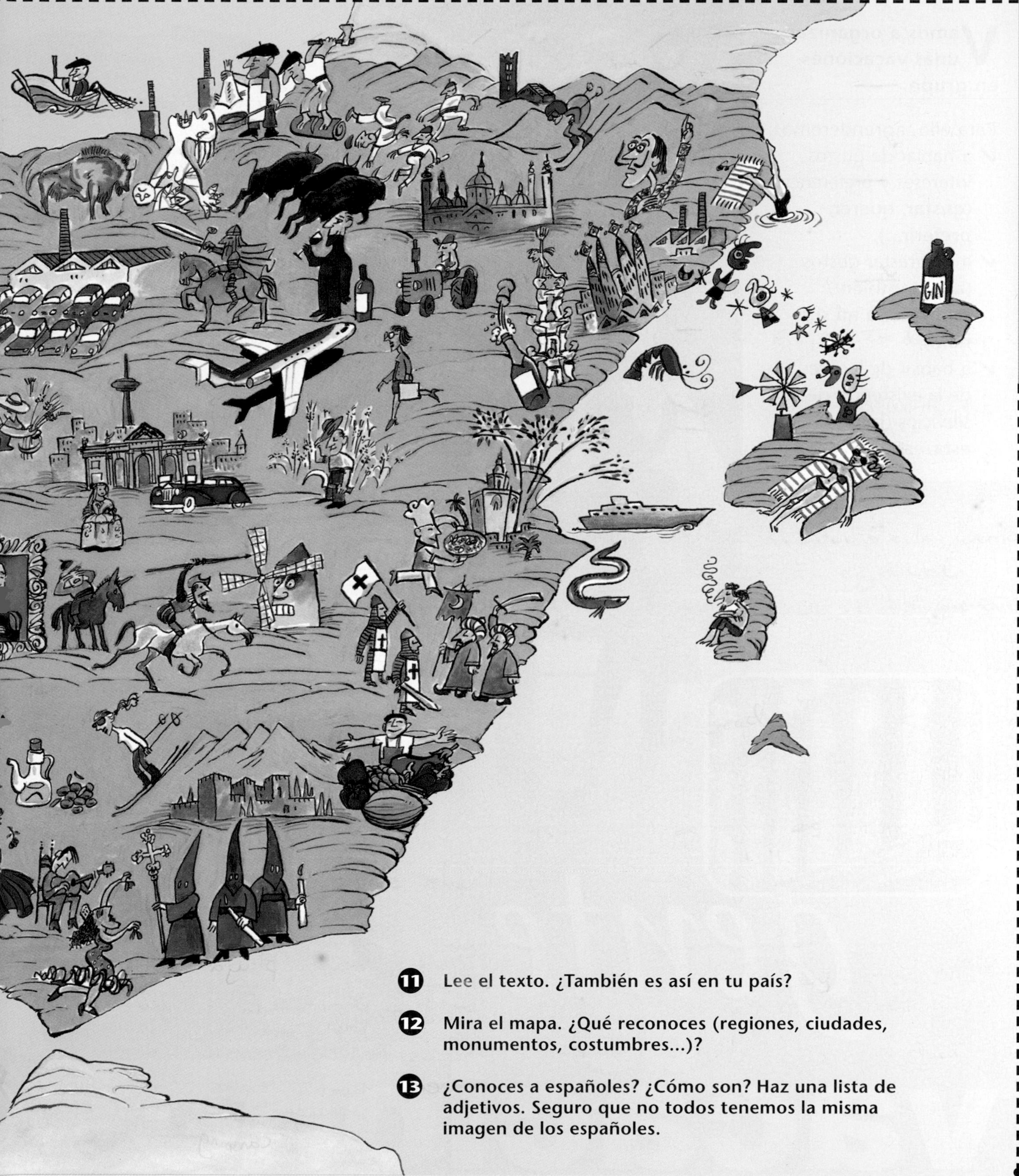

11 Lee el texto. ¿También es así en tu país?

12 Mira el mapa. ¿Qué reconoces (regiones, ciudades, monumentos, costumbres...)?

13 ¿Conoces a españoles? ¿Cómo son? Haz una lista de adjetivos. Seguro que no todos tenemos la misma imagen de los españoles.

3

Vamos a organizar unas vacaciones en grupo.

Para ello, aprenderemos:

✔ a hablar de gustos, intereses y preferencias (**gustar, querer, preferir...**),

✔ a contrastar gustos (**a mí también / tampoco; a mí sí / no...**),

✔ a hablar de lugares y de la existencia de servicios (**hay, está/están**).

gente de vacaciones

1 En un sorteo has ganado un viaje: ¿Madrid o Barcelona?
Con un compañero, trata de relacionar las fotos con los lugares y con las actividades que aparecen en los anuncios.

- Esto es la Sagrada Familia.
- Exacto. Y esto, la Costa Brava, ¿no?

Querido cliente:

¡Enhorabuena! Ha ganado usted uno de los viajes que sortea...

MADRID	BARCELONA
Visita guiada en autocar.	Visita guiada en autocar.
Visita al Museo del Prado o al Museo Reina Sofía (Guernica de Picasso).	*Excursión a la Costa Brava o a Port Aventura.*
Excursión a Toledo o al Monasterio de El Escorial.	*Visita a la Fundación Miró o a la Sagrada Familia.*
Paseo por la Plaza Mayor o por el Parque del Retiro.	*Concierto en el Palau de la Música o partido de fútbol en el Camp Nou.*

¿Qué ciudad prefieres visitar? ¿Madrid o Barcelona?

2 Tus intereses
Escribe los tres lugares o las tres actividades que más te interesan de la ciudad elegida.

Las cosas que me interesan más son ______________________________ , ______________________ y ______________________.

Habla con tus compañeros. Utiliza estas expresiones:

- Yo quiero visitar ______________. Me interesa especialmente ______________ ______________ , ______________ y ______________.

3 Un test sobre tus vacaciones

Muchas revistas publican tests para saber cómo somos y cuáles son nuestros hábitos. Aquí tienes uno sobre las vacaciones.

Actividades

A Rellena este test con tus gustos y preferencias. Después, informa a la clase. Entre todos te darán ideas para tus próximas vacaciones.

- Me gusta viajar con mi familia, en verano. Me gusta la playa...
- ¡Ah! Pues en tus próximas vacaciones puedes ir a Mallorca...

¿CON QUIÉN TE GUSTA VIAJAR?	¿CUÁNDO TE GUSTA IR DE VACACIONES?	TUS INTERESES	¿EN TREN, EN AVIÓN...?
 ❑ Prefiero viajar solo.	 ❑ En primavera.	 ❑ Me interesan las grandes ciudades y el arte.	 ❑ Me gusta ver el paisaje: prefiero la bicicleta.
 ❑ Me gusta viajar con mi pareja.	 ❑ En verano.	 ❑ Me interesan las culturas diferentes.	 ❑ Me gusta viajar en avión: es lo más rápido.
 ❑ Prefiero viajar con mi familia.	 ❑ En otoño.	 ❑ Me gusta la aventura.	 ❑ No me gustan los aviones, prefiero el tren.
 ❑ Me gusta viajar con mis amigos.	 ❑ En invierno.	 ❑ Me gusta la playa.	 ❑ Me gusta viajar en coche.

4 Las vacaciones de David, de Edu y de Manuel

Actividades

A Mira las fotos de David, de Edu y de Manuel. Aquí tienes tres frases que resumen su idea de unas vacaciones. ¿A cuál de ellos crees que corresponde cada frase?

Viajes a países lejanos: ________________.
Vacaciones tranquilas con la familia: ________.
Contacto con la naturaleza: ______________.

B Ahora escucha a los tres hablando de sus vacaciones. ¿Qué otras cosas puedes decir? Completa el cuadro que tienes a tu derecha.

	estación del año	país/es	actividades	transporte
David	verano	españa malaga	ir a la playa	en coche
Edu	invierno	exoticos Brasil	solo [illegible] ir a las playas las ciudades	avion autobus tren
Manuel	primavera	Europa los alpes	escalar la montaña hacer camping	en bicicleta

5 Se busca compañero de viaje

Estás preparando tus vacaciones y has encontrado estos tres anuncios. Son tres viajes muy diferentes.

¿Eres aventurero/a?
¿Te interesa Latinoamérica?
Tenemos 2 plazas libres para un viaje a Nicaragua y Guatemala.
AVIÓN + TODO TERRENO
Interesados, llamar al 945326195

¡Te interesan
la historia, la cultura, las costumbres de otros pueblos?
Plazas libres en viaje organizado a Andalucía.
Avión ida y vuelta a Sevilla.
Viaje en autocar a Granada y a Córdoba.
Visitas con guía a todos los monumentos.
Muy buen precio.
Entre y pida información.

SOL, MAR Y TRANQUILIDAD

Ocasión: apartamento muy barato en Tenerife.
1-15 de agosto.
Para 5 personas.
Muy cerca de la playa.
Viajes Solimar.
Tlf. 944 197 654

Actividades

A ¿Te interesa alguno de estos anuncios?
Vas a hablar con tu compañero. Pero antes tienes que prepararte. Elige alguna de estas frases para poder expresar tus preferencias y explicar los motivos de tu elección.

PREFERENCIAS:
A mí me interesa...
- el viaje a Latinoamérica.
- el apartamento en Tenerife.
- el viaje a Andalucía.

MOTIVOS:
Me gusta...
- la aventura.
- conocer otras culturas.
- otros: ____________.

Me gustan...
- los viajes organizados.
- las vacaciones tranquilas.
- otros: ____________.

Quiero...
- visitar Latinoamérica.
- conocer Andalucía.
- otros: ____________.

B Ahora puedes hablar con tus compañeros:

- A mí me interesa el apartamento en Tenerife. Me gustan las vacaciones tranquilas.
- Pues a mí me interesa el viaje a Latinoamérica, porque quiero conocer Nicaragua.

6 Benisol.com

En la costa mediterránea española puedes encontrar lugares como Benisol, un pueblo imaginario. Lee el texto de esta web y decide si te gusta Benisol.

Atrás Adelante Detener Actualizar Página principal Autorrelleno Imprimir Correo

Benisol Un pequeño paraíso

Benisol está situado junto al mar Mediterráneo, entre Barcelona y Valencia, al norte de Castellón.

Su infraestructura turística, sus magníficas playas y su agradable clima hacen de Benisol un maravilloso lugar de vacaciones para todo tipo de visitantes.

LUGARES DE INTERÉS

- El centro antiguo: interesantes edificios del siglo XIX y principios del XX, calles estrechas y pequeñas plazas (plaza de San José y la plazuela del Mercado) que conservan todo el encanto de los pueblos mediterráneos.
- La iglesia barroca de Santa María (plaza Mayor).
- El Museo de la Naranja.
- Las playas de La Florida, del Borret y de la Atzavara: playas de arena blanca y suave con numerosos servicios e instalaciones para practicar deportes náuticos.
- El paseo Marítimo.

ALOJAMIENTO

Hotel La Florida ★★★★
Hotel Valencia ★★★
Hotel Azahar ★★★
Hotel Las Peñas ★★
Pensión Vicentica
Hostal Las Adelfas
Cámping Mediterráneo

CÓMO LLEGAR

Autopista A-7. Salida 45.
Aeropuerto de Manises, (Valencia). A 80 km.
Estación de RENFE. Trenes directos a las principales ciudades españolas.

ALREDEDORES Y EXCURSIONES

A 2 km: paraje natural del desierto de las Palmas para practicar el senderismo y conocer la flora y fauna mediterráneas.
A 56 km de la costa: islas Columbretes, pequeño archipiélago de gran interés ecológico.
A 9 km: termas marinas de Benicasim. **Centro de Talasoterapia**.
A 6 km de Benisol: parque acuático Aquarama, 45 000 m² de atracciones acuáticas.

QUÉ HAY Y DÓNDE ESTÁ

En el pueblo **hay** una discoteca.

La discoteca **está** en el paseo Marítimo.

La iglesia y el ayuntamiento **están** en el centro.

	ESTAR
(yo)	**estoy**
(tú)	**estás**
(él, ella, usted)	**está**
(nosotros, nosotras)	**estamos**
(vosotros, vosotras)	**estáis**
(ellos, ellas, ustedes)	**están**

¿Dónde está la oficina de turismo?
En el ayuntamiento.

¿Hay una farmacia por aquí?
Sí, en la plaza Mayor.

QUÉ TIENE

El hotel **tiene** piscina, sauna y gimnasio.

HAY

Singular
Hay una farmacia. **No hay** escuela.
Plural
Hay dos farmacias. **Hay** varias farmacias.

Y, NI, TAMBIÉN, TAMPOCO

En el pueblo **hay** un cámping **y** cuatro hoteles. **También hay** un casino.

En el pueblo **no hay** cine **ni** teatro. **Tampoco hay** farmacia.

YO/A MÍ: DOS CLASES DE VERBOS

	QUERER
(yo)	quiero
(tú)	quieres
(él, ella, usted)	quiere
(nosotros, nosotras)	queremos
(vosotros, vosotras)	queréis
(ellos, ellas, ustedes)	quieren

	GUSTAR
(a mí)	**me** gusta
(a ti)	**te** gusta
(a él, ella, usted)	**le** gusta
(a nosotros, nosotras)	**nos** gusta
(a vosotros, vosotras)	**os** gusta
(a ellos, ellas, ustedes)	**les** gusta

Me gusta { viajar en tren. / este pueblo.

Me gustan los pueblos pequeños.

Consultorio gramatical, páginas 131 a 132.

Fíjate bien en las informaciones que da la web. Con un compañero, intenta encontrar en el dibujo el máximo de cosas que reconozcas.

- Esto es el paseo Marítimo, ¿no?
- Sí, creo que sí.

Luego, formad frases a partir de la información del texto y de la imagen. Gana el equipo que forme antes 10 frases con las estructuras siguientes.

En Benisol hay ____________, ____________ y ____________.
Cerca de Benisol hay ____________, ____________ y ____________.
____________ está en ____________.
____________ está cerca de ____________
____________ está a ________ km de ____________.

- En Benisol hay un hotel de cuatro estrellas.
- El cámping Mediterráneo está cerca del pueblo.

7 Dos cámpings

¿Cuál de estos dos cámpings te gusta más? ¿Por qué? Coméntalo con dos compañeros.

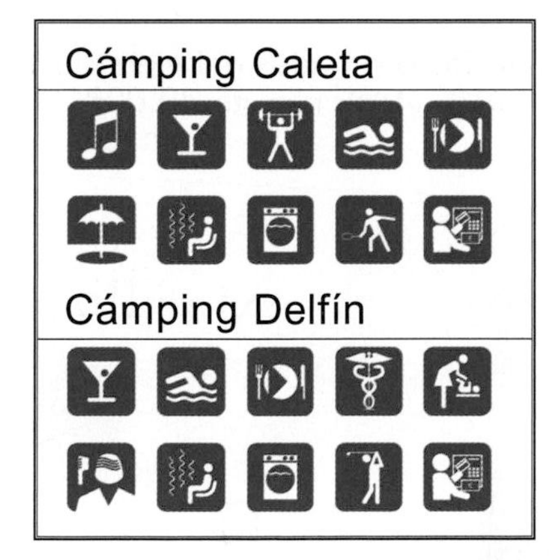

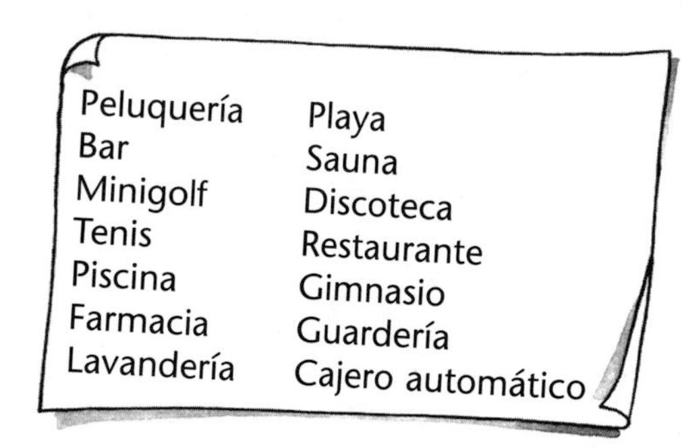

Peluquería
Bar
Minigolf
Tenis
Piscina
Farmacia
Lavandería
Playa
Sauna
Discoteca
Restaurante
Gimnasio
Guardería
Cajero automático

- El cámping Caleta me gusta más porque tiene discoteca y gimnasio.
- Pues a mí el Delfín porque...

8 Un lugar que me gusta mucho

Piensa en un lugar donde has estado de vacaciones y que te gusta. Prepara individualmente una pequeña presentación para tus compañeros: dónde está, qué cosas interesantes hay en ese lugar o cerca de él, por qué te gusta, etc.

- Llanes es un pueblo muy bonito que está en Asturias.
- Perdona, ¿dónde está?
- En Asturias, en el norte de España. Tiene playas muy bonitas. Me gusta porque es un pueblo tranquilo; hay restaurantes muy buenos y los Picos de Europa están cerca...

9 Vacaciones en grupo

Marca tus preferencias entre las siguientes posibilidades.

Viaje:
- ❑ en coche particular
- ☑ en tren
- ❑ en avión
- ❑ en autobús

Alojamiento:
- ❑ hotel o apartamento
- ❑ cámping
- ❑ hostal
- ☑ albergue de juventud
- ❑ casa alquilada

Lugar:
- ❑ playa
- ☑ montaña
- ❑ campo
- ❑ ciudad

Intereses:
- ☑ naturaleza
- ❑ deportes
- ☑ monumentos
- ❑ museos y cultura

Formula tus preferencias.

- A mí me interesan los museos y la cultura. Por eso quiero ir a visitar una ciudad. Prefiero ir en coche particular y alojarme en un hotel.

Escucha lo que dicen tus compañeros. Anota los nombres de los que tienen las preferencias más parecidas a las tuyas.

10 Morillo de Tou o Yucatán

En primer lugar, formáis grupos según los resultados del ejercicio anterior. Para vuestras vacaciones en grupo podéis elegir una de estas dos opciones. Leed los anuncios.

CENTRO DE VACACIONES

Morillo de Tou (España)

Pueblo del siglo XVIII, abandonado en los años 60 y rehabilitado por el sindicato CC. OO. de Aragón.

A 4 km, la ciudad de Aínsa, conjunto histórico-artístico: castillo, murallas, iglesia del siglo XII.

A 50 km, el Parque Nacional de Ordesa: deportes de montaña y esquí.

Instalaciones

centro social, en la antigua iglesia del pueblo (gótico cisterciense, restaurada), bar-restaurante, piscina, 4 posibilidades de alojamiento: cámping con caravanas, albergues-residencia, casas de pueblo rehabilitadas como alojamiento y hostal.

http://www.gentetour.es

Playas de Cancún (México)

http://www.gentetour.es

Un exótico viaje de tres semanas a la península de Yucatán.

Vuelo con Aeroméxico hasta Cancún.
Alojamiento en Cancún: apartamento u hotel con instalaciones deportivas.
Visita a los monumentos de la cultura maya (siglos VI-X de nuestra era): Pirámide de El Castillo, Observatorio astronómico de El Caracol, Pirámide de El Adivino.
Vuelo de vuelta desde México D. F.

Información de interés

La península de Yucatán está en el sur de México. El clima es semitropical. Entre junio y septiembre, las lluvias intermitentes provocan un calor húmedo. Temperaturas entre 20 y 28 grados en enero, y entre 24 y 33 en agosto. Las carreteras entre las playas turísticas y los monumentos mayas son buenas, y el viaje es rápido. Los hoteles y muchas agencias organizan excursiones a estos lugares, pero también es posible alquilar un coche.

- Yo prefiero el viaje a México. Me interesan mucho los monumentos de la cultura maya.
- A mí, no. Yo prefiero ir a Morillo de Tou.
- Yo también prefiero México.
- Bueno, pues vamos a México.
- De acuerdo. Vamos a México.

OS SERÁ ÚTIL...

- Yo prefiero ir en junio, porque tengo las vacaciones en verano.
- Yo, en diciembre.

- A mí me gusta más ir a un cámping.
- Yo prefiero un hotel.

- Yo quiero { practicar deportes de montaña. / alquilar un coche y hacer una excursión.

PREFERIR: E/IE

(yo)	prefiero
(tú)	prefieres
(él, ella, usted)	prefiere
(nosotros, nosotras)	preferimos
(vosotros, vosotras)	preferís
(ellos, ellas, ustedes)	prefieren

Preferir como **querer** son irregulares: **e/ie**.

Debéis poneros de acuerdo sobre:
– las fechas,
– el alojamiento,
– las actividades.

ENERO FEBRERO MARZO ABRIL MAYO JUNIO JULIO AGOSTO SEPTIEMBRE OCTUBRE NOVIEMBRE DICIEMBRE

11 El plan de cada grupo

PORTFOLIO

Cada grupo explica a la clase la opción que ha elegido y las razones de su elección. Podéis usar este cuadro para preparar vuestra explicación.

Nuestro plan es	ir a ______________________
	salir el día __________ y regresar el día __________.
Queremos	alojarnos en ______________________
	pasar un día / x días en ______________________.
Preferimos	visitar / estar en ______________________.
... porque	a ________ le gusta / interesa mucho visitar __________
	nos gusta / interesa ______________________
	______________________.

12 Una agencia de publicidad ha elaborado este anuncio. Escúchalo y léelo.

Ven a conocer CASTILLA Y LEÓN

Sus ciudades, llenas de historia y de arte: Ávila y sus murallas, Salamanca y su universidad, Segovia y su acueducto; León, Burgos: sus catedrales góticas.
Ven a pasear por sus calles y a visitar sus museos. El campo castellano: la Ruta del Duero, el Camino de Santiago. Sus castillos: Peñafiel, La Mota. Sus monasterios: Silos, Las Huelgas. Pueblos para vivir y para descansar. Castilla y su gente: ven a conocernos.

¿Por qué no elaboráis en grupos anuncios parecidos a este sobre vuestras ciudades o regiones? Escribid el texto y el eslogan, y pensad qué imágenes podéis utilizar. Luego, elegid el que más os guste.

13 **Uno de vosotros elige un nombre que figure en el mapa y pregunta dónde está. Si alguien lo sabe, gana un punto. Al final gana quien más puntos ha obtenido. Si los compañeros no lo encuentran, da pistas como:**

Es un río.
un lago.
una ciudad.
una montaña.
una isla.

Está al norte.
al sur.
al este.
al oeste.
en el centro.

Está cerca de...
lejos de...

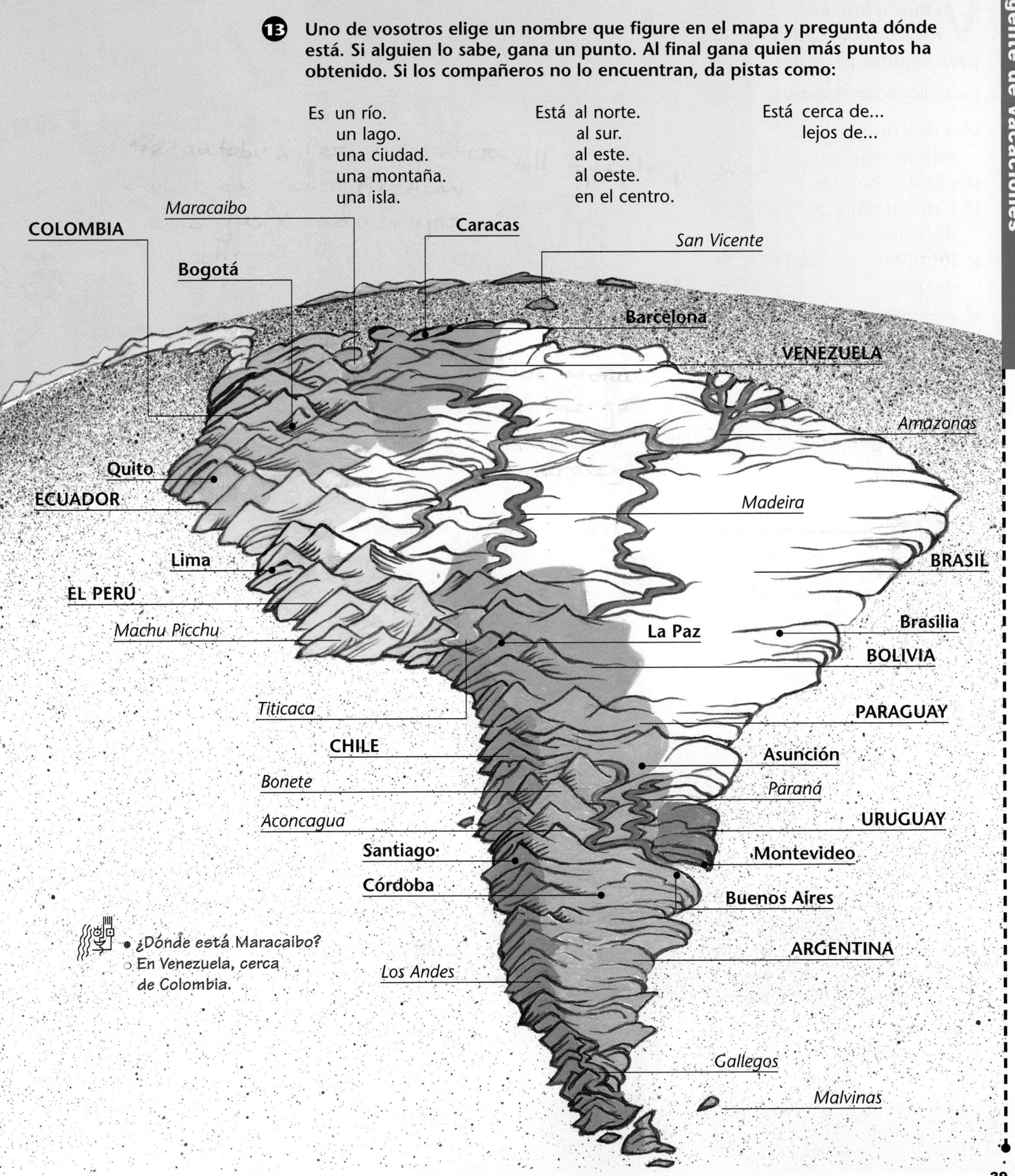

- ¿Dónde está Maracaibo?
- En Venezuela, cerca de Colombia.

4

Vamos a buscar regalos adecuados para algunas personas.

Para ello, aprenderemos:

- ✔ a describir y a valorar objetos,
- ✔ a ir de compras,
- ✔ a preguntar y a decir precios,
- ✔ los números a partir de 100,
- ✔ a expresar necesidad u obligación,
- ✔ los usos de **un**/**uno** y **una**,
- ✔ los pronombres de OD y OI.

gente de compras

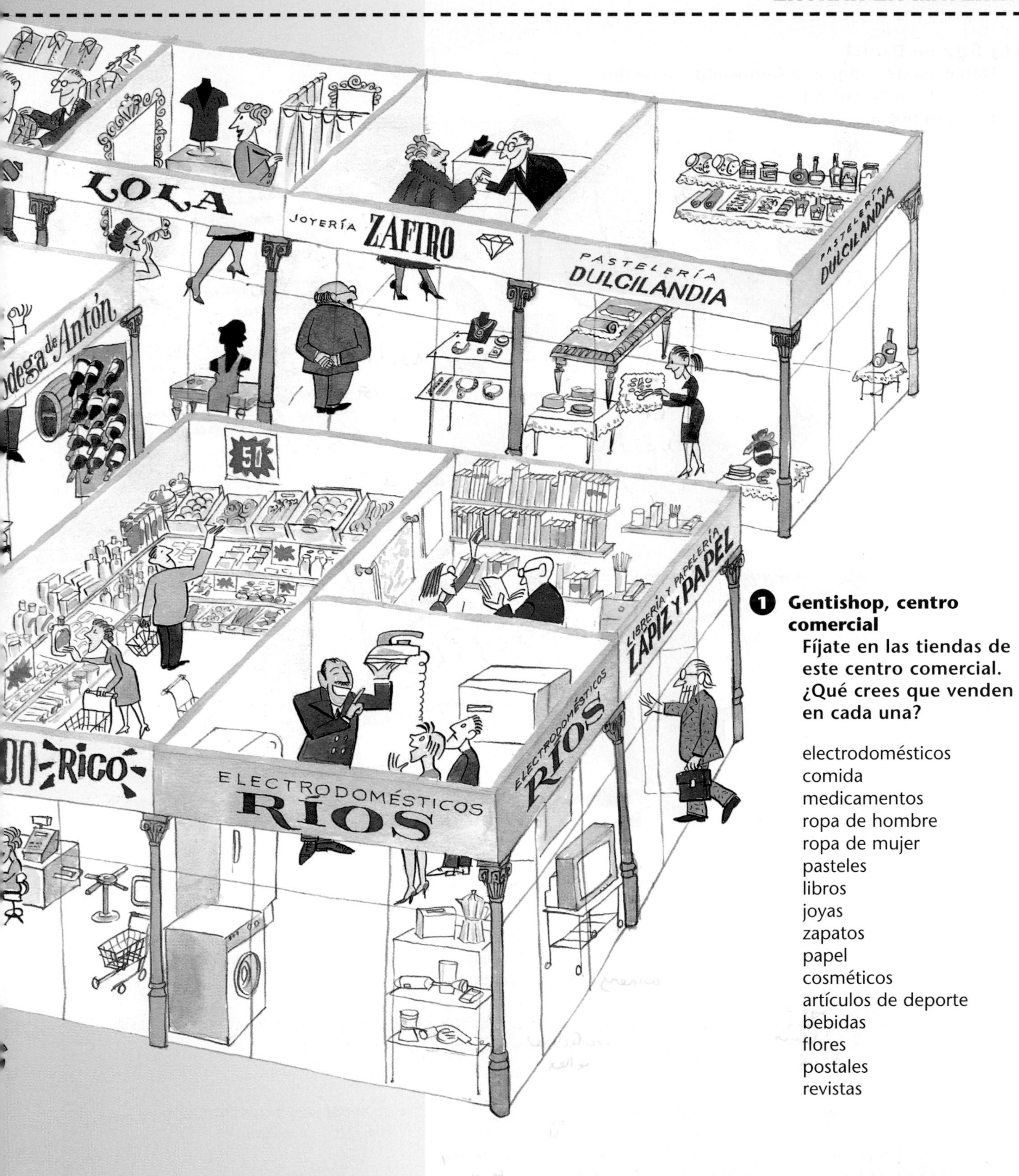

1 Gentishop, centro comercial

Fíjate en las tiendas de este centro comercial. ¿Qué crees que venden en cada una?

electrodomésticos
comida
medicamentos
ropa de hombre
ropa de mujer
pasteles
libros
joyas
zapatos
papel
cosméticos
artículos de deporte
bebidas
flores
postales
revistas

- *En Lola venden ropa de mujer.*
- *Y en La orquídea, flores.*

2 La lista de Daniel

Daniel va de compras a Gentishop. Tiene que comprar varias cosas para él y un regalo para Lidia, su novia.

2 botellas de cava
americana
espuma de afeitar
aspirinas
desodorante
pilas
CD virgen
comida para el gato
calcetines
sobres
periódico
regalo para Lidia
(¿un pañuelo?, ¿un reloj?)
pastel de cumpleaños
flores

Actividades

A ¿A qué tiendas tiene que ir Daniel? Señálalo con cruces.

- ☐ a una librería
- ☐ a una droguería
- ☐ a una papelería
- ☐ a un quiosco
- ☐ a un supermercado
- ☐ a una tienda de ropa de hombre
- ☐ a una tienda de ropa de mujer
- ☐ a ....
- ☐ a una bodega
- ☐ a una farmacia
- ☐ a una pastelería
- ☐ a una joyería
- ☐ a una floristería
- ☐ a una tienda de electrodomésticos
- ☐ a una tienda de muebles
- ☐ a una tienda de deportes

B ¿Y tú? ¿Tienes que comprar algo hoy o mañana? Haz una lista. Puedes usar el diccionario o preguntar al profesor.

C ¿En qué tiendas tienes que hacer tus compras? Explícalo a tus compañeros.

- Yo tengo que ir a la farmacia. Necesito aspirinas.

3 Las compras de Daniel

Estas son las conversaciones de Daniel en varias tiendas.

Uf... es demasiado caro...
190. Es precioso...
1

¿Y un perfume?
Este es el nuevo de Nina Pucci, "Pasión"...
Huy, no, qué fuerte...
2

¿Y esta otra...?
Sí, un poco. Pero en negro solo tengo esta talla.
Esta también está muy bien, pero solo la tengo en azul.
3

No, lo siento...
4

De hombre.
Pues tiene que ir a la segunda planta.
5

Sí, Visa.

¿Y American Express o Master?

No. Solo Visa.

6

Actividades

A En cada uno de los seis diálogos falta una frase. ¿Cuál?

- ☐ ¿Cuánto vale este?
- ☐ ¿Tienen pilas?
- ☐ Es un poco grande, ¿no?
- ☐ Sí, ¿pero cuál?
- ☐ ¿Aceptan tarjetas?
- ☐ ¿De hombre o de mujer?

Escucha y comprueba.

B Ahora di en qué diálogos Daniel hace estas cosas.

	en el diálogo Nº
- Se prueba una americana.	
- Pregunta el precio.	
- Va a pagar.	
- Busca un regalo para su novia.	
- Se compra algo para él.	

C Mira el ticket de la compra de Daniel. ¿Qué cosas te parecen caras o baratas?

- *La espuma es muy barata.*
- *Sí, mucho.*
- *En cambio, el reloj es un poco caro.*
- *Sí, un poco.*

Al final, Daniel compra todo esto:

GENTISHOP
Gracias por su visita

2 botellas de cava	20 €
americana	300 €
espuma de afeitar	3 €
tubo de aspirinas	2 €
bolsa de comida para gatos	15 €
pastel de cumpleaños	32 €
1 orquídea	33 €
reloj	128 €

4 ¿Cuánto cuesta?

El profesor va a leer algunos de estos precios. Trata de identificarlos y señálalos con una cruz.

❑ 58 yenes	❑ 100 euros	❑ 200 pesos	❑ 30 706 libras
❑ 1400 reales	❑ 4246 sucres	❑ 892 coronas	❑ 28 dólares
❑ 37 630 libras	❑ 70 euros	❑ 5709 bolívares	❑ 205 yenes
❑ 14 624 rupias	❑ 211 coronas	❑ 14 000 euros	❑ 950 dólares

5 Cien mil millones

Fíjate en esta serie del 3. En parejas, escribid una serie con otro número. Después, leedla. El resto de la clase la escribe.

3	tres
33	treinta **y** tres
333	tres**cientos** treinta **y** tres
3333	tres **mil** tres**cientos** treinta **y** tres
33 333	treinta **y** tres **mil** tres**cientos** treinta **y** tres
333 333	tres**cientos** treinta **y** tres **mil** tres**cientos** treinta **y** tres
3 333 333	tres **millones** tres**cientos** treinta **y** tres **mil** tres**cientos** treinta **y** tres

6 ¿Estas?

Mira estas gorras. En parejas, decidid para qué compañero de clase os parecen más adecuadas. Elegid también una para el profesor. Después, informad a la clase de vuestras decisiones.

- *Esta para Ulrich.*
- ○ *¿Esta? No, mejor esta.*
- *Vale, ¿y para el profe?*

7 ¿Tienes ordenador?

Arturo es el típico "consumista". Le gusta mucho comprar y tiene todas estas cosas. ¿Y tú? Señala cuáles de estas cosas no tienes.

ordenador	bicicleta	microondas
lavavajillas	tienda de campaña	esquís
cámara de vídeo	moto	lavadora
DVD	patines	teléfono móvil

¿Necesitas alguna de estas cosas? Coméntalo con tus compañeros.

- *Yo no tengo ordenador pero quiero comprarme uno.*
- ○ *Yo sí tengo ordenador.*

TENER

(yo)	**tengo**
(tú)	**tienes**
(él, ella, usted)	**tiene**
(nosotros, nosotras)	**tenemos**
(vosotros, vosotras)	**tenéis**
(ellos, ellas, ustedes)	**tienen**

- *¿Tienes ~~un~~ coche?*
- *¿Tienes coche?*
- ○ *Sí, tengo **un** Seat Toledo.*

DEMOSTRATIVOS

Mencionamos el nombre del objeto:

este jersey
esta cámara
estos discos
estas camisetas

Señalamos con referencia a su nombre:

este
esta
estos
estas

Señalamos sin referencia a su nombre:

esto

NECESIDAD U OBLIGACIÓN

TENER	QUE	*Infinitivo*
Tengo Tienes Tiene ...	que	ir de compras. llevar corbata. trabajar.

A PARTIR DE 100

100 - cien
101 - cien**to** uno/a
200 - doscientos/as
300 - trescientos/as
400 - cuatrocientos/as
500 - quinientos/as
600 - seiscientos/as
700 - **sete**cientos/as
800 - ochocientos/as
900 - **nove**cientos/as
1000 - mil

MONEDAS Y PRECIOS

un dólar — **una** libra
un euro — **una** corona

- ¿Cuánto **cuesta** esta camisa?
  ¿Cuánto **cuestan** estos zapatos?
- Doscient**os** euros.
  Doscient**as** libras.

COLORES

masc. s.	fem. s.	masc. pl.	fem. pl.
blanc**o**	-a	-os	-as
amarill**o**	-a	-os	-as
roj**o**	-a	-os	-as
negr**o**	-a	-os	-as
verde		-s	
azul		-es	
gris		-es	
rosa			
naranja			
beige			

UN/UNA/UNO

- Quiero { **un** libro. / **una** cámara. / **unos** esquís. / **unas** botas.

Ya sabemos a qué nombre nos referimos:

- Yo también quiero { **uno.** / **una.** / **unos.** / **unas.**

Consultorio gramatical, páginas 133 a 134.

8 Ropa adecuada

Estas personas van a diferentes sitios. ¿Qué crees que tienen que ponerse? Prepáralo y luego discútelo con tus compañeros.

MARÍA
Va a una reunión de trabajo.

PABLO
Va a una discoteca.

JUAN
Va a casa de unos amigos en el campo.

ELISA
Va a un restaurante elegante.

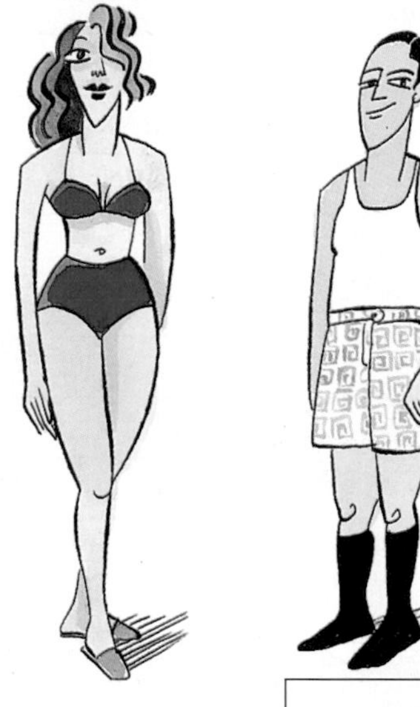

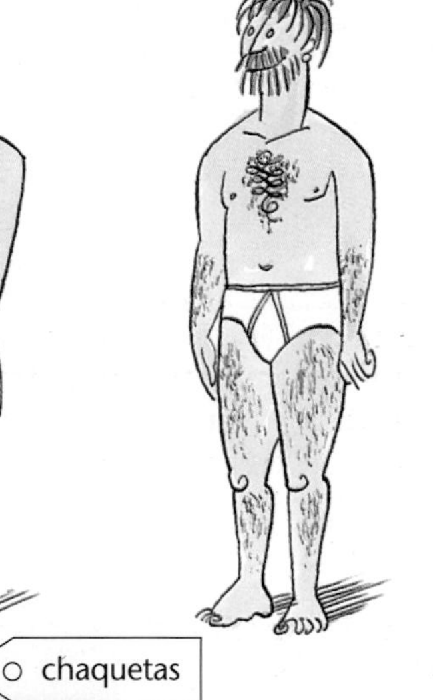

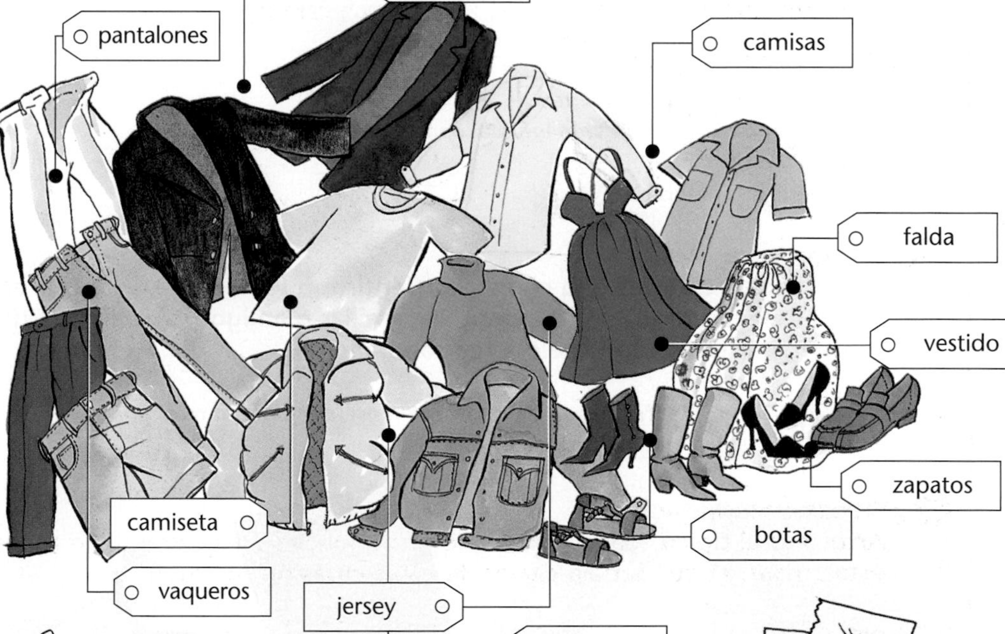

María ⟶ *el vestido rojo.*

- *Yo creo que María tiene que ponerse el vestido rojo.*
- *No... Es demasiado elegante. Mejor unos pantalones.*
- *Sí, mejor.*

serio/a
clásico/a
informal
juvenil
elegante

9 Una fiesta

Vamos a imaginar que nuestra clase organiza una fiesta.
Decidid en pequeños grupos qué necesitáis (qué hay que comprar, qué tenéis que traer), cuánto queréis gastar y quién se encarga de cada cosa.

Necesitamos	¿Quién se encarga? lo/la/los/las compra / trae / hace...	¿Cuánto queremos gastar?
discos →	los trae Martha	

- Tenemos que traer música, claro.
- Yo tengo muchos discos de música para bailar, puedo traerlos.
- Muy bien, Martha trae los discos.
- ¿Y las bebidas?
- Puedo comprarlas yo....

OS SERÁ ÚTIL...

¿Quién puede traer...?

Yo puedo { traer flores. / hacer pizzas. / comprar cervezas.

No necesitamos velas.

PODER

(yo)	puedo
(tú)	puedes
(él, ella, usted)	puede
(nosotros, nosotras)	podemos
(vosotros, vosotras)	podéis
(ellos, ellas, ustedes)	pueden

PRONOMBRES OD Y OI

Pronombres Objeto Directo

lo la los las

- Yo compro los platos.
- No, los platos **los** compro yo. Los platos puedo comprar**los** yo.

Pronombres Objeto Indirecto

le les

- ¿Qué **les** compras a María y a Eduardo?
- A María **le** regalo una mochila y a Eduardo **le** compro un disco.

10 Premios para elegir

En un sorteo de la galería comercial Gentishop te han tocado tres premios. Puedes elegir cosas para ti o para un familiar o amigo. ¿Qué eliges? ¿Para quién? ¿Por qué? Explícaselo a tus compañeros.

- Yo, el sofá, la tele y el teléfono móvil. El teléfono móvil, para mi mujer porque necesita uno...

11 ¿Qué le regalamos?

Estos amigos buscan un regalo para alguien. Haz una lista con las cosas que proponen en cada conversación. ¿Qué crees que deciden comprar?

12 Felicidades

En parejas, tenéis que elegir regalos de cumpleaños para dos compañeros de clase. Preparad primero tres preguntas para obtener información sobre sus gustos, sus necesidades, sus hábitos, etc.

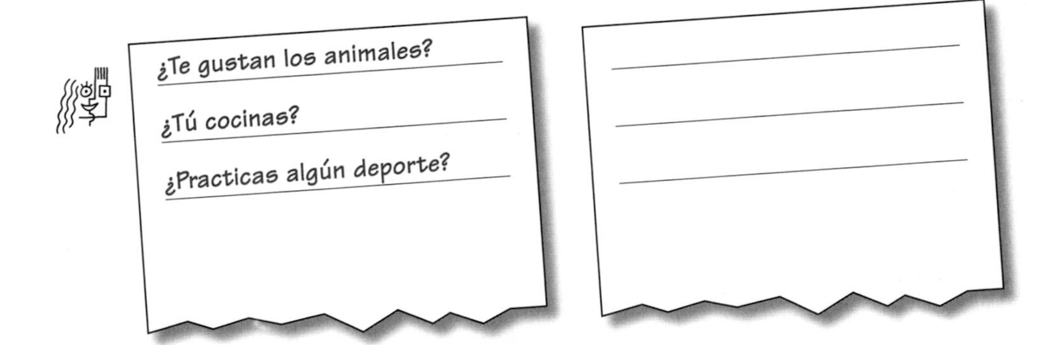

¿Te gustan los animales?
¿Tú cocinas?
¿Practicas algún deporte?

OS SERÁ ÚTIL...

Yo quiero esto para **mí...** / mi mujer... / mi novio... / ...

...porque { necesito **uno/una.** / necesita **uno/una.** / me gusta mucho. / le gusta mucho.

Haced las preguntas a esos dos compañeros y después decidid qué regalos les vais a hacer.

Nosotros le queremos comprar _un gato_ a _Andrea_
porque _le gustan mucho los animales._
Queremos gastar unos/unas _200 euros._

13 De compras

En grupos, representaremos una escena de compras de nuestros regalos. Antes, cada grupo tiene que prepararse.

FELIZ NAVIDAD

Cada país, cada cultura, tiene costumbres propias respecto a los regalos. En España, por ejemplo, los regalos de Navidad los traen los tres Reyes Magos: Melchor, Gaspar y Baltasar vienen de Oriente en sus camellos y llegan a todos los pueblos y ciudades españolas la noche del día 5 de enero. Antes los niños les escriben cartas y les piden lo que quieren.

En los últimos años, en la noche del 24 de diciembre (la Nochebuena) también llega a algunas casas españolas Papá Noel.

5 de enero de

Queridos Reyes Magos:

Estas Navidades quiero para mí una ~~muñeca~~ muñeca muy grande, que se llama Virginia, la que sale en la Televisión. También quiero unos patines en línea como los de mi hermano Javier. Y otra cosa: un ordenador de juguete Playgentix.

Para mi papá, lo mejor es un coche ~~nuevo~~ nuevo. Y para mamá, una tele. Tenemos tele pero ella quiere una para su habitación.

Para mi hermano Javi, mucho carbón, que es muy malo.

Y para los abuelitos, un apartamento en Benidorm.

Muchos besos para los tres y muchas gracias.

Tina

14 ¿Y tú? ¿Por qué no escribes tu carta a los Reyes?

15 **En todas las culturas hacemos regalos, pero a lo mejor elegimos cosas distintas para las mismas situaciones. Completa este cuadro y coméntalo con tus compañeros.**

PORTFOLIO

En España, cuando...	**En mi país...**
nos invitan a comer a casa unos amigos, llevamos vino o pasteles.	
es el cumpleaños de un familiar, le regalamos ropa, colonia, un pequeño electrodoméstico...	
queremos dar las gracias por un pequeño favor, regalamos un disco, un libro, un licor...	
se casan unos amigos, les regalamos algo para la casa o les damos dinero.	
visitamos a alguien en el hospital, le llevamos flores, bombones, un libro...	

¿En tu país se hacen regalos en otras ocasiones? ¿Qué se regala?

5

En esta unidad vamos a elaborar una guía para vivir 100 años en forma.

Para ello, aprenderemos:

- ✔ a informar sobre nuestros hábitos relativos a la salud, y a valorarlos,
- ✔ a expresar frecuencia,
- ✔ a dar recomendaciones y consejos sobre actividades físicas y alimentación,
- ✔ el Presente de Indicativo de los verbos regulares y de algunos irregulares frecuentes,
- ✔ a cuantificar con **muy, mucho, demasiado,** etc.

gente en forma

1 Para estar en forma

En esta lista hay costumbres buenas para estar en forma y otras malas. ¿Cuáles tienes tú? Marca dos buenas (+) y dos malas (–). También puedes añadir cosas que tú haces y que no están en la lista.

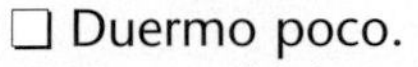

- ❑ Duermo poco.
- ❑ Voy en bici.
- ❑ Como pescado a menudo.
- ❑ Trabajo demasiadas horas.
- ❑ Bebo mucha agua.
- ❑ Como mucha fruta.
- ❑ Ando poco.
- ❑ Fumo.
- ❑ No tomo alcohol.
- ❑ Tomo demasiado café.
- ❑ No tomo medicamentos.
- ❑ Como poca fibra.
- ❑ Hago yoga.
- ❑ No hago deporte.
- ❑ Juego al tenis.
- ❑ Como muchos dulces.
- ❑ Estoy mucho tiempo sentado/a.
- ❑ Como mucha carne.
- ❑ No tomo azúcar.
- ❑ Como solo verduras.
- ❑ ____________________
- ❑ ____________________

Coméntalo con dos compañeros. Buscad costumbres que tenéis en común.

- ● Yo voy en bici y no tomo alcohol.
- ○ Yo también voy en bici, pero tomo demasiado café.
- ■ Pues yo hago gimnasia y también voy en bici...

- ● Los tres vamos en bici y dormimos poco...

2 El cuerpo en movimiento

Esta es la página de salud del suplemento semanal de un periódico. En ella hay información sobre ejercicios físicos para estar en forma e instrucciones para realizarlos.

MANTENERSE EN FORMA ES MUY FÁCIL

La actividad física es fundamental para estar en forma: ayuda a perder peso y mantiene el tono de los músculos. No es necesario practicar deportes complicados y sofisticados. Andar, correr, nadar, bailar o ir en bicicleta son actividades especialmente recomendables. Los ejercicios más simples pueden ser los más efectivos. Además, todo el mundo puede hacer en casa ejercicios como los que presentamos a continuación.

1) De pie, las piernas abiertas, las dos manos juntas detrás de la cabeza. Girar el cuerpo a derecha y a izquierda.

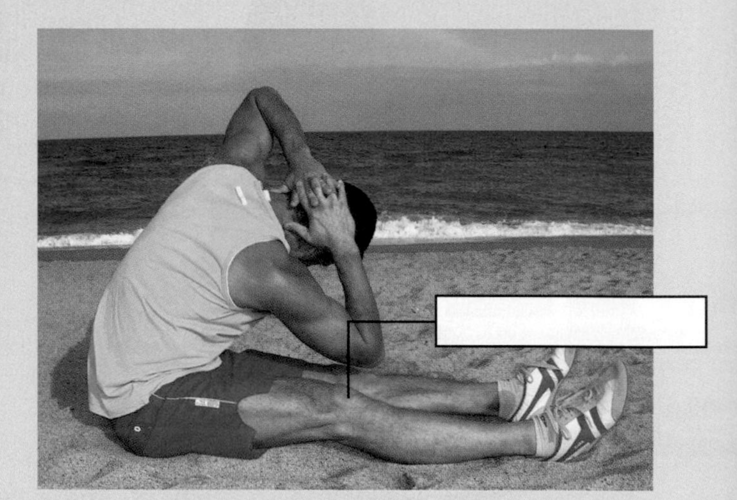

2) Sentados, las piernas juntas, las dos manos juntas detrás de la cabeza. Girar el cuerpo a derecha y a izquierda y tocar las rodillas con los codos.

Actividades

A ¿Cómo se llaman las partes del cuerpo? Puedes descubrirlo si lees los textos y miras las imágenes de estas dos páginas.

B Ahora seguro que puedes describir la imagen 6.

C ¿Qué actividades crees que son buenas para...?

las piernas — el corazón
la espalda — perder peso

- *Ir en bici es bueno para todo: para el corazón, para...*

3) Sentarse en el suelo con la pierna izquierda doblada hacia atrás y la derecha estirada. Estirar los brazos hasta tocar el pie derecho con las manos. Cambiar de pierna.

4) Sentarse en el suelo, abrir las piernas, doblar un poco las rodillas. Juntar las manos, estirar los brazos y tocar el suelo con las manos.

5) Tumbarse, con las manos, la espalda y la cabeza apoyadas en el suelo. Estirar y levantar las piernas, hasta colocar los pies enfrente de los ojos.

6) ______________________________

____

____

____

3 ¿Hacen deporte los españoles?

Un programa de radio sale a la calle para preguntar sobre los hábitos deportivos de los españoles.

Actividades

A Escucha las entrevistas. ¿Todos los entrevistados practican algún deporte? ¿Cuál?

	Sí	No	Cuál
Conversación 1	☐	☐	....
	☐	☐	....
Conversación 2	☐	☐	....
	☐	☐	....
	☐	☐	....
Conversación 3	☐	☐	....
	☐	☐	....
	☐	☐	....

B Prepara ahora cinco preguntas para entrevistar a tu compañero y saber si es una persona deportista. Después informa al resto de la clase.

- *Giuliano es muy deportista. Juega al fútbol y en invierno esquía.*

4 La cabeza, el pie, la boca...

Un alumno da la orden, como en el ejemplo, y el resto la sigue. Otro alumno modifica la postura con una nueva orden y así sucesivamente. El que se equivoca, queda fuera. Gana el último.

tocarse (con **la** mano): **el** pie, **la** cabeza, **la** espalda

doblar: **las** rodillas, **el** codo, **la** cintura

estirar: **los** brazos, **las** piernas

abrir / cerrar: **la** mano, **la** boca, **los** ojos

levantar / bajar: **el** brazo derecho

- *Tocarse la cabeza con la mano derecha y abrir la boca.*
- *Cerrar la boca y tocarse la cabeza con la mano izquierda.*
- *Levantar la rodilla derecha y estirar los brazos hacia delante.*

¿EL PIE DERECHO O EL IZQUIERDO?

5 Causas del estrés

El estrés no ayuda nada a estar en forma. Tiene muchas causas y síntomas. Algunos están en esta lista. ¿Conoces otros? Anótalos. Hazle una entrevista a tu compañero y anota las respuestas que te da.

- ❏ Comer cada día a una hora distinta.
- ❏ De vacaciones o durante el fin de semana, pensar frecuentemente en asuntos del trabajo.
- ❏ Ir siempre deprisa a todas partes.
- ❏ Desayunar de pie y haciendo otras cosas al mismo tiempo.
- ❏ Ponerse nervioso en los atascos de tráfico.
- ❏ Ir inmediatamente al médico ante cualquier síntoma.
- ❏ Dormir menos de 7 horas al día.
- ❏ Leer durante las comidas.
- ❏ Discutir frecuentemente con la familia, con los amigos o con los compañeros de trabajo.
- ❏ No levantarse y acostarse cada día a la misma hora.
- ❏ ______________________________.
- ❏ ______________________________.

- *¿Comes cada día a una hora distinta?*
- *No, siempre como a la misma hora.*

¿Crees que tu compañero puede sufrir estrés? ¿Por qué?

PRESENTES REGULARES E IRREGULARES

Regulares:

HABL**AR**	COM**ER**	VIV**IR**
habl**o**	com**o**	viv**o**
habl**as**	com**es**	viv**es**
habl**a**	com**e**	viv**e**
habl**amos**	com**emos**	viv**imos**
habl**áis**	com**éis**	viv**ís**
habl**an**	com**en**	viv**en**

Irregulares:

DORMIR	DAR	IR	HACER
d**ue**rmo	**doy**	**voy**	**hago**
d**ue**rmes	das	**vas**	haces
d**ue**rme	da	**va**	hace
dormimos	damos	**vamos**	hacemos
dormís	dais	**vais**	hacéis
d**ue**rmen	dan	**van**	hacen

Se conjugan como **dormir**:
jugar, poder, acostarse...
u/ue **o/ue**

LA FRECUENCIA

siempre
muchas veces
frecuentemente
de vez en cuando
nunca

¿No comes carne?
No, nunca.

Nunca voy al gimnasio por la tarde.
No voy **nunca** al gimnasio por la tarde.

los { lunes, martes, miércoles, jueves, viernes, sábados, domingos

los fines de semana

todos los días
todas las semanas

cada día
cada semana
cada año

VERBOS REFLEXIVOS

LEVANTAR**SE**
Me levanto
Te levantas
Se levanta
Nos levantamos
Os levantáis
Se levantan

Son verbos reflexivos: acostar**se**, dormir**se**, despertar**se**, duchar**se**...

Tengo que levantar**me** a las seis.
Hay que levantar**se** pronto.
No queremos levantar**nos** tarde.
Podéis levantar**os** a las 9 horas.

LA CUANTIFICACIÓN

Estás **muy** delgada.
Trabaja **mucho.**
Descanso **poco.**

Come { **mucho** chocolate. / **mucha** grasa. / **muchos** dulces. / **muchas** patatas. }

Duermo **demasiado.**
Estás **demasiado** delgada.

Come { **demasiado** chocolate. / **demasiada** grasa. / **demasiados** dulces. / **demasiadas** patatas. }

RECOMENDACIONES Y CONSEJOS

Personal:
No descansas bastante. **Tienes que** dormir **más.**
Estás un poco gordo. **Tienes que** comer **menos.**

Impersonal:

Hay que / Es necesario / Es bueno / Es importante } andar mucho. / hacer ejercicio. / dormir bien.

Consultorio gramatical, páginas 135 a 138.

6 Malas costumbres para una vida sana

Escucha lo que dicen varias personas cuando las entrevistan para un programa de radio. Completa sus fichas.

A

¿Lleva en general una vida sana?
❏ Sí ❏ No
¿Por qué? ______

Un consejo:
Tiene que ______

Como mucha verdura, no fumo, tomo mucho café...
Cada día doy un paseo de una hora.
B
C

B

¿Lleva en general una vida sana?
❏ Sí ❏ No
¿Por qué? ______

Un consejo:
Tiene que ______

C

¿Lleva en general una vida sana?
❏ Sí ❏ No
¿Por qué? ______

Un consejo:
Tiene que ______

7 Nuestra guía para vivir 100 años en forma

Para vivir 100 años en forma hay que comer bien, hacer ejercicio físico y vivir sin estrés. En otras palabras, son importantes tres cosas.

A. Una alimentación sana.
B. El ejercicio físico.
C. El equilibrio anímico.

¿A cuál de estas tres cosas corresponde cada una de las reglas siguientes? Marca con una X la casilla correspondiente.

	A	B	C
Comer pescado.			
No tomar bebidas alcohólicas.			
Controlar el peso.			
Darle al dinero la importancia que tiene, pero no más.			
Consumir menos y vivir mejor.			
Disfrutar del tiempo libre.			
Llevar una vida tranquila.			
Tener tiempo para los amigos.			
Tener relaciones agradables en la familia y en el trabajo.			
Dar un paseo diario.			
Tener horarios regulares.			
Tomarse las cosas con calma.			
Ir a dormir y levantarse cada día a la misma hora.			

Alimentación Sana

Ejercicio Físico

Piensa un poco: con ayuda del diccionario o de tu profesor, seguro que puedes añadir alguna idea más. Después, muéstrasela a tus compañeros.

8 Vamos a informarnos

¿Qué podemos hacer para llevar una vida sana? Trabajaremos en grupos de tres. Pero antes, realizaremos una tarea individual de lectura. Cada miembro del grupo debe elegir un texto de los tres que hay a continuación: lo lee, extrae las ideas principales y completa la ficha.

Texto número: ______ **Idea principal:** Para llevar una vida sana es importante...

Razones: ____________________

Formas de conseguirlo: ____________________

1

EL EJERCICIO FÍSICO

Actualmente, en nuestras ciudades mucha gente está sentada gran parte del tiempo: en el trabajo, en el coche, delante de la televisión... Sin embargo, nuestro cuerpo está preparado para realizar actividad física y, además, la necesita. Por eso, conviene hacer ejercicio durante el tiempo libre, ya que no lo hacemos en el trabajo.

No es necesario hacer ejercicios físicos fuertes o violentos. El golf, por ejemplo, es un deporte ideal para cualquier edad. Un tranquilo paseo diario de una hora es tan bueno como media hora de bicicleta. Es importante realizar el ejercicio físico de forma regular y constante: todos los días, o tres o cuatro veces por semana.

2

LA ALIMENTACIÓN

Conviene llevar un control de los alimentos que tomamos. Normalmente, las personas que comen demasiado engordan y estar gordo puede ser un problema; de hecho, en las sociedades occidentales hay gente que está enferma a causa de un exceso de comida. Para controlar el peso es aconsejable:

— No tomar muchas grasas. Si comemos menos chocolate y dulces, podemos reducir la cantidad de grasa que tomamos. También es bueno comer más pescado y menos carne. El pescado es muy rico en proteínas y no tiene tantas grasas como la carne o el queso. Para seguir una dieta sana, es aconsejable tomar pescado dos veces por semana, como mínimo. La forma de preparar los alimentos también ayuda a reducir la cantidad de grasas: es mejor comer la carne o el pescado a la plancha que fritos o con salsa.

— Comer frutas y verduras. Las frutas y las verduras contienen mucha fibra, que es necesaria para una dieta sana. La Organización Mundial de la Salud (OMS) recomienda tomar un mínimo de 400 gramos diarios de frutas y verduras.

3

EL EQUILIBRIO ANÍMICO

El equilibrio anímico es tan importante para una buena salud como el ejercicio físico. Tener un carácter tranquilo es mejor que ser impaciente o violento. Ser introvertido tiene más riesgos que ser extrovertido. Realizar el trabajo con tranquilidad, sin prisas y sin estrés, es también muy importante.

Por otra parte, hay muchos estudios e investigaciones que establecen una relación directa entre las emociones negativas y la mala salud. La preocupación por las enfermedades y por la muerte contribuye a aumentar las emociones negativas. Ver la vida de forma positiva y evitar los sentimientos de culpabilidad puede ser una buena ayuda para conseguir el equilibrio anímico.

Finalmente, hay que señalar que unos hábitos regulares suponen también una buena ayuda: acostarse y levantarse cada día a la misma hora, y tener horarios regulares diarios para el desayuno, la comida y la cena.

9 El contenido de nuestra guía

Los tres miembros de cada grupo exponen sucesivamente las ideas principales de su texto.
Con esa información, discuten y deciden cuáles son las diez ideas más importantes. Pueden añadir otras.

OS SERÁ ÚTIL...

Para mí, lo más importante es...
Para mí, lo mejor es...

Es conveniente / Es aconsejable / Es recomendable } perder peso.

SUSTANTIVOS TERMINADOS EN -CIÓN, -DAD Y -OMA, -EMA

femeninos:
- la alimenta**ción**
- la rela**ción**
- la emo**ción**
- ...
- la activi**dad**
- la tranquili**dad**
- la enferme**dad**
- ...

masculinos:
- el probl**ema**
- el t**ema**
- el sínt**oma**
- ...

10 ¿Elaboramos la guía?

Este será nuestro texto. La introducción ya está escrita. Solo os falta formular las recomendaciones.

La esperanza de vida es cada vez mayor. Pero no solo es importante vivir más: todos queremos también vivir mejor. Para eso es necesario adoptar costumbres y formas de vida que nos preparen para una vejez feliz. En otras palabras, debemos llevar ahora una vida sana si queremos después vivir en forma. ¿Cómo? Nosotros hemos seleccionado diez consejos. Son estos:

1 Es conveniente...
2 Hay que...
3 Es bueno...
4 ____________
5 ____________
6 ____________
7 ____________
8 ____________
9 ____________
10 ____________

SALUD, DINERO Y AMOR

"Tres cosas hay en la vida: salud, dinero y amor...", dice una famosa canción española. ¿Es esta la fórmula de la felicidad para los españoles? Las encuestas y los estudios confirman que los españoles están en "buena forma", tanto físicamente como moralmente: el 74% dice que es muy feliz o bastante feliz y el 82% dice que no siente nunca o casi nunca falta de libertad.

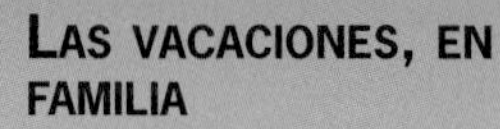

LAS VACACIONES, EN FAMILIA

La mayoría de los españoles (78%) elige pasar las vacaciones con la familia, en verano, y en un lugar fijo en España (73%). Todavía son pocos los españoles que viajan al extranjero.

LOS ESPAÑOLES DUERMEN POCO

Los españoles duermen 47 minutos diarios menos que sus vecinos europeos. El doctor Estivill, especialista en el tema, dice que es un problema cultural: "Cenamos entre las nueve y las diez de la noche y nos acostamos entre las doce y la una, pero no nos levantamos más tarde que nuestros vecinos. Entre el 80% y el 90% de los españoles se levanta cada día entre las seis y media y las siete y media de la mañana, exactamente igual que en el resto de Europa".

La tradicional siesta ya no es frecuente en las grandes ciudades. Solo el 24% de españoles confiesa dormir la siesta todos los días. Pero los fines de semana muchos duermen un rato después de la comida; la mayoría, frente al televisor.

MENOS TELE Y MÁS SALIR

La televisión, que ha sido durante años el entretenimiento preferido de los españoles, actualmente está en la cuarta posición. Concretamente, de media, los españoles consumen 209 minutos diarios de televisión, frente a los 274 de los alemanes, los 255 de los franceses e italianos y los 221 de los británicos.

Salir con los amigos de tapas o a cenar en restaurantes es la diversión favorita de los españoles. Gastan poco en espectáculos (conciertos, teatro...) y mucho más en hoteles, cafés y restaurantes. Por ejemplo: el 92,3% de los españoles jamás va a conciertos de música clásica y el 75,4% nunca va al teatro.

¿Dieta mediterránea?

Un estudio reciente indica que más del 90% de los españoles de entre 13 y 29 años dice tener buena salud. Pero la dieta de la juventud española tiene algunos problemas: los jóvenes comen poca fruta y verdura, y no desayunan. La comida rápida gana terreno también en el Mediterráneo.

El deporte es sano

Todos o casi todos los españoles (el 96%) afirman que el deporte es muy sano; sin embargo, el 61% no practica ningún deporte.

La natación y el fútbol son los deportes más practicados por los españoles.

¿Solos? No gracias

La familia y los amigos son sin duda importantísimos para los españoles. El 61% prefiere pasar el tiempo libre con la familia y muchos jóvenes viven con los padres hasta que se casan.

Por otra parte, la amistad es bastante importante o muy importante para el 97%. Además, la mayoría de los españoles (el 72%) piensa que tiene suficientes amigos.

El trabajo es interesante pero...

Muchos españoles piensan que su trabajo es interesante (70%) y están muy orgullosos de trabajar para su empresa (69%).

Pero también opinan que hay que trabajar sin descuidar otros aspectos de la vida (66%).

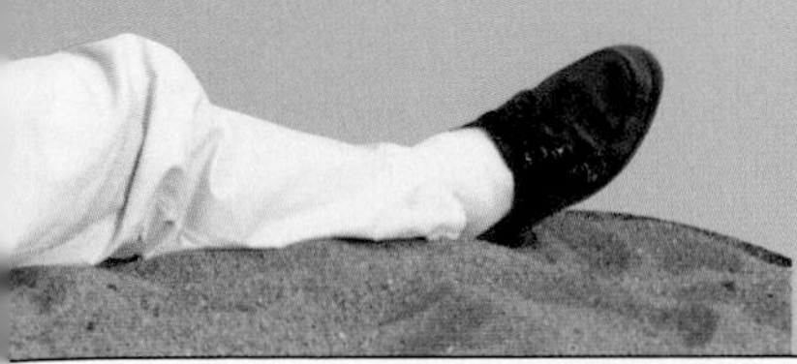

11 ¿Cómo sería esta información referida a tu país? Trata de imaginarlo y coméntalo con tus compañeros.

6

gente que trabaja

Distribuiremos diferentes puestos de trabajo a varias personas.

Para ello, aprenderemos:

- ✔ a hablar de la vida profesional,
- ✔ a valorar cualidades, aptitudes y habilidades,
- ✔ a expresar y a contrastar opiniones,
- ✔ algunos usos del Pretérito Perfecto y las formas del Participio,
- ✔ algunos usos del Infinitivo,
- ✔ **algunas veces, muchas veces, nunca.**

1 Las profesiones de la gente

En este edificio trabajan muchas personas. Mira la imagen y escribe la letra correspondiente delante del nombre de sus profesiones. Luego compara tus respuestas con las de dos compañeros.

- ☐ empleado de banca
- ☐ guarda de seguridad
- ☐ traductor
- ☐ dependienta
- ☐ abogado
- ☐ mensajero
- ☐ dentista
- ☐ arquitecta
- ☐ taxista
- ☐ profesora
- ☐ albañil
- ☐ pintor
- ☐ vendedor de coches

- Este es el pintor, ¿no?
- Sí.

D

17 Gómez y Carrillo
Bufete de abogados
18 Clínica Dental
Dra. Castañera
19 Julia Suárez Helguera
Estudio de Arquitectura
20 Way In
Escuela de Idiomas
21 Interlenguas
Servicio de traducciones

L

K

M

2 Cualidades

¿Qué cualidades crees necesarias para cada uno de estos trabajos? Coméntalo con tus compañeros.

Ser una persona (muy)...
amable / organizada / dinámica / creativa / fuerte / comunicativa...

Estar...
dispuesto a viajar / acostumbrado a trabajar en equipo / en buena forma...

Saber...
escuchar / mandar / convencer...
informática / idiomas...

Tener...
mucha experiencia / un título universitario / buena presencia / mucha paciencia / carné de conducir...

- Para ser un buen abogado hay que tener mucha experiencia.
- Sí. Y, además, hay que saber escuchar.
- Sí, pero sobre todo hay que tener mucha paciencia.

3 Vuestras profesiones

¿Conoces cuáles son las profesiones de tus compañeros? Si aún no trabajan, pregúntales qué quieren hacer en el futuro.

- Yo trabajo en una empresa de construcción.
- Pues yo quiero ser ingeniero.

6 Curiosos famosos

En equipos, tratad de recordar o imaginad quién ha hecho estas cosas tan curiosas. Gana el equipo que consiga el máximo de respuestas correctas en menos tiempo.

TOM CRUISE   Pedro Almodóvar   EMINEM
Julia Roberts   ANNA KOURNIKOVA   SALMA HAYEK
RIVALDO   J. K. ROWLING

- Ha sido varias veces la actriz mejor pagada del mundo.
- Ha cobrado 17 millones de dólares por una película.
- Ha hecho muchas películas románticas.

- Ha pertenecido a la Iglesia de la Cienciología.
- Ha estado casado con Nicole Kidman.
- Ha participado en dos "misiones imposibles".

- Ha ganado a Steffi Graf.
- Ha ganado pocos trofeos de tenis pero mucho dinero en publicidad.

- Ha vendido treinta millones de libros en todo el mundo.
- Sus libros han sido traducidos aproximadamente a 30 idiomas.
- Ha trabajado para Amnistía Internacional en Londres.
- Ha sido profesora de inglés para adolescentes en Portugal.

- Su madre ha trabajado en algunas de sus películas.
- Ha recibido dos *oscars* de Hollywood.
- Ha sido administrativo de la Compañía Telefónica Nacional Española.

- Ha sido Frida Kalho en el cine.
- Se ha hecho famosa con una telenovela mexicana.

- Ha ganado tres premios Grammy.
- Ha superado las ventas de Michael Jackson, Madonna o cualquier otro artista en solitario, con 1 700 000 discos vendidos en siete días. En total, ha llegado a los ocho millones de copias en Estados Unidos.

- Ha sido uno de los futbolistas mejor pagados del mundo: más de 6 millones de dólares anuales.
- Ha sido muy pobre y ha vendido *souvenirs* en la playa de Recife.
- Ha jugado en el Barcelona y en el Milan.

¿Has visto que en estas informaciones aparece un nuevo tiempo verbal: ha ganado, ha sido...? Es el Pretérito Perfecto. Subraya los verbos que encuentren en este tiempo y trata de averiguar cómo se forma a partir del Infinitivo.

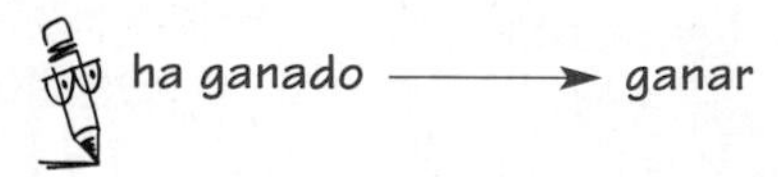

7 Nuestros famosos

Ahora, en pequeños grupos, pensad en personajes famosos que conocéis: políticos, artistas, etc. Escribid algunas informaciones sobre cosas que han hecho y leedlas a vuestros compañeros. Ellos adivinarán de quién se trata en cada caso.

- Ha sido muy pobre, ha ganado el primer premio Nobel de Literatura otorgado a un escritor en lengua portuguesa y ahora vive en Tenerife.
- ¿José Saramago?
- Sí.

PRETÉRITO PERFECTO

HABLAR

he / has / ha / hemos / habéis / han	hablado

	Participio
habl**ar** ⟶	habl**ado**
ten**er** ⟶	ten**ido**
viv**ir** ⟶	viv**ido**

PARTICIPIOS IRREGULARES

- ver ⟶ **visto**
- hacer ⟶ **hecho**
- escribir ⟶ **escrito**
- decir ⟶ **dicho**

¿HAS ESTADO ALGUNA VEZ EN...?

He estado **una vez.**
dos / tres /... veces.
muchas veces.
varias veces.

No, no he estado **nunca.**

HABLAR DE HABILIDADES

¿Sabéis tocar algún instrumento?

Yo sé tocar el piano.
Yo toco la guitarra.
Yo no toco ningún instrumento.

Puedo tocar el piano. (tachado)

Juego el piano. (tachado)

LOS IDIOMAS

el griego
el árabe
el francés
el alemán

Es **griega.**
Habla **griego.**

- **Entiendo** el japonés, pero lo **hablo** muy poco. Y no lo **escribo.**
- Hablo **un poco de** italiano.
- ¿Habla usted inglés?
  ○ Sí, **bastante bien.**

SABER

(yo)	**sé**
(tú)	sabes
(él, ella, usted)	sabe
(nosotros, nosotras)	sabemos
(vosotros, vosotras)	sabéis
(ellos, ellas, ustedes)	saben

VALORAR HABILIDADES

muy bien
bastante bien
regular
bastante mal
muy mal

Elvira toca el piano muy bien. Yo, regular.

Consultorio gramatical, páginas 139 a 141.

8 No he estado nunca en Granada

Practica con dos compañeros. Tú les preguntas y anotas sus respuestas afirmativas (+) o negativas (–) en cada caso.

- ¿Habéis estado alguna vez en Granada?
  ○ Yo sí. He estado muchas veces.
  ■ Yo no. No he estado nunca.

	COMPAÑERO A	COMPAÑERO B
Visitar México.		
Hablar con un argentino.		
Comer paella.		
Bailar un tango.		
Bailar flamenco.		
Perder una maleta en un aeropuerto.		
Ganar un premio.		
Hacer teatro.		
Escribir un poema.		
Ir en globo.		
Enamorarse a primera vista.		
Hacer un viaje a la selva.		
Estar en Colombia.		
Ir a...		

9 ¿Verdad o mentira?

Tienes que escribir tres frases sobre tu vida: cosas que has hecho o que sabes hacer. Por lo menos una debe ser verdad; las otras pueden ser mentira. Puedes utilizar las expresiones siguientes.

Sé japonés / ruso / chino / árabe...
He vivido tres años en Japón.

Toco el piano / la guitarra / el saxofón...
He estudiado dos años en el conservatorio.

Escribo poesía / novela / cuentos...
He escrito dos libros.

Hago teatro / yoga / cine / ballet clásico...

Trabajad en grupos de cuatro. Cada uno lee ante el grupo las frases que ha escrito. Los demás deben adivinar cuáles son verdad y cuáles mentira.

● Entiendo el chino. He hecho varios viajes a Pekín.
○ Yo creo que no es verdad.
■ No. Eso no es verdad
● Sí, sí es verdad.

gente que trabaja

10 Anuncios de trabajo: ¿qué piden?

Estás en casa y escuchas en la radio un programa para jóvenes. En él hablan de una empresa nueva que se instala en una ciudad española. Va a crear muchos puestos de trabajo.
Primero, escucha lo que dicen y, después, rellena estas fichas. En la columna de la izquierda tienes las palabras que faltan.

para el trabajo

la experiencia

de progresar

programas informáticos

20/30 años

muy organizada

trabajo en equipo

nivel de lectura

con la gente

edad

formación especializada

VENDEDORES

Edad: 20/26 años.
Se valorará ______
Carácter amable y buena presencia.
Abierto al trato ______
Voluntad de progresar.
Capacidad de trabajo en equipo.

ADMINISTRATIVOS

Edad: 22/35 años.
Se valorará la experiencia.
Persona ______
Conocimiento de ______
a nivel de usuario (Office...).
Idiomas: francés o inglés a ______
______

DECORADORES

______ *: 22/28 años.*
______ *en decoración y presentación de escaparates.*
Aptitud y sensibilidad para presentar el producto.
Capacidad de ______

MOZOS DE ALMACÉN

Edad: ______
Buena disposición ______
Voluntad ______

OS SERÁ ÚTIL...

Hemos seleccionado a... para el puesto de...

Silvia puede ser vendedora.
Sí, pero no tiene experiencia.
Sí, y también decoradora. Sabe pintar...

11 Selección de candidatos

Tú y dos de tus compañeros trabajáis en una empresa de selección de personal. Tenéis que seleccionar empleados para HOME & COMFORT. Los puestos de trabajo que se ofrecen son los que tenéis en las fichas de la actividad anterior. De momento tenéis cuatro solicitudes. ¿Qué puesto le dais a cada uno? Tenéis que poneros de acuerdo y seleccionar al mejor candidato para cada puesto.

Apellidos: Pellicer Alpuente
Nombre: Silvia
Lugar de nacimiento: Gijón (Asturias)
Edad: 27 años
Domicilio actual: Pza. Doctor Garcés, 8 28007 Madrid
Teléfono: 913 754 210
Estudios: licenciada en psicología
Idiomas: inglés, bastante bien, y un poco de francés
Experiencia de trabajo: 6 meses administrativa, Jofisa (Oviedo). 1 año vendedora, Gijón
Resultados test psicotécnico: comunicativa, sociable, organizada
Otros: pintura, informática (Office, Access)

Apellidos: Ríos Gómez
Nombre: Isidro
Lugar de nacimiento: Madrid
Edad: 22 años
Domicilio actual: Núñez de Arce, 253, Ático 1ª. 28012 Madrid
Teléfono: 669 164 238
Estudios: BUP
Idiomas: ninguno
Experiencia de trabajo: construcción (2 años); empresa de autobuses (6 meses)
Resultados test psicotécnico: trabajador, capacidad de iniciativa, introvertido
Otros: permiso conducir C-1 (camión)

Apellidos: Fernández Rico
Nombre: Nieves
Lugar de nacimiento: Tudela (Navarra)
Edad: 26 años
Domicilio actual: Alonso Ventura, 49, 6º A. 28022 Madrid
Teléfono: 616 086 745
Estudios: BUP y FP (artes gráficas)
Idiomas: francés, muy bien; italiano, bastante bien, y un poco de alemán
Experiencia de trabajo: 6 meses en una tienda de ropa
Resultados test psicotécnico: tímida e introvertida, organizada
Otros: autoedición (Quark, Freehand)

Apellidos: Sanjuán Delgado
Nombre: Alberto
Lugar de nacimiento: Betanzos (La Coruña)
Edad: 27 años
Domicilio actual: Hermanos Escartín, 25, 1º C. 28015 Madrid
Teléfono: 913 679 876
Estudios: EGB, FP (carpintería)
Idiomas: un poco de francés

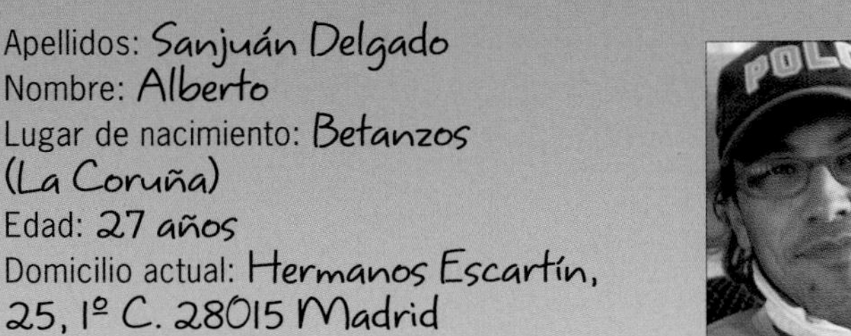

Experiencia de trabajo: taxista (cinco años). Recepcionista en un hotel
Resultados test psicotécnico: comunicativo y amable, organizado
Otros: informática (Word, Excel)

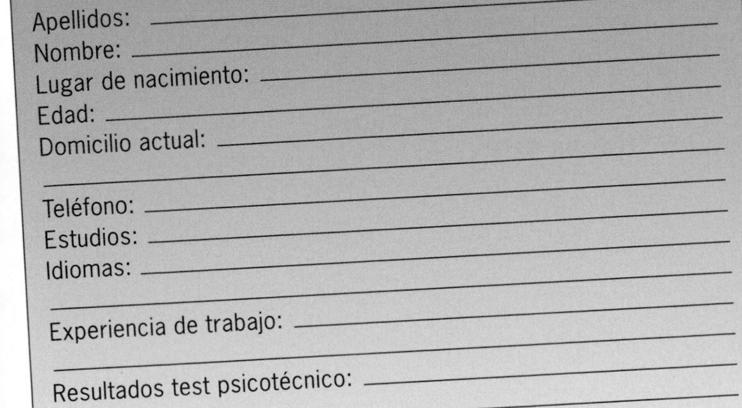

Apellidos: ______
Nombre: ______
Lugar de nacimiento: ______
Edad: ______
Domicilio actual: ______
Teléfono: ______
Estudios: ______
Idiomas: ______
Experiencia de trabajo: ______
Resultados test psicotécnico: ______
Otros: ______

12 Tu ficha

Ahora, elabora tu propia ficha con datos reales o imaginarios. Léela a tus compañeros. Ellos decidirán a qué puesto puedes presentarte.

¿VIVIR PARA TRABAJAR O TRABAJAR PARA VIVIR?

Ni una cosa ni la otra. Varios estudios recientes demuestran que los españoles no están obsesionados por el trabajo.
La mayoría opina que el trabajo es un aspecto muy importante de su vida, y no solo por razones económicas. Pero también declara que el trabajo no debe dominar los demás aspectos de su vida.
Por otra parte, valoran con una nota alta su trabajo actual: le dan 6,8 puntos, en una escala de satisfacción del 0 al 10. Los entrevistados destacan como elementos especialmente positivos de su empleo: el interés del trabajo que realizan, (24,5%), el ambiente en la empresa (11,8%), el salario (7,7%), el horario (7,5%) y el desarrollo personal (7,4%).
También opinan que sus condiciones laborales no son malas: les dan una puntuación de 6,1, sobre 10. Además, seis de cada diez personas consideran que las relaciones con su jefe son buenas.
El aspecto que los españoles valoran más cuando eligen un trabajo es la estabilidad del empleo y, en segundo lugar, si el trabajo les parece interesante. Parece que el sueldo no es el factor más importante.
Otro dato interesante: la mayoría de los españoles (54%) prefiere trabajar por cuenta propia.

13 ¿Y para ti? ¿Qué es lo más importante en un trabajo? Ordena estos aspectos según tus prioridades.

- la estabilidad
- el interés de la actividad realizada
- el salario
- los horarios
- el ambiente de trabajo

¿Qué nota, del 0 al 10, le das al trabajo que realizas actualmente? ¿Por qué?

Estilos de vida

Un mes de vacaciones no siempre es suficiente. Algunas personas han encontrado el equilibrio perfecto entre trabajo y ocio. A cambio de menos estabilidad y menos dinero, tienen más libertad.

Jordi Sangenís, 29 años, es marino mercante pero en la actualidad trabaja en las Golondrinas de Barcelona, unos populares barcos que realizan paseos por el puerto de esta ciudad.

Para Jordi, el equilibrio perfecto consiste en trabajar mucho durante los meses de primavera y verano, especialmente de mayo a septiembre, y descansar durante el invierno. Cada año, alrededor de Semana Santa, Jordi empieza a trabajar. "En realidad –nos dice Jordi– no trabajo más que otras personas, lo que pasa es que estoy ocupado cuando los demás están de fiesta o de vacaciones y mis amigos tienen la sensación de que siempre estoy trabajando. Además, como salgo menos a cenar y de copas, gasto menos."

El dinero que ahorra durante los meses de temporada alta, Jordi lo usa para viajar en invierno a destinos exóticos, en la época del año en la que es más fácil encontrar billetes de avión baratos y los alojamientos tienen precios más bajos.

Dos meses en México, seis semanas recorriendo Australia o dos semanas esquiando en Rumanía son ejemplos de los viajes que hace Jordi con su pareja cada año. Además, aprovechan los fines de semana de febrero y marzo para hacer pequeñas escapadas a Túnez, Galicia, Londres, Marrakech o Ámsterdam. "Nuestro proyecto para el año que viene es pasar dos meses en Rusia, en primavera: hacer el Transiberiano y conocer Mongolia." A Jordi siempre le ha gustado viajar y esta manera de combinar trabajo y vacaciones le permite hacer lo que más le gusta. "La gran suerte que tengo es que mi pareja puede viajar conmigo, trabaja en un estudio de diseño y puede desaparecer durante los dos o tres meses que pasamos fuera".

14 ¿Qué te parece la manera de vivir de Jordi?

interesante / genial / complicada / arriesgada / me gustaría probarla / no es para mí / aburrida / estresante

15 "A cambio de menos estabilidad y menos dinero, tienen más libertad": ¿Conoces a alguna persona que siga esta misma fórmula? Explica a tus compañeros qué es lo que hace.

7

Vamos a hacer el "Libro de cocina" de nuestra clase con nuestras mejores recetas.

Para ello, aprenderemos:

- ✔ a desenvolvernos en tiendas y en restaurantes,
- ✔ a hablar de los alimentos y de las características de un plato,
- ✔ los pesos y las medidas,
- ✔ la forma impersonal con **se,**
- ✔ los cuantificadores **poco, suficiente, mucho,** etc.,
- ✔ **ninguno (ningún), ninguna / nada.**

gente que come bien

1 Productos españoles

Muchos de los productos que ves en estas fotografías se exportan a otros países y todos son ingredientes propios de la cocina española. ¿Sabes cómo se llaman? Intenta descubrirlo en la lista y, después, compruébalo con un compañero o con el profesor.

- *¿Qué es esto?*
- *Son garbanzos.*

- *¿Cómo se dice "cheese" en español?*
- *Queso.*

¿Cuáles te gustan? Márcalos con estos signos.

+	=	Me gusta/n.
-	=	No me gusta/n.
?	=	No lo sé, no lo/la/los/las he probado nunca.

❑ garbanzos	❑ espárragos	❑ aceite de oliva
❑ gambas	❑ fresas	❑ aceitunas
❑ jamón serrano	❑ naranjas	❑ vino
❑ uvas	❑ plátanos	❑ nueces
❑ limones	❑ tomates	❑ cerezas
❑ almendras	❑ avellanas	❑ chorizo
❑ cava	❑ queso	❑ pan

Coméntalo con dos compañeros. Luego vais a explicar al resto de la clase en qué coincidís.

- *Las naranjas, las fresas y las uvas nos gustan a los tres.*
- *Los garbanzos y el chorizo no nos gustan a ninguno de nosotros.*
- *Ninguno de los tres ha comido nunca jamón serrano.*

2 Supermercado Blasco

En este supermercado la dependienta habla por teléfono con una clienta, la señora Millán, y anota su pedido. Luego tiene un problema: tiene dos listas muy parecidas.

2 kg de naranjas
1/2 docena de huevos
200 g de queso manchego
2 cartones de leche entera Asturivaca
1 botella de vino Castillo Manchón tinto
6 latas de coca-cola
1 paquete de azúcar

2 kg de naranjas
1/2 docena de huevos
150 g de queso manchego
2 cartones de leche desnatada Asturivaca
1 botella de vino Castillo Manchón blanco
6 latas de coca-cola
2 paquetes de azúcar

Actividades

A ¿Puedes ayudar a la dependienta? ¿Cuál es la lista de la señora Millán?

B Escribe una lista con lo que necesitas para hacer un plato que sabes cocinar: ingredientes y cantidades.

C Un compañero será ahora el/la dependiente/a. Tú llamas al supermercado para hacer el pedido y él/ella toma nota.

3 Cocina mexicana

Amalia, una española, va a comer en un restaurante mexicano. No conoce la cocina mexicana y la camarera le explica qué es cada plato.

RESTAURANTE DON PANCHO
MENÚ DEL DÍA
Quesadillas
Caldo de cola de buey
Mole pueblano
Chiles en nogada
Capirotada

Actividades

A Lee el menú y escucha la grabación. No hay que entenderlo todo, solo la información principal.

Amalia toma, de primero, ____________
de segundo, ____________
de postre, ____________

B ¿Puedes hacer una lista con algunos de los ingredientes de estos platos?

C Toda la clase va a este restaurante. Un alumno hace de camarero y toma nota. Podéis pedir aclaraciones. ¿Cuál es el plato más pedido?

- *Yo, de primero, caldo.*

4 Dieta mediterránea

En la revista *Gente de Hoy* el dietista Ignacio Rebollo comenta algunas ideas y tópicos sobre la dieta mediterránea.

—Doctor Rebollo, ¿se come bien en España?
—En general, sí. Tradicionalmente tenemos una dieta mediterránea: se toma mucha fruta, mucha verdura, mucho pescado. No se come mucha carne, se come bastante cordero... Además, tomamos vino y cocinamos con aceite de oliva.

—¿Vino?
—Sí, un cuarto de litro al día no es malo.

—Pero mucha gente hace dieta, quiere adelgazar, está preocupada por la comida...
—Sí, es verdad. La gente quiere reglas, recetas mágicas... Pero la mayoría de nosotros puede solucionar sus problemas de dos maneras: comer un poco menos y hacer un poco más de ejercicio.

—Otra moda: beber mucha agua.
—El organismo necesita unos dos litros y medio al día. Un litro ya nos llega a través de los alimentos. O sea, que hay que tomar un litro y medio de líquido al día.

—¿Hay que beber leche?
—La leche aporta dos cosas importantes: calcio y proteínas. Hay que tomar medio litro de leche al día; leche u otros lácteos como el queso o el yogur.

—¿Cuántos huevos se pueden comer al día?
—Una persona adulta sana puede comer tres huevos por semana sin problemas. Las proteínas del huevo son las mejores.

—¿Qué opina de la comida rápida?
—Es cierto que en España cada vez se consume más comida rápida, sobre todo entre los jóvenes. El problema es que estas comidas contienen demasiada grasa y demasiada sal.

—¿Se puede vivir bien siendo vegetariano?
—Por supuesto: el secreto consiste en combinar bien las legumbres y los cereales.

Actividades

A Antes de leer la entrevista, vamos a ver cuáles son nuestras costumbres alimentarias. Hazle estas preguntas a un compañero.

	sí	no
¿Comes mucho pescado?		
¿Comes mucha verdura?		
¿Comes mucha carne?		
¿Bebes vino?		
¿Cocinas con aceite de oliva?		
¿Bebes mucha agua?		
¿Tomas leche o lácteos?		
¿Comes muchos huevos?		
¿Consumes comida rápida?		
¿Comes legumbres?		

B Lee el texto y compara las respuestas de tu compañero con la información que da Ignacio Rebollo. Crees que tu compañero se alimenta...

- ☐ muy bien
- ☐ bien
- ☐ no muy bien
- ☐ mal

Explícaselo a tus compañeros y dale algún consejo.

- *Martina se alimenta bien. Bebe mucha agua y come mucha verdura, pero creo que tiene que comer menos huevos...*

5 Compras para el menú del día

El cocinero de Casa Leonardo ha comprado todas estas cosas para preparar el menú de hoy. ¿Qué crees que lleva cada plato? Consulta el diccionario, si quieres, y haz hipótesis. Luego, coméntalo con tus compañeros.

huevos	garbanzos	patatas	gambas
tomates	chorizo	leche	calamares
cebollas	pollo	harina	mejillones
arroz	carne de ternera	pimientos	queso

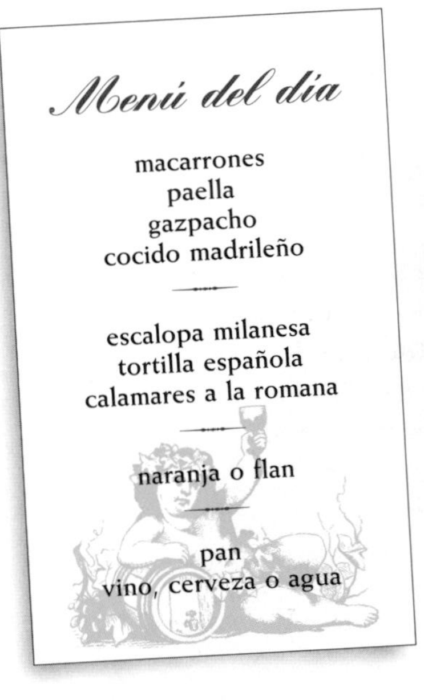

- Los mejillones son para la paella, creo.
- Sí, la paella lleva mejillones...
- Y calamares.

Ahora imagina que estás en Casa Leonardo. El camarero (que es un compañero) va a tomar nota de lo que pedís cada uno.

- Yo, de primero, macarrones.
- Yo también, macarrones.
- Yo, gazpacho.

6 ¿Es carne o pescado?

La comida de Hispanoamérica y de España es muy variada. Es muy importante aprender a pedir informaciones sobre qué es y cómo está preparado un plato. Hazle preguntas a tu profesor sobre estos platos y decide si los quieres probar.

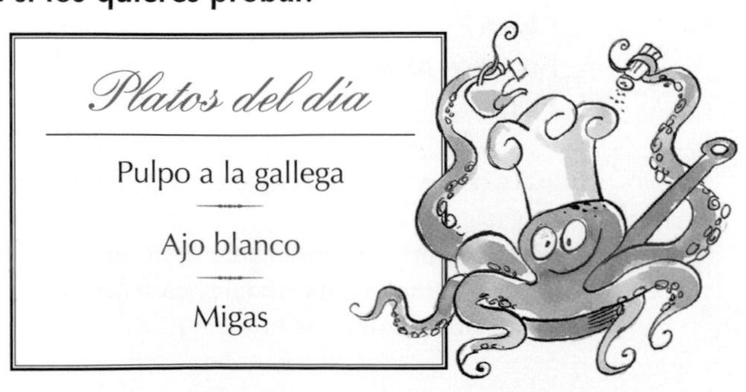

PARA EL RESTAURANTE

- ¿Qué van a tomar?
- Yo, de primero,...
  de segundo,...
  de postre,...

- ¿Para beber?
- Vino tinto / blanco / rosado.
  Agua con gas / sin gas.
  Cerveza.
  Zumo de naranaja.

¿Tomarán café?
Sí, un café solo y un cortado.
Y nos trae la cuenta, por favor.

asado/a
frito/a
hervido/a
guisado/a

a la plancha
a la brasa
al horno

¿Es carne o pescado?
¿Es fuerte / picante / graso?
¿Qué lleva?
¿Lleva salsa?

LA FORMA IMPERSONAL

Se **come** demasiada grasa.
Se **comen** muchos dulces.

CANTIDADES

demasiado arroz / **demasiada** leche
mucho arroz / **mucha** leche
suficiente arroz / leche
poco arroz / **poca** leche

demasiados huevos /**demasiadas** peras
muchos huevos / **muchas** peras
suficientes huevos / peras
pocos huevos / **pocas** peras

No llevan arroz.
No hay huevos.

un poco de =
una pequeña cantidad

No llevan **nada de** arroz.
No llevan **ningún** huevo.
No llevan **ninguna** botella de agua.

PESOS Y MEDIDAS

100 gramos de...
200 gramos de...
300 gramos de...

un cuarto de kilo / litro de...
medio kilo / litro de...
tres cuartos de kilo / litro de...
un kilo / litro de...

un **paquete de** arroz / sal / azúcar / harina...
una **botella de** vino / agua mineral / aceite...
una **lata de** atún / aceitunas / tomate...

Consultorio gramatical, páginas 142 a 144.

7 Buenas y malas costumbres

Piensa en los hábitos alimentarios de tu país o de tu región de origen. Luego, si quieres, puedes leer de nuevo la entrevista de la actividad 3. Anota en estas listas tres costumbres sanas y tres malas costumbres. Luego, lo comentas con tus compañeros.

demasiada carne de cerdo

- Aquí / En... se come demasiada carne de cerdo.

8 De excursión

La familia Zalacaín va a pasar cuatro días de acampada en el monte. Son cinco personas: tres adultos y dos niños. Se llevan toda la comida porque allí no hay tiendas. Esta es la lista que han hecho. ¿Qué te parece? ¿Olvidan algo importante? Con un compañero, corrige la lista añadiendo o quitando cosas.

100 g de mantequilla
10 l de leche
1/2 l de aceite
2 kg de patatas
3 kg de espaguetis
1 lata de tomate
24 yogures
7 kg de carne
50 g de queso
3 plátanos
12 kg de manzanas
100 g de azúcar
1 l de vino

- No llevan carne.
- Sí, es verdad. Y llevan pocas patatas, ¿no?
- Sí, muy pocas.

9 La tortilla española

Para aprender un poco de cocina española, lee estos textos.

Se come en todas las regiones de España. Fría o caliente y a cualquier hora del día: por la mañana para desayunar, a media mañana en el bar de la esquina, o de pie a la hora del aperitivo. Pero también como entrante o como segundo plato en la comida. O a media tarde, para merendar. O para cenar. Y en el campo, cuando vamos de excursión. Se come sola o con pan. Es un alimento completo y equilibrado: proteínas, fécula, grasa vegetal... Los ingredientes son baratos y casi siempre los tenemos en casa. Además, le gusta a casi todo el mundo. En resumen: un plato perfecto.

TORTILLA ESPAÑOLA

DIFICULTAD: media
TIEMPO: 70 minutos
INGREDIENTES (para 6 personas):
8 huevos
750 g de patatas peladas y cortadas en rodajas finas
1 taza de aceite de oliva
sal

Calentar el aceite en una sartén y echar las patatas. Salar. Hacerlas a fuego lento durante 40 minutos hasta que las patatas están blanditas. Hay que removerlas a menudo; de esa manera no se pegan **(Figura 1)**. Después, escurrir el aceite.

Batir los huevos, salarlos, añadir las patatas y mezclar todo muy bien **(Figura 2)**.

Poner una cucharada de aceite en la sartén. Dejar calentar el aceite. Echar la mezcla y dejarla en el fuego 5 minutos por cada lado **(Figura 3)** más o menos. Darle la vuelta con la ayuda de un plato **(Figura 4)**.

Ahora escucha cómo lo explica este español, que da algunos trucos.

La sartén tiene que estar ____________________

Las patatas tienen que llevar ____________________

Las patatas hay que cortarlas ____________________

Las patatas hay que freírlas ____________________

Hay que sacar un poco de ____________________

Hay que añadir a las patatas un poco de ____________________

La tortilla hay que comerla con un poquito de ____________________

y ____________________

OS SERÁ ÚTIL...

Se pone/n en una sartén.
una olla.
una cazuela.
una fuente.

Se pone un huevo.
Se pon**en** tres huevos.

se echa/n
se fríe/n
se hierve/n
se corta/n
se mezcla/n
se añade/n
se asa/n
se pela/n
se saca/n

con mantequilla
sin grasa

Primero,...
después,...
luego,...
Al final,...

10 Recetas

Formad pequeños grupos. Cada grupo va a escribir una receta. Puede ser un plato fácil o que alguno sabe hacer. Primero, tenéis que elegir un plato y completar esta ficha.

PORTFOLIO

DIFICULTAD: ____________

TIEMPO: ____________

INGREDIENTES: ____________

Ahora, hay que escribir la receta. Para ello, fijaos en la de la tortilla que puede serviros modelo. Podéis trabajar con un diccionario.

11 La lista de la compra

Un alumno de otro grupo va a ser el encargado de las compras. Hay que dictarle la lista.

- Necesitamos medio kilo de harina, tres huevos...

12 El "Libro de cocina" de la clase

Cada grupo explica a toda la clase el modo de preparar la receta que ha escrito. Después, podemos pegarlas en el tablón de la clase o fotocopiar todas las recetas y hacer un libro con nuestras especialidades.

HOY NO CENO

Son las nueve de la noche. Pepe y Elvira ya están en casa.
–Nada, hoy no ceno –dice Pepe a Elvira, su mujer–. Me ha sentado mal algo, me parece. No estoy nada bien...
Pepe come casi todos los días en Casa Juana, al lado de la oficina, con algunos compañeros de trabajo. En Casa Juana tienen un menú baratito, que está bastante bien.
–Seguramente ha sido el bacalao. Bueno, no sé... Estaba rico, con unos pimientos y unas patatitas...
–¿Y de primero, qué has tomado? –pregunta Elvira.
–Una ensalada...
–¿Y por la mañana?
–Lo normal, el café con leche en casa y... A media mañana, a las once, hemos ido a desayunar al Bar Rosendo con Pilar y Gonzalo, y me he tomado un bocadillo de atún y otro café.
–¿Y el aperitivo?
–No, hoy no hemos bajado...
–Pues a lo mejor sí ha sido el bacalao... Y yo he preparado pescado para cenar... Y verdura.
–Ufff... Nada, nada, yo no quiero nada. Una manzanilla, quizás. Estoy fatal...

13 Pepe Corriente es una persona muy normal, un español medio. Señala aquellas cosas que hace Pepe y que tú nunca haces. Seguro que descubres alguna costumbre típicamente española.

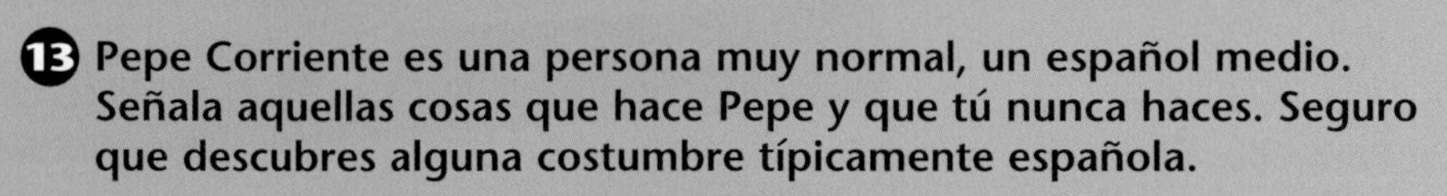

- *Yo nunca desayuno con los compañeros de trabajo.*

14 Lee estos dos fragmentos extraídos de dos odas de Pablo Neruda. Fíjate en las cosas con las que Neruda relaciona el tomate y la cebolla. ¿Tú los relacionas con las mismas cosas?
Después, en grupos, pensad en otros alimentos (el pan, las naranjas, el chocolate...) e intentad escribir un poema como estos.

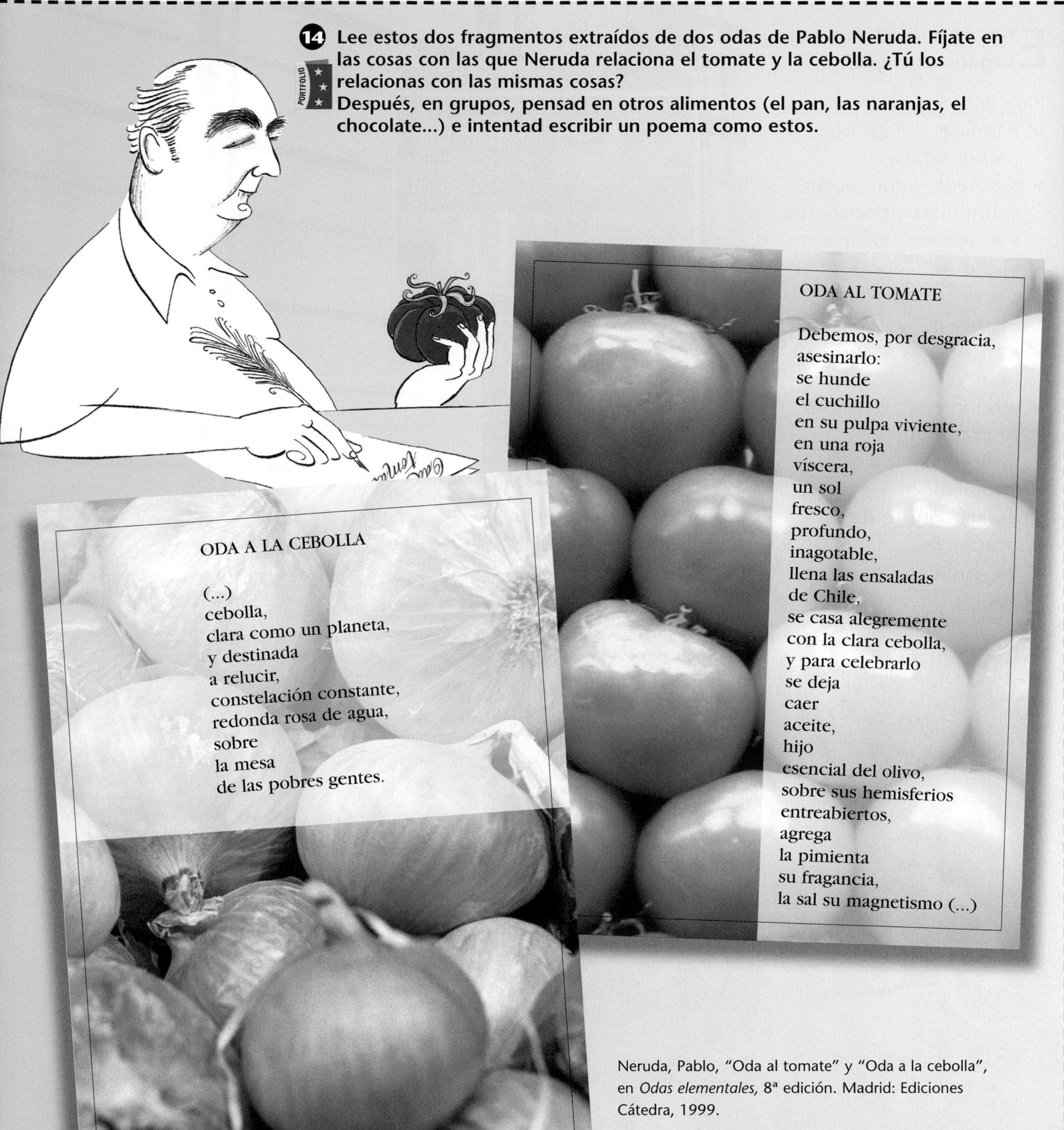

ODA AL TOMATE

Debemos, por desgracia,
asesinarlo:
se hunde
el cuchillo
en su pulpa viviente,
en una roja
víscera,
un sol
fresco,
profundo,
inagotable,
llena las ensaladas
de Chile,
se casa alegremente
con la clara cebolla,
y para celebrarlo
se deja
caer
aceite,
hijo
esencial del olivo,
sobre sus hemisferios
entreabiertos,
agrega
la pimienta
su fragancia,
la sal su magnetismo (...)

ODA A LA CEBOLLA

(...)
cebolla,
clara como un planeta,
y destinada
a relucir,
constelación constante,
redonda rosa de agua,
sobre
la mesa
de las pobres gentes.

Neruda, Pablo, "Oda al tomate" y "Oda a la cebolla", en *Odas elementales,* 8ª edición. Madrid: Ediciones Cátedra, 1999.

8

En esta unidad vamos a organizar viajes.

Para ello, aprenderemos:

- ✔ a indicar fechas, horas y partes del día,
- ✔ a obtener información sobre rutas y transportes, y a reservar alojamiento,
- ✔ el uso de preposiciones para hacer referencias espaciales,
- ✔ a situar una acción en el tiempo,
- ✔ a referirnos a acciones futuras: Futuro de Indicativo / **Ir a** + Infinitivo,
- ✔ **estar a punto de..., acabar de...,**
- ✔ **ya, todavía / aún.**

Departures
Salidas

gente que viaja

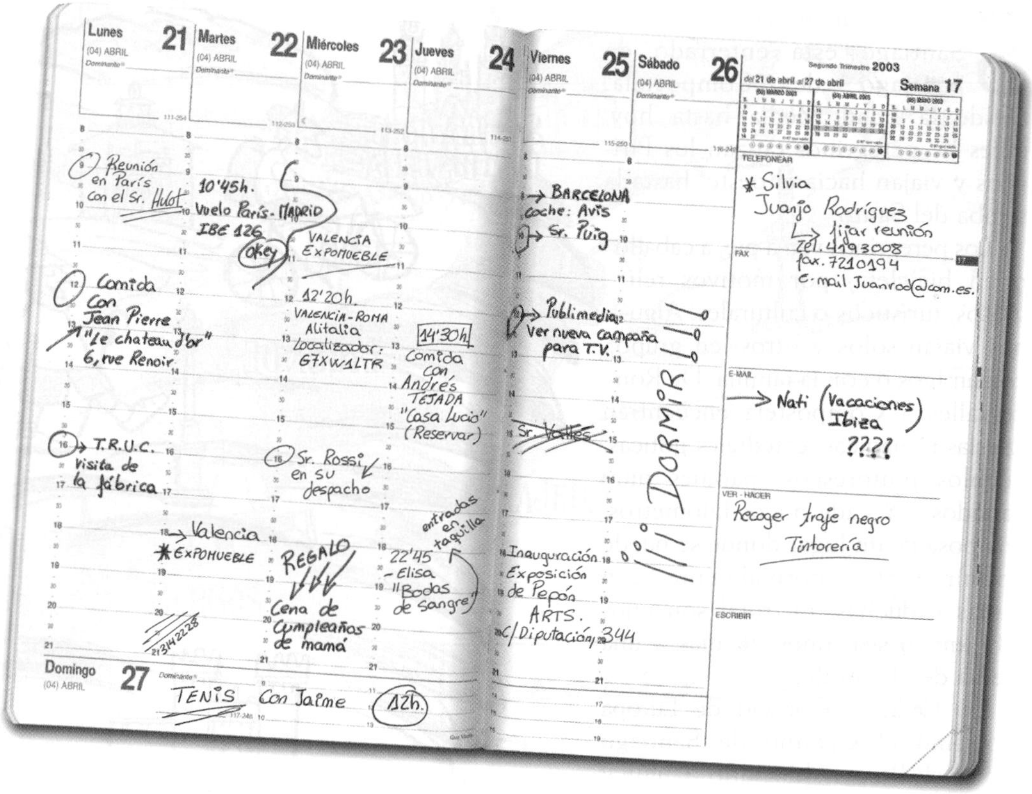

1 La agenda de Ariadna Anguera

Esta es la agenda de Ariadna Anguera, una ejecutiva muy dinámica que vive en Madrid. Trabaja para un empresa que fabrica muebles de oficina. Tú quieres hablar con ella. ¿Cuándo y dónde puedes verla?

Puedo verla el ____________________ en ________________

a las _______________ o el ______________________________

en ____________________________ a las ______________.

O también ____

____.

Ahora mira las diferentes imágenes de estas dos páginas. Son cosas que se necesitan habitualmente en los viajes. ¿Cuáles llevas tú cuando viajas? ¿Llevas algo especial?

• *Yo siempre llevo una plancha.*

4 La vuelta a España en 8 medios de transporte

Prepara con un compañero una ruta para participar en este concurso.

LAS REGLAS DEL JUEGO

- Los participantes tienen que utilizar todos los medios de transporte al menos una vez y visitar todas las ciudades.
- Solo pueden usar un único medio de transporte en cada etapa (entre dos ciudades), y no pueden pasar de largo: tienen que quedarse hasta el día siguiente en la ciudad a la que llegan.
- Gana el equipo que tarda menos días en dar la vuelta a España.
- Con cada medio de transporte se pueden recorrer por día unas "distancias máximas" que figuran en la tabla adjunta.

	DISTANCIAS
A PIE	25 Km
EN BICICLETA	60 Km
EN MOTO	300 Km
EN TREN	800 Km
EN COCHE	700 Km
EN AUTOBÚS	600 Km
A CABALLO	50 Km
EN AVIÓN	1000 Km

- Si vamos en bici de Bilbao a Santander, tardamos dos días...
- ○ Sí, y si vamos en moto, un día.

¿Y tú? Imagina que puedes hacer un viaje de 1000 km como máximo, todo pagado, ¿qué ruta haces? ¿En qué medios? Explícaselo a la clase.

5 ¿Cuándo es tu cumpleaños?

¿Sabes las fechas de cumpleaños de los compañeros de clase? A ver quién consigue, en cinco minutos, anotar más nombres y fechas de cumpleaños, como en el ejemplo.

- ¿Cuándo es tu cumpleaños, María?
- ○ El veintiuno de abril.

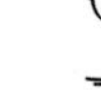

21 de abril: María

DISTANCIAS

- ¿Cuántos kilómetros hay

de / desde	Madrid	a / hasta	Sevilla?

○ 540 kilómetros.

Madrid **está a** 538 km **de** Sevilla.

DÍAS Y MESES

¿Qué día / **¿Cuándo** } te vas / llegas /...?

El (día) veintitrés.
El veintitrés **de** mayo.
El viernes **(próximo).**

La semana / **El mes** / **El año** } **que viene.**

enero, febrero, marzo, abril, mayo, junio, julio, agosto, septiembre, octubre, noviembre, diciembre

YA, TODAVÍA, TODAVÍA NO

- ¿A qué hora llega el avión de Sevilla?
- ○ Ya ha llegado.

¿Todavía no han abierto?
No, todavía está cerrado.

HORAS

- ¿A qué hora abren / cierran / empiezan...?

○ A las:
- ocho.
- ocho y cinco.
- ocho y **cuarto**.
- ocho y veinte.
- ocho y **media**.
- ocho y veinticinco.
- nueve **menos cuarto**.
- nueve **menos** cinco.

a las diez **de la mañana** = 10h
a las diez **de la noche** = 22h

Para informaciones de servicios (medios de comunicación, transportes, etc.) se dice también:
a las veintidós horas,
a las dieciocho horas, etc.

Está abierto **de** ocho **a** tres.
Está cerrado **de** tres **a** cinco.

- ¿Qué hora es?
- ○ Las cinco y diez.

- Perdone, ¿tiene hora?
- ○ Sí, las cinco y diez.

Consultorio gramatical, páginas 145 a 148.

6 Hotel Picos de Europa

Eres el recepcionista de un pequeño hotel de montaña. El hotel solo tiene nueve habitaciones. Algunos clientes quieren hacer reservas, cambiarlas o confirmarlas. Escucha la grabación. ¿Qué cambios u observaciones tienes que anotar en el libro de reservas?

habitación número	viernes 11	sábado 12	domingo 13
1	GONZÁLEZ	GONZÁLEZ	-
2	MARQUINA	MARQUINA	MARQUINA
3	VENTURA	-	-
4	-	MAYORAL	MAYORAL
5	SÁNCHEZ PINA	SÁNCHEZ PINA	SÁNCHEZ PINA
6	-	-	IGLESIAS
7	LEÓN	SANTOS	COLOMER
8	-	-	-
9	BENITO	BENITO	-

7 De 9h a 14h

En este mismo momento, mientras vosotros estáis en clase, ¿cuáles de estos establecimientos están abiertos?

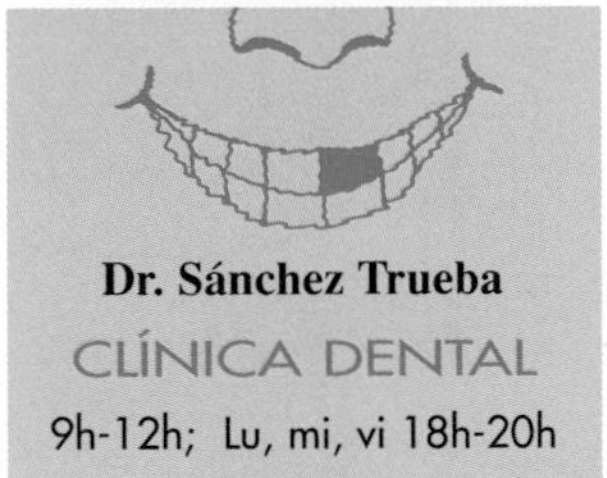

¿Estos horarios son parecidos a los de tu país o son muy diferentes?

8 Un viaje de negocios

Os habéis convertido en los secretarios del señor Berenstein. Es un ejecutivo que trabaja en Francfort y que viaja mucho. En parejas, tenéis que organizarle un viaje a España y elegir los vuelos. Conocéis su agenda de trabajo, sus "manías" y, además, tenéis un fax con los horarios de los vuelos.

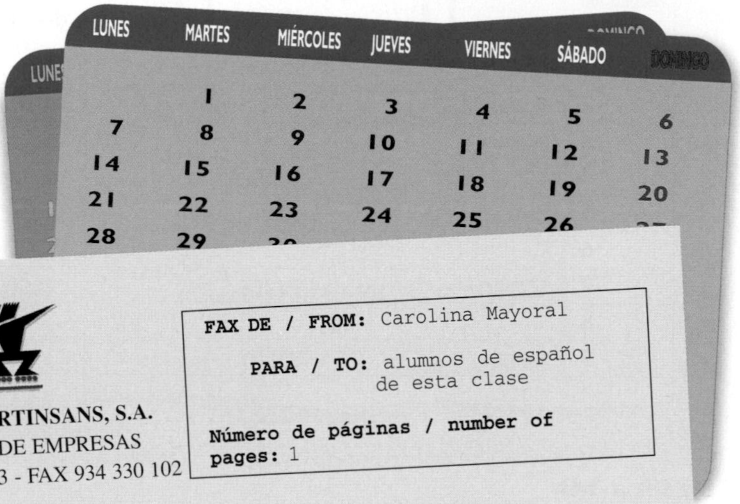

VIAJES MARTINSANS, S.A.
CENTRAL DE EMPRESAS
TEL. 934 333 533 - FAX 934 330 102

FAX DE / FROM: Carolina Mayoral
PARA / TO: alumnos de español de esta clase
Número de páginas / number of pages: 1

FRANCFORT / MADRID

		salida	llegada
LH4812	FRA/MAD	09.25	11.55
IB3507	FRA/MAD	12.55	15.25
LH4700	FRA/MAD	16.30	19.05
LA171	FRA/MAD	17.10	19.35

MADRID / SAN SEBASTIÁN

		salida	llegada
AF106	MAD/EAS	07.45	08.35 (lu, mi, vi)
AF110	MAD/EAS	16.00	16.50 (mi, ju, sa, do)
JK447	MAD/EAS	17.50	19.30 (lu, ma, mi, vi)

—— NO HAY VUELOS DIRECTOS SAN SEBASTIÁN / FRANCFORT ——

SAN SEBASTIÁN / BARCELONA / FRANCFORT

		salida	llegada
UX3473	EAS/BCN	13.40	14.40
LH4743	BCN/FRA	18.40	20.45

SAN SEBASTIÁN / MADRID / FRANCFORT

		salida	llegada
AF105	EAS/MAD	09.15	10.05
LH4701	MAD/FRA	12.50	15.20

Códigos de líneas aéreas:
LH= Lufthansa
LA= Lan Chile
AF= Air France
IB= Iberia
JK= Spanair
UX= Air Europa

El día 13 está en Francfort.

El próximo día 14 tiene una reunión en Madrid a las 16.15h (en el paseo de la Castellana).

Tiene una reunión en San Sebastián el día 16 a las 9h.

Tiene que estar en su oficina en Francfort el día 17 antes de las 18h.

No le gusta viajar de noche.

En Madrid quiere alojarse en un hotel céntrico y no muy caro.

En San Sebastián va a alojarse en casa de unos amigos.

Ahora haced la reserva. El profesor va a simular que es el empleado de una agencia de viajes.

OS SERÁ ÚTIL...

el (vuelo) **de las** 7.12h
el (vuelo) **de** Iberia

Con el de la una llega...
Si toma el de la una, va a llegar...
... a tiempo.
... demasiado tarde.
... pronto.
... antes de las 12h.
... después de las 13h.
... de día / de noche.

IR + A + *INFINITIVO*

El día 1...
A las 4h...
El martes...

voy / vas / va / vamos / vais / van } **a** **salir / llegar / venir / ir / ...**

9 El hotel

También tenéis que reservar hotel. Estos son los que os propone la agencia. ¿Cuál vais a reservar? Escucha la cinta para tener más información.

H
HOTEL UNIVERSIDAD
* * *
• A un paso de la ciudad universitaria y de los centros de negocios.
• A 10 minutos del paseo de la Castellana.
• 120 habitaciones con aire acondicionado.
• Tranquilo y bien comunicado.
• Sauna y fitness.

HOTEL SAN PLÁCIDO

HP

* * * *

EN EL CENTRO DE MADRID

"Un cuatro estrellas muy especial..."

Aire acondicionado • Música • Teléfono

Caja fuerte • Antena parabólica • Jacuzzi

Plaza de San Plácido, 5 - 28013 MADRID

Tel.: 915 448 800 - Fax: 915 467 978

Hotel Trap

- Situación estratégica con relación a: estación de FF. CC. de Chamartín, recinto ferial y aeropuerto.
- Entre la M-30 y la N-II (autovía de Barcelona)
- Aparcamiento propio

Ahora uno de vosotros llama por teléfono para reservar la habitación del señor Berenstein. Otro alumno será el recepcionista.
¿Y a ti? ¿Cuál de estos hoteles te gusta más para pasar unos días en Madrid?

OS SERÁ ÚTIL...

Quisiera reservar...
un billete para San Sebastián, en el vuelo de las...

una habitación para el día...

10 Un fax para el jefe

PORTFOLIO

Tenéis también que preparar el texto de un fax para vuestro jefe, donde le explicáis el plan del viaje:

- cómo y cuándo va a viajar
- dónde va a alojarse y por qué

Como es su primer viaje a España, podéis darle algunas recomendaciones o informaciones útiles.

¡QUÉ RAROS SON!

Cuando viajamos siempre descubrimos cosas diferentes, maneras diferentes de ser, de actuar, de comunicarse. Es lo que les pasa al señor Blanco y al señor Wais.

Julián Blanco es un ejecutivo español que trabaja para una multinacional. Tiene que trabajar a veces con el señor Wais, un europeo del norte que trabaja para la misma multinacional. Blanco a veces va al país de Wais, y Wais visita de vez en cuando España. A veces Blanco piensa: "Qué raros son estos nórdicos." Lo mismo piensa Wais: "Qué curiosos son los españoles."

Cuando Blanco va al país de Wais, la empresa le reserva una habitación a 15 km del centro de la ciudad, en un lugar precioso. "En este hotel va a estar muy tranquilo", piensa Wais. "¡Qué lejos del centro!", piensa Blanco, "Qué aburrido: ni un bar donde tomar algo o picar unas tapas."

Cuando Wais va a Madrid, siempre tiene una habitación reservada en un hotel muy céntrico, en una calle muy ruidosa, con mucha contaminación. Así, puede salir por ahí por la noche, piensan en la empresa de Blanco.

En las reuniones de trabajo también hay algunos problemas. "Los españoles siempre hablan de negocios en los restaurantes", dice Wais. "Primero, comen mucho y beben vino. Y luego, al final de la comida, empiezan a hablar de trabajo." "En el norte de Europa no se come", explica Blanco a su mujer, "una ensalada, o un sándwich, al mediodía, y nada más... Y luego, por la noche, a las nueve está todo cerrado..."

Respecto a la forma de trabajar también hay malentendidos: "¿Para qué nos reunimos? Lo llevan todo escrito, todo decidido... Papeles y papeles", dice Blanco.

"Los españoles no preparan las reuniones", piensa Wais. "Hablan mucho y muy deprisa, y todos al mismo tiempo."

"Son un poco aburridos", explica Blanco a sus compañeros de oficina. "Muy responsables y muy serios pero... un poco sosos... Solo hablan de trabajo..."

"Son muy afectivos, muy simpáticos pero un poco informales", piensa Wais.

¿Quién tiene razón? Seguramente los dos. Cada cultura organiza las relaciones sociales y personales de formas distintas, ni peores ni mejores, simplemente distintas.

Aprender un idioma extranjero significa también conocer una nueva forma de relacionarse, de vivir y de sentir.

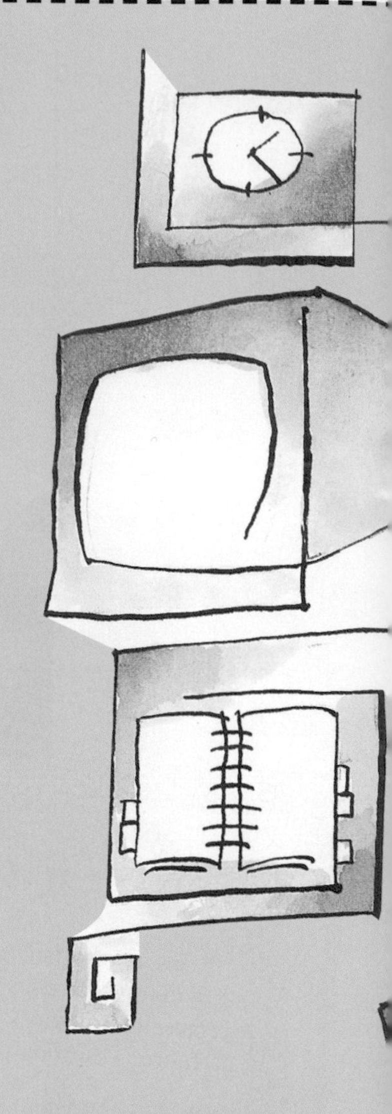

11 ¿Cómo crees que piensa un ejecutivo de tu país? ¿Como Wais o como Blanco?

– respecto al alojamiento
– respecto a las comidas
– respecto al trabajo
– respecto a la comunicación

9

Vamos a discutir los problemas de una ciudad y a establecer prioridades en sus soluciones.

Para ello, aprenderemos:
- ✔ a describir, a comparar y a valorar lugares,
- ✔ a opinar y a debatir,
- ✔ a expresar igualdad y desigualdad,
- ✔ a hablar del clima,
- ✔ las frases de relativo,
- ✔ **me gusta / me gustaría.**

gente de ciudad

❶

❸

1 Cuatro ciudades donde se habla español

¿A qué ciudades crees que corresponden estas informaciones? Hay algunas que pueden referirse a varias ciudades. Márcalo en el cuadro.

	a	b	c	d	e	f	g	h	i	j	k	l	m	n	ñ	o	p
Las Palmas																	
Bogotá																	
Sevilla																	
Buenos Aires																	

a. Tiene unos tres millones de habitantes pero su área metropolitana tiene casi once millones.
b. Es una ciudad con muchas fiestas populares: la Feria de Abril, la Semana Santa...
c. Está en una isla.
d. Es una ciudad con mucha vida nocturna.
e. Tiene unos seis millones y medio de habitantes.
f. Tiene muy buen clima. La temperatura es de unos 20 grados, tanto en invierno como en verano.
g. En verano hace muchísimo calor.
h. Es una ciudad muy turística.
i. Es la capital de Colombia.
j. Sus habitantes son de origen muy variado: español, italiano, inglés, alemán...
k. Está a 2264 metros sobre el nivel del mar.
l. Su centro es la Plaza de Mayo, donde están la catedral y la Casa Rosada, sede del Gobierno.
m. Es un puerto importante.
n. Hay mucha industria pesquera y tabacalera.
ñ. Su primer recurso económico es el turismo.
o. Es el centro administrativo, cultural y económico de Andalucía.
p. Está en la costa.

Compara tus respuestas con las de tus compañeros.

- A ver qué has puesto tú...
- Las Palmas *C, G*...
- ¿*G*? No, en Las Palmas no hace muchísimo calor.

2 Calidad de vida

El ayuntamiento del lugar en el que resides ha elaborado una encuesta. Quiere conocer la opinión de los ciudadanos sobre la calidad de vida.

AYUNTAMIENTO DE...
Área de Urbanismo

Encuesta sobre calidad de vida

	SÍ	NO
TAMAÑO		
¿Cree usted que es una ciudad demasiado grande?	☐	☐
¿Es un pueblo demasiado pequeño?	☐	☐
¿Cree usted que tiene un tamaño adecuado?	☐	☐
TRANSPORTES Y COMUNICACIÓN		
¿Está bien comunicado/a?	☐	☐
¿Hay mucho tráfico? ¿Hay atascos?	☐	☐
¿Funcionan bien los transportes públicos?	☐	☐
EDUCACIÓN Y SANIDAD		
¿Hay suficientes colegios y guarderías?	☐	☐
¿Tiene suficientes servicios sanitarios (hospitales, centros de salud...)?	☐	☐
CULTURA Y OCIO		
¿Hay suficientes instalaciones deportivas?	☐	☐
¿Tiene monumentos o museos interesantes?	☐	☐
¿Hay suficiente vida cultural (conciertos, teatros, cines, conferencias...)?	☐	☐
¿Hay ambiente nocturno (discotecas, restaurantes...)?	☐	☐
¿Son bonitos los alrededores?	☐	☐
ECOLOGÍA		
¿Hay mucha contaminación?	☐	☐
¿Tiene suficientes zonas verdes (jardines, parques...)?	☐	☐

CLIMA	SÍ	NO
¿Es bueno el clima?	☐	☐
¿Hace demasiado frío/calor?	☐	☐
¿Llueve demasiado?	☐	☐

COMERCIO	SÍ	NO
¿Los precios son caros?	☐	☐
¿Hay suficientes tiendas?	☐	☐

CARÁCTER	SÍ	NO
¿La gente es amable?	☐	☐
¿La gente es participativa?	☐	☐
¿La gente es solidaria?	☐	☐

PROBLEMAS SOCIALES	SÍ	NO
¿Existen problemas de drogas?	☐	☐
¿Hay mucha delincuencia?	☐	☐
¿Hay violencia?	☐	☐

Para mí, lo mejor es ______________________

Lo peor es ______________________.

Yo pienso que falta(n) ______________________.

______________________.

Actividades

A Contesta primero individualmente al cuestionario. Luego lee tus respuestas y dale una "nota" global a la ciudad (en una escala del 0 al 10).

B Informa a tus compañeros de tu decisión. Explícales el porqué, refiriéndote a los aspectos positivos y negativos que consideras más importantes.

- *Yo le he dado un 4. A mí me parece que no hay suficientes instalaciones deportivas y, además, hay demasiado tráfico... Por otra parte,...*

3 Dos ciudades para vivir

Imagina que, por razones de trabajo, tienes que vivir dos años en una de estas dos ciudades. Tu empresa te deja elegir.

Valparaíso (Chile)

Está situada al norte de Santiago de Chile, entre los Andes y el Océano Pacífico. Con 255 286 habitantes y un clima templado, Valparaíso es el segundo centro económico de Chile. Es también uno de los principales puertos del Pacífico sudamericano. Tiene universidad, una intensa actividad industrial y un importante patrimonio cultural.

El mayor atractivo de esta ciudad son los 45 cerros que la rodean: los barrios han crecido sobre las colinas y la arquitectura se ha adaptado al relieve. Sus calles, estrechas y empinadas, con sus 15 pintorescos ascensores, dan a Valparaíso un encanto especial. Se ha dicho que es un colorido anfiteatro que mira al mar.

Valparaíso ha recibido una gran influencia europea, ya que muchos alemanes e ingleses se instalaron en la ciudad en el s. XIX.

Cartagena de Indias (Colombia)

Cartagena de Indias, con sus 491 368 habitantes y su clima tropical (temperatura media: 28 grados) es, sin lugar a dudas, la capital turística de Colombia.

Su arquitectura colonial, declarada Patrimonio de la Humanidad en 1985, es una de las más importantes de Latinoamérica.

Por una parte, está la ciudad histórica, con el castillo militar más grande de América. Por otra, las zonas turísticas de Bocagrande y El Laguito, junto a las playas, con edificios modernos de apartamentos, restaurantes, casinos, centros comerciales y hoteles. Por último, están las islas del Rosario, un complejo de islotes con playas coralinas, que forman parte de uno de los parques naturales más importantes de Colombia.

Cartagena se ha convertido en sede de eventos internacionales importantes, como el Festival de Cine, uno de los más importantes de América Latina, y el Festival de Música del Caribe, que reúne cada marzo a lo más representativo de los ritmos caribeños (reggae, salsa, socca, etc.).

El carácter acogedor de su gente es, además, otro de sus atractivos.

Actividades

A ¿Qué es lo más importante para ti en una ciudad? Repasa los conceptos (ecología, clima, etc.) de la encuesta de la página anterior y establece tus prioridades.

Para mí, lo más importante es ________________,
y también ____________________.

B Lee los textos y decide dónde preferirías pasar dos años. Explícales a tus compañeros las razones de tu elección.

4 Villajuán, Aldehuela y Rocalba

En las oficinas del gobierno regional se han hecho un lío con algunos datos sobre estas tres ciudades. ¿Puedes ayudarles?

Aldehuela tiene menos bares que Villajuán.
Rocalba tiene más escuelas que Villajuán.
Aldehuela tiene más escuelas que Villajuán.
Villajuán tiene menos habitantes que Rocalba.
Rocalba y Aldehuela tienen el mismo número de museos.
Rocalba tiene el doble de iglesias que Villajuán.
Rocalba y Aldehuela tienen el mismo número de hospitales.

NOMBRE DEL MUNICIPIO	....	....	....
habitantes	25 312	21 004	18 247
escuelas	8	6	7
cines	4	4	3
museos	3	1	3
iglesias	6	3	4
bares	21	15	2
centros comerciales	2	1	1
hospitales	2	1	2

Ahora, un juego. Un alumno compara dos de estas ciudades, pero sin decir el nombre de la primera. A ver quién adivina más rápido a qué ciudad se refiere.

- Tiene dos escuelas menos que Rocalba.
- ¡Villajuán!

- Tiene tantos hospitales como Aldehuela.
- ¡Rocalba!

5 Me gustan las ciudades grandes

¿Qué clase de ciudades te gustan? Completa estas frases.

A mí me gustan **las ciudades** ________________________________.
A mí me gustan **las ciudades en las que** ________________________.
A mí me gustan **las ciudades que** ____________________________.
A mí me gustan **las ciudades con/sin** __________________________.

Ahora, entre todos, haced una lista de vuestras preferencias en la pizarra. A partir de vuestras propuestas podemos describir "nuestra ciudad ideal".

COMPARAR

Madrid (M): 2 938 723 habitantes
Barcelona (B): 1 503 884 habitantes

M tiene **más** habitantes **que** B.
B tiene **menos** habitantes **que** M.

M es **más** grande **que** B.
B es **más** pequeña **que** M.

más bueno/a → **mejor**
más malo/a → **peor**

INDICAR SUPERIORIDAD

Madrid es **la** ciudad **más** grande de España.

INDICAR IGUALDAD

Luis y Héctor tienen { **la misma** edad. / **el mismo** color de pelo. / **las mismas** ideas. / **los mismos** problemas. }

Este piso tiene { **tanto** encanto / **tanta** luz / **tantos** metros / **tantas** puertas } **como** el otro.

Barcelona **no** es **tan** grande **como** Madrid.

ORACIONES DE RELATIVO

Es una ciudad...

{ **en la que** / **donde** } se vive muy bien.

que tiene muchos museos.

Me gusta vivir aquí.

ME GUSTA / ME GUSTARÍA...

Me gusta mucho La Habana.

Me gustaría ir a Lima.
visitar Lima.
conocer Lima.

Le gusta vivir cerca del mar.

Le gustaría vivir cerca del mar.

EXPRESAR OPINIONES

A mí me parece que...

Yo (no) estoy de acuerdo { **con** Juan. / **contigo.** / **con eso.**

A mí me parece que se vive mejor en el campo.
Sí, es verdad.

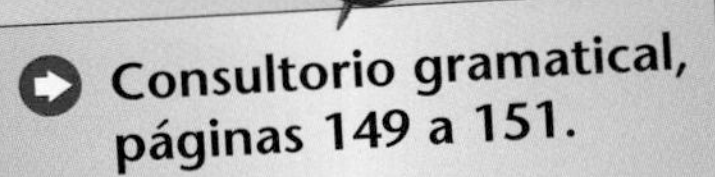
Consultorio gramatical, páginas 149 a 151.

6 ¿París, Londres o Roma?

Elige ciudades para completar las frases.

París Chicago Berlín Moscú
Venecia Río de Janeiro Lima La Habana Teherán
Buenos Aires Amsterdam Hong Kong Mónaco
Dublín Las Vegas Helsinki Viena
Ginebra Tokio Madrid Jerusalén
Bilbao Atenas Londres

A mí me gustaría pasar unos días en ________ porque ________________.
A mí me gustaría ir de vez en cuando a ________ porque ______________.
Yo quiero visitar ________________ porque ____________________________.
A mí me gustaría trabajar una temporada en ________ porque _________.
A mí me gustaría vivir en ________ porque ____________________________.
No me gustaría nada tener que ir a ________ porque __________________.

7 ¿Campo o ciudad?

Piensa en las ventajas y desventajas de vivir en el campo o en la ciudad. Aquí tienes algunas ideas. Elige tres o formula una opinión nueva. Luego, anota los nombres de los compañeros con los que estás de acuerdo.

- la vida es más dura
- la vida es más cara
- se come mejor
- hay problemas de transporte
- la gente es más cerrada
- necesitas el coche para todo
- tienes menos oferta cultural
- tienes más calidad de vida
- te aburres
- vives de una forma más sana
- te sientes solo
- tienes más relación con los vecinos
- tienes menos intimidad

• *A mí me parece que en el campo necesitas el coche para todo.*

8 Villarreal

Villarreal es una ciudad imaginaria que se parece a algunas pequeñas ciudades españolas. Lee estas informaciones que ha publicado recientemente la prensa local. Tú y tus compañeros vais a tener que tomar decisiones importantes sobre el futuro de la ciudad.

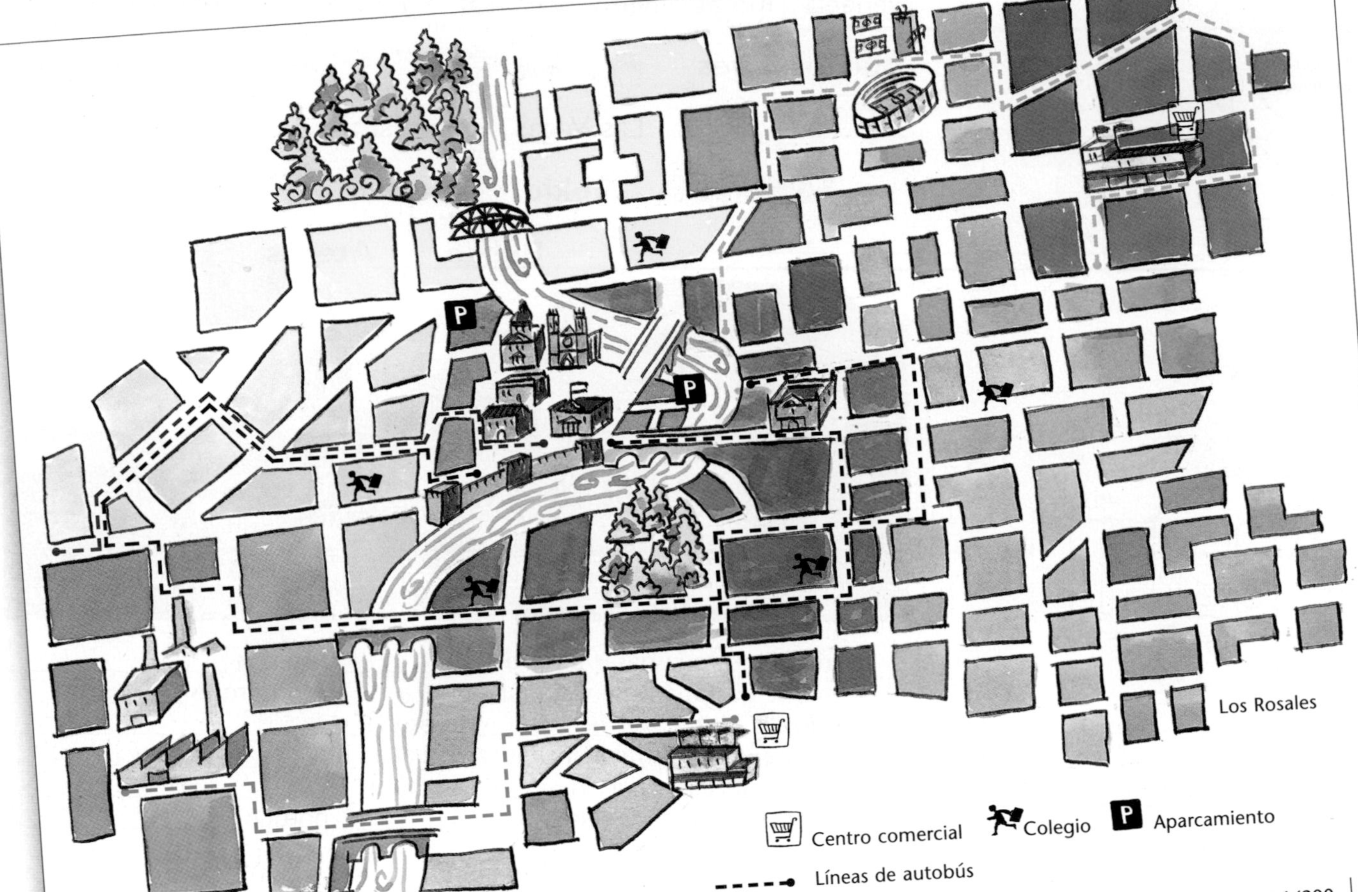

VILLARREAL

Número de habitantes: 45 800.
Índice de paro entre la población activa:
- **hombres 11%,**
- **mujeres 24%.**

TRANSPORTES Y COMUNICACIÓN

– Existen seis líneas de autobuses. El barrio de Los Rosales no tiene transporte público.
– En el casco antiguo se producen con frecuencia atascos y hay graves problemas de aparcamiento, ya que solo existen dos aparcamientos públicos con capacidad para 300 coches.
– Recientemente, el Ayuntamiento ha propuesto crear una zona peatonal alrededor de la Catedral, proyecto que ha sido muy criticado por los comerciantes de la zona.

COMERCIO

– Últimamente, se han instalado dos grandes superficies comerciales. El comercio del centro de la ciudad está en crisis. Un nuevo centro comercial ha solicitado permiso de construcción.

CULTURA Y OCIO

– Hay un solo museo, el Museo de Historia de la Ciudad.
– Hay seis cines y un teatro. El teatro tiene graves problemas económicos y el edificio está en muy mal estado.
– Hay varias instalaciones deportivas: el estadio del Villarreal Fútbol Club, una piscina municipal descubierta y un polideportivo (baloncesto, tenis y gimnasio).

VIVIENDA

– 1800 viviendas se hallan desocupadas.
– El gasto en vivienda (alquiler o compra) representa un tercio de los ingresos de las familias.

EDUCACIÓN Y SANIDAD

– Hay tres colegios privados y dos públicos, dos guarderías municipales y tres privadas, y dos institutos de enseñanza secundaria.
– Hay un hospital provincial (200 camas) y dos clínicas privadas (245 camas).
– Crece el número de toxicómanos. Se estima en la actualidad en unos 130. No tiene ningún centro de atención a toxicómanos.
– No hay ninguna residencia de ancianos.
– En el último año, 55 niños de menos de tres años no han tenido plaza en las guarderías.
– No hay Universidad.

ECOLOGÍA Y SEGURIDAD

– En el polígono industrial hay una fábrica de plásticos que contamina el río. En ella trabajan 260 personas.
- La delincuencia ha aumentado un 22% respecto al año anterior.

OS SERÁ ÚTIL...

Para mí/nosotros...

lo más { grave / urgente / necesario / importante } es...

Es { urgente / importante / fundamental } { hacer / construir / ... }

Yo pienso que...
Nosotros pensamos que...

A mí me parece que...
A nosotros nos parece que...

Eso es verdad, pero...
Eso no es verdad.

Escucha ahora la encuesta radiofónica. Anota qué problemas tiene la ciudad, según los encuestados.

1. ______________________________.
2. ______________________________.
3. ______________________________.
4. ______________________________.
5. ______________________________.
6. ______________________________.

Formad grupos de tres y decidid cuáles son los cuatro problemas más urgentes de la ciudad. Después informad a la clase.

- Nosotros pensamos que los problemas más graves son...

9 Las finanzas de Villarreal

Ahora hay que hacer los presupuestos generales del próximo año. En grupos, mirad el plano de la ciudad, repasad el informe de la prensa y las notas que habéis tomado de la encuesta.

Disponéis de un presupuesto de 1000 millones de "villarreales" para invertir en nuevas infraestructuras. ¿Cuánto destináis a cada concepto?

Concepto	Cantidad

- Vamos a invertir 100 millones para construir una escuela porque pensamos que es urgente.

Un portavoz va a defender los presupuestos de su grupo en una sesión del Ayuntamiento. Los otros podéis criticarlos.

10 Cambios en nuestra ciudad

¿Y nuestra ciudad o la ciudad donde estudiamos? ¿Qué cambios necesita? Haced una lista.

¿QUÉ ES UNA CIUDAD?

Calles, plazas, avenidas, paseos y callejones. (Y personas). Luces, anuncios, semáforos, sirenas. (Y personas). Mercados, supermercados, hipermercados. (Y personas). Coches, motos, camiones, bicicletas. Música, cláxones, y voces. (De personas). Perros, gatos y canarios. (Y personas). Policías, maestros, enfermeras, funcionarios, empresarios, vendedores, mecánicos, curas y obreros. (Y personas). Teléfonos, antenas, mensajeros. (Y personas). Periódicos, carteles, neones. Teatros, cines, cabarets. Restaurantes, discotecas, bares, tabernas y chiringuitos. (Y personas). Ventanas, puertas, portales. Entradas y salidas. (Y personas). Ruidos, humos, olores. Hospitales, monumentos, iglesias. Historias, noticias y cuentos. Mendigos, ejecutivos, prostitutas, yonkis y bomberos. Travestis, políticos y banqueros. Prisas, alegrías y sorpresas. Ilusiones, esperanzas y problemas. Áticos y sótanos. Amores y desamores. (De personas). Razas, culturas, idiomas... Y personas.

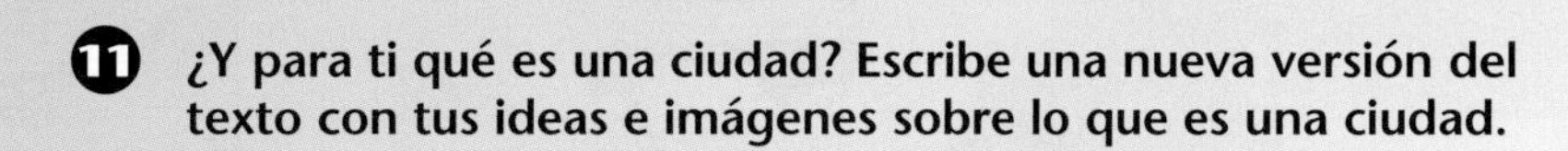

11 ¿Y para ti qué es una ciudad? Escribe una nueva versión del texto con tus ideas e imágenes sobre lo que es una ciudad.

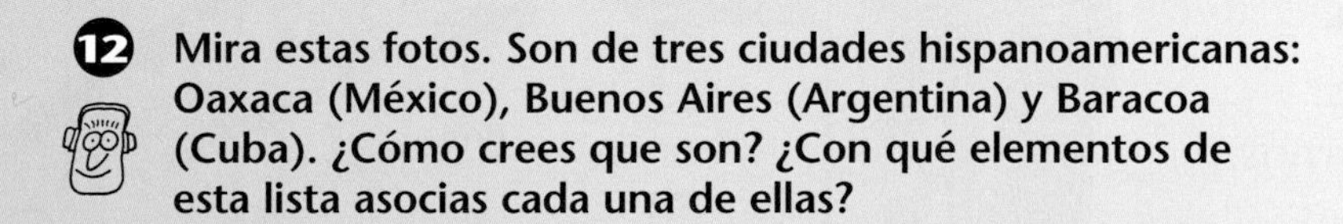

12 Mira estas fotos. Son de tres ciudades hispanoamericanas: Oaxaca (México), Buenos Aires (Argentina) y Baracoa (Cuba). ¿Cómo crees que son? ¿Con qué elementos de esta lista asocias cada una de ellas?

- mar Caribe
- ciudad misteriosa
- playa
- actividad cultural
- isla
- ciudad colonial
- todo tipo de espectáculos
- ciudad que no duerme
- salas de teatro y cines
- enclave arqueológico

Ahora escucha a tres personas que hablan de estas ciudades. Comprueba si tenías razón. ¿Es lo que tú habías dicho?

13 Si quieres, puedes explicar a tus compañeros las características de tu ciudad o de tu lugar de origen.

10

gente en casa

Vamos a visitar a una familia española en su casa.

Para ello, aprenderemos:

- ✔ a saludar y a despedirnos,
- ✔ a hacer presentaciones,
- ✔ a interesarnos por nuestros amigos y por sus familiares,
- ✔ a invitar,
- ✔ a ofrecer y a aceptar cosas,
- ✔ a hacer cumplidos,
- ✔ a acordar una cita,
- ✔ a hablar por teléfono,
- ✔ el Imperativo,
- ✔ algunos usos de **estar** + Gerundio,
- ✔ algunos usos de las preposiciones **de, con** y **sin**.

1 ¿Dónde ponemos esto?
La familia Velasco Flores se ha cambiado de casa. Ahora están sacando sus muebles del camión de mudanzas. Tú y tu compañero tenéis que decidir dónde ponéis estas cosas. Luego, comparad vuestros resultados con los de otra pareja.

- *Esta cama, en la habitación de la niña.*
- *Vale, y esta mesilla, ¿dónde?*

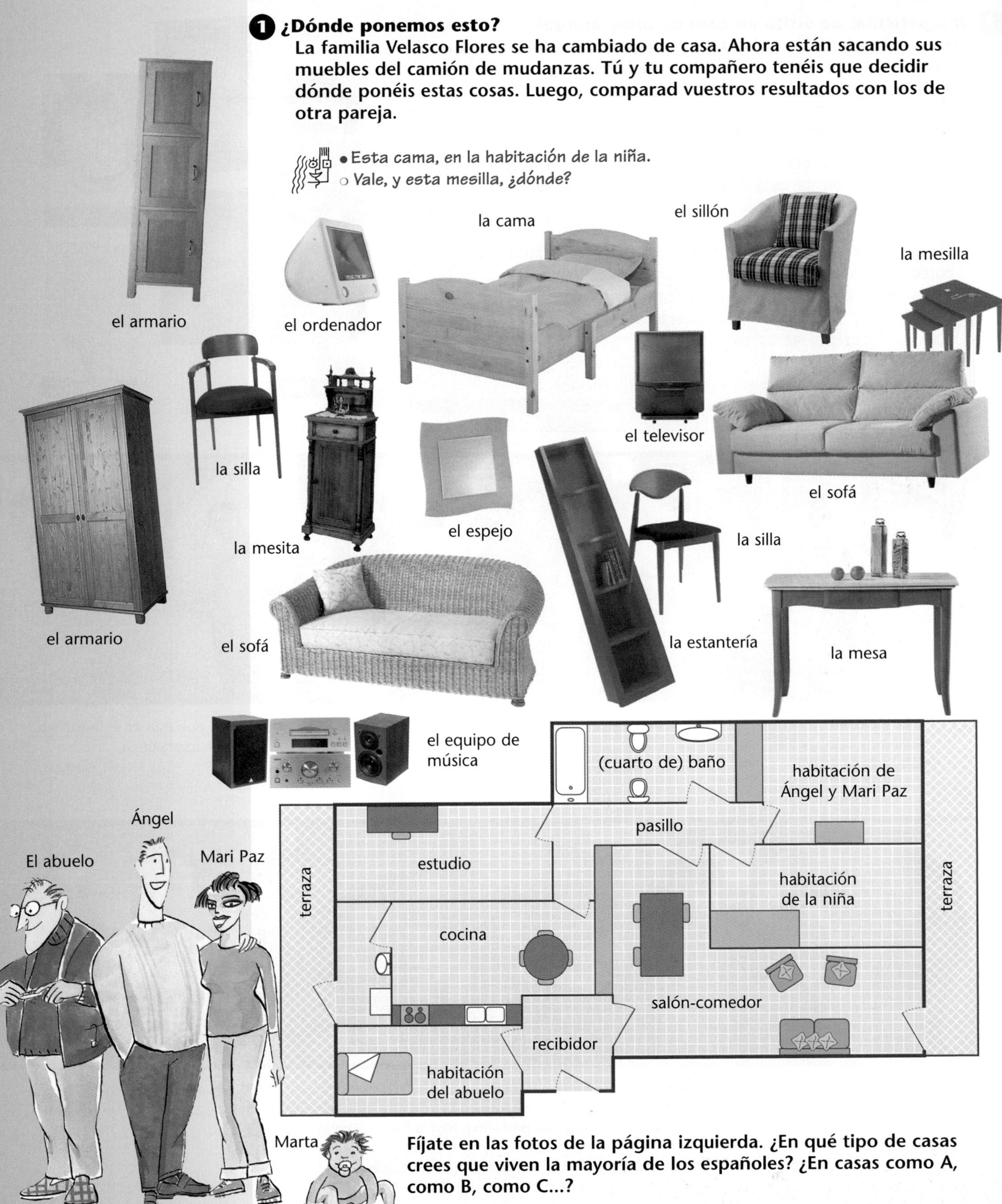

Fíjate en las fotos de la página izquierda. ¿En qué tipo de casas crees que viven la mayoría de los españoles? ¿En casas como A, como B, como C...?

2 Una película: de visita en casa de unos amigos

Unos extranjeros que viven en España visitan a unos amigos españoles. Estas son las imágenes de la película. Los diálogos están escritos debajo de cada fotograma.

Mari Paz

Actividades

A ¿Quién habla en cada ocasión? Escucha la grabación y escribe delante de cada frase la letra inicial del nombre de la persona que la dice.

B En estas escenas puedes encontrar reflejadas formas de cortesía y maneras de actuar que tienen los españoles en situaciones como esta. Fíjate en las formas de saludar y de presentarse, los gestos, los ofrecimientos, el horario, etc. ¿Qué es diferente en tu cultura?

- *Mari Paz enseña la casa a los invitados. Nosotros eso no lo hacemos nunca.*

_____ Hola, ¿qué tal?
_____ Hola, muy bien, ¿y tú?
_____ Hola, ¿cómo estáis?
_____ ¿Qué tal?

_____ Pasad, pasad.
_____ ¿Por aquí?
_____ Sí, sí, adelante.

3

_____ Toma, pon esto en el frigorífico.
_____ Si no hacía falta...

4

_____ Esta es Celia, una sobrina. Está pasando unos días con nosotros.
_____ Hola, mucho gusto.
_____ Encantada.

_____ Sentaos, sentaos.
_____ ¿Habéis encontrado bien la dirección?
_____ Sí, sí, sin problema. Nos lo has explicado muy bien.
_____ Vivís en un barrio muy agradable.
_____ Sí, es bastante tranquilo.

6

_____ ¡Qué salón tan bonito!
_____ ¿Os gusta? Venid, que os enseño la casa.

_____ Hola, buenas noches.
_____ Hola, papá. Ven, mira, te presento a Hanna y Paul. Mi padre, que vive con nosotros.
_____ Hola, qué tal.
_____ Mucho gusto.

(Unas horas después...)
_____ Bueno, se está haciendo tarde...
_____ Sí, tenemos que irnos...
_____ ¿Ya queréis iros?
_____ Si solo son las once...
_____ Es que mañana tengo que madrugar...

_____ Pues ya sabéis dónde tenéis vuestra casa.
_____ A ver cuándo venís vosotros.
_____ Vale, nos llamamos y quedamos.

3 Piso en alquiler

Una persona ha visto estos dos anuncios y llama por teléfono para alquilar un piso. Luego lo visita.

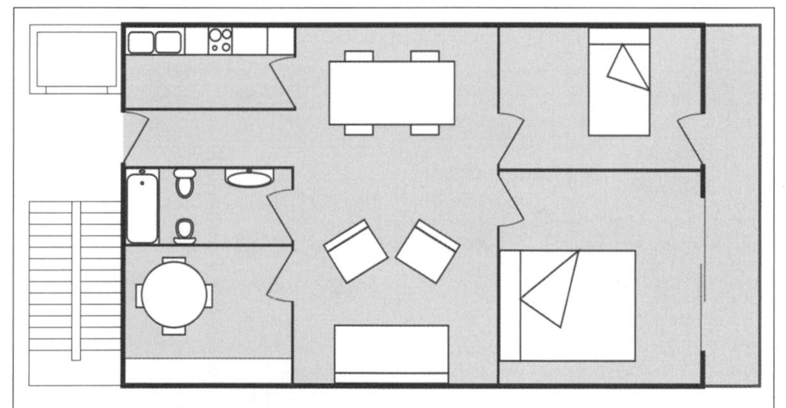

Avda. América-Diputación. 100 m², calefacción, parking opcional. Luminoso, tranquilo y soleado.

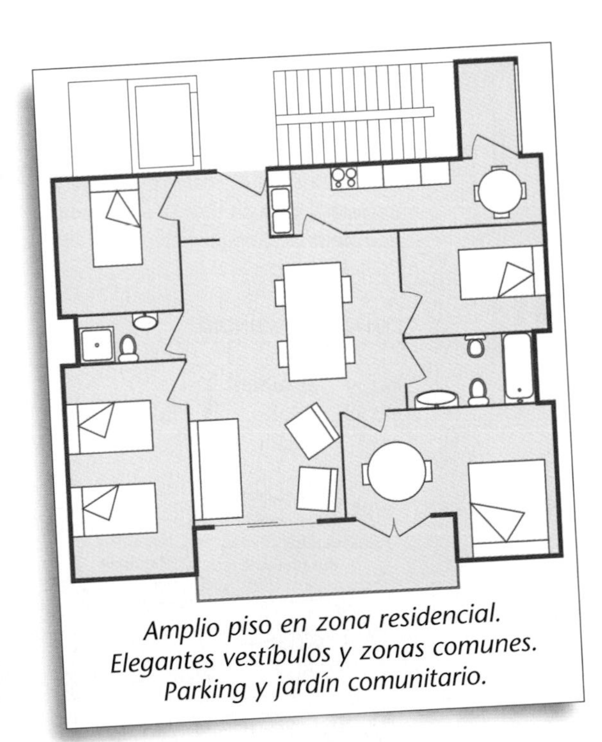

Amplio piso en zona residencial. Elegantes vestíbulos y zonas comunes. Parking y jardín comunitario.

Actividades

A Mira los anuncios: ¿en qué se distinguen los dos pisos?

B  Escucha la conversación telefónica y di:
- ¿A cuál crees que ha llamado?
- ¿Qué va a hacer? ¿Por qué?

C Escucha la conversación en el piso. ¿Sabes ahora más cosas del piso? ¿Crees que está bien? ¿Por qué?

4 Direcciones

Vas a oír cuatro conversaciones en las que unos españoles dan sus direcciones. Son cuatro de estas. ¿Cuáles?

Avda. Isaac Peral, 97
Pza. Cervantes, 13 5º A
Pº de las Acacias 29, Át. izq.
PL. DE LAS ACACIAS, 28 4º B
Pl. del Rey Juan Carlos 83, esc. A, entl. 1ª
c/ Cervantes 13, 3º A
Av. REY JUAN CARLOS 83, esc. B, 4º izq.
c/ Isaac Peral, 97

¿Te has fijado en las abreviaturas? ¿Puedes leer ahora todas las direcciones de la lista?

5 La primera a la derecha

Mira este plano y elige una de las direcciones señaladas del 1 al 10 (sin decir cuál). Tienes que explicar a otro compañero cómo llegar. Él o ella tiene que adivinar qué dirección has elegido. Vamos a imaginar que salimos de la Plaza de España.

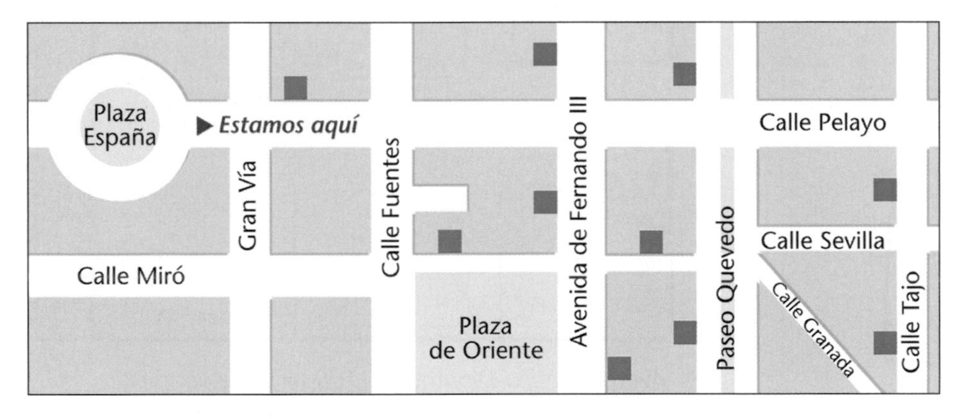

- *Sigue por esta calle y toma la segunda a la derecha. Luego todo recto hasta el final.*

Ahora, si quieres, explica a tus compañeros cómo ir a tu casa desde la escuela.

6 ¿Está Alejandro?

Escucha estas conversaciones y completa el cuadro.

	¿Dónde está? ¿Qué está haciendo?	¿Quién le llama?
MARUJA		
ELISABETH		
GUSTAVO		
EL SEÑOR RUEDA		

DIRECCIONES

- ¿Dónde vive/s?
- En la calle Pelayo, 21, 1º 1ª.

- ¿Me da/s su/tu dirección?
- (Sí,) Calle Duero, 21, 1º B.

- ¿Tiene/s mi/su dirección?
- No, tu dirección, no la tengo. Tengo tu teléfono.

IMPERATIVO

	TOMAR	BEBER	SUBIR
(tú)	toma	bebe	sube
(vosotros/as)	tom**ad**	beb**ed**	sub**id**
(usted)	tom**e**	beb**a**	sub**a**
(ustedes)	tom**en**	beb**an**	sub**an**

Con pronombres: siénta**te** siént**ese**
senta**os** siént**ense**

El Imperativo sirve sobre todo para ofrecer cosas, dar instrucciones, sugerencias y permiso.

INDICACIONES EN LA CIUDAD

Por la avenida de Goya **hasta** el paseo Sagasta. **Allí** a la izquierda y **luego**, la tercera a la derecha.

Toma el metro, dirección plaza de la Estrella y **baja en** Callao, allí **tienes que cambiar** y **coger** la línea 5 hasta Ruiz Jiménez.

ESTAR + *GERUNDIO*

estoy estamos
estás estáis } trabajando
está están

Gerundio
habl**ar** → habl**ando**
com**er** → com**iendo**
sal**ir** → sal**iendo**

PRESENTACIONES

- Mira/e, esta es Gloria, una amiga.
  te/le presento a Gloria.
  Mirad/miren, os/les presento a Álex.

○ Mucho gusto.
  Encantado/a.
  Hola, ¿qué tal?

TÚ / USTED

tú	*usted*
tien**es**	tien**e**
pas**a**	pas**e**
siénta**te**	siénte**se**
tus padres	**sus** padres
te presento a...	**le** presento a...

vosotros	*ustedes*
ten**éis**	tien**en**
pas**ad**	pas**en**
senta**os**	siénten**se**
vuestros padres	**sus** padres
os presento a...	**les** presento a...

- ¿Tienes sed?
- ¿Quieres tomar algo?

¿Tiene sed? ¿Quiere tomar algo?
HELADOS
REFRESCOS

AL TELÉFONO

- Diga. / ¿Sí?

○ ¿**Está** Carmelo? / ¿Carmelo?
- **Sí, soy yo.**
  No está. ¿De parte de quién?
  No se puede poner. Está duchándose.
  Está hablando por otra línea.

- **¿Quiere/s dejarle algún recado?**
○ **Sí, por favor dile / dígale que** he llamado / ha llamado Eva.

Consultorio gramatical, páginas 152 a 156.

7 ¿Tú o usted?

Observa qué tratamiento usan los personajes de estas viñetas y marca en los textos las palabras que te han ayudado a saberlo.

- Mira, Luis, te presento a Ramón Ezquerra, de la oficina central.
○ Hola, ¿qué tal?
■ Encantado.

- Milagros, este es el señor Fanjul.
○ ¿Cómo está usted?
■ Muy bien, ¿y usted?

- Su dirección, por favor.
○ ¿Perdone?
- ¿Dónde vive?
○ Ah... Valencia, 46.

- Perdón, ¿sabe cuál es la calle Vigo?
○ Mire, siga por esta calle y luego, allí en la plaza, a la derecha.

- Atienda al teléfono, por favor, Carmela.
○ Sí, señora, voy...

- Abuelo, te presento a Juan, un amigo de la Facultad.
○ Hola, ¿cómo estás?
■ Muy bien, ¿y usted?

La elección entre tú o usted depende de muchos factores. Mira las situaciones de las viñetas anteriores. ¿Por qué elige cada personaje uno de los tratamientos? ¿Qué factores crees que intervienen? En estos contextos, ¿sería igual en tu lengua?

Escucha ahora otras conversaciones y observa si usan tú o usted. O vosotros o ustedes, si es plural.

Conversación: 1. ______ 2. ______ 3. ______ 4. ______ 5. ______

8 Invitados en casa: una llamada de teléfono

Trabajad en parejas. Vais a hablar por teléfono representando los papeles de estas fichas.

ALUMNO A

- Eres un español que se llama Juan Ramón o una española que se llama Elisa.
- Llamas por teléfono a un/a compañero/a de trabajo extranjero/a que vive en España.
- Le invitas a tu casa con su pareja o con algún/alguna amigo/a (a comer o a cenar, el sábado o el domingo: lo que mejor les vaya a ellos).
- Le das la dirección y le indicas cómo llegar. Inventa dónde vives y márcalo en el plano.

ALUMNO B

- Recibes una llamada de Juan Ramón o Elisa, que te invita a su casa con tu pareja o con un/a amigo/a.
- Tienes que aceptar su invitación e informarte sobre la hora y el lugar.
- Toma notas y marca en este plano la información que te dará.
- Antes de empezar, señala en el plano el lugar en el que te encuentras para que tu compañero pueda explicarte cómo llegar a su casa.

OS SERÁ ÚTIL...

Hacer invitaciones:

- **¿Por qué no** venís a comer este fin de semana? **Así** nos conocemos los cuatro.

- **Mira, te llamaba para** invitaros a casa este fin de semana. **Así** os enseñamos la casa nueva.

○ Ah, muy bien / estupendo, muchas gracias.
- **¿Os va bien** el sábado?

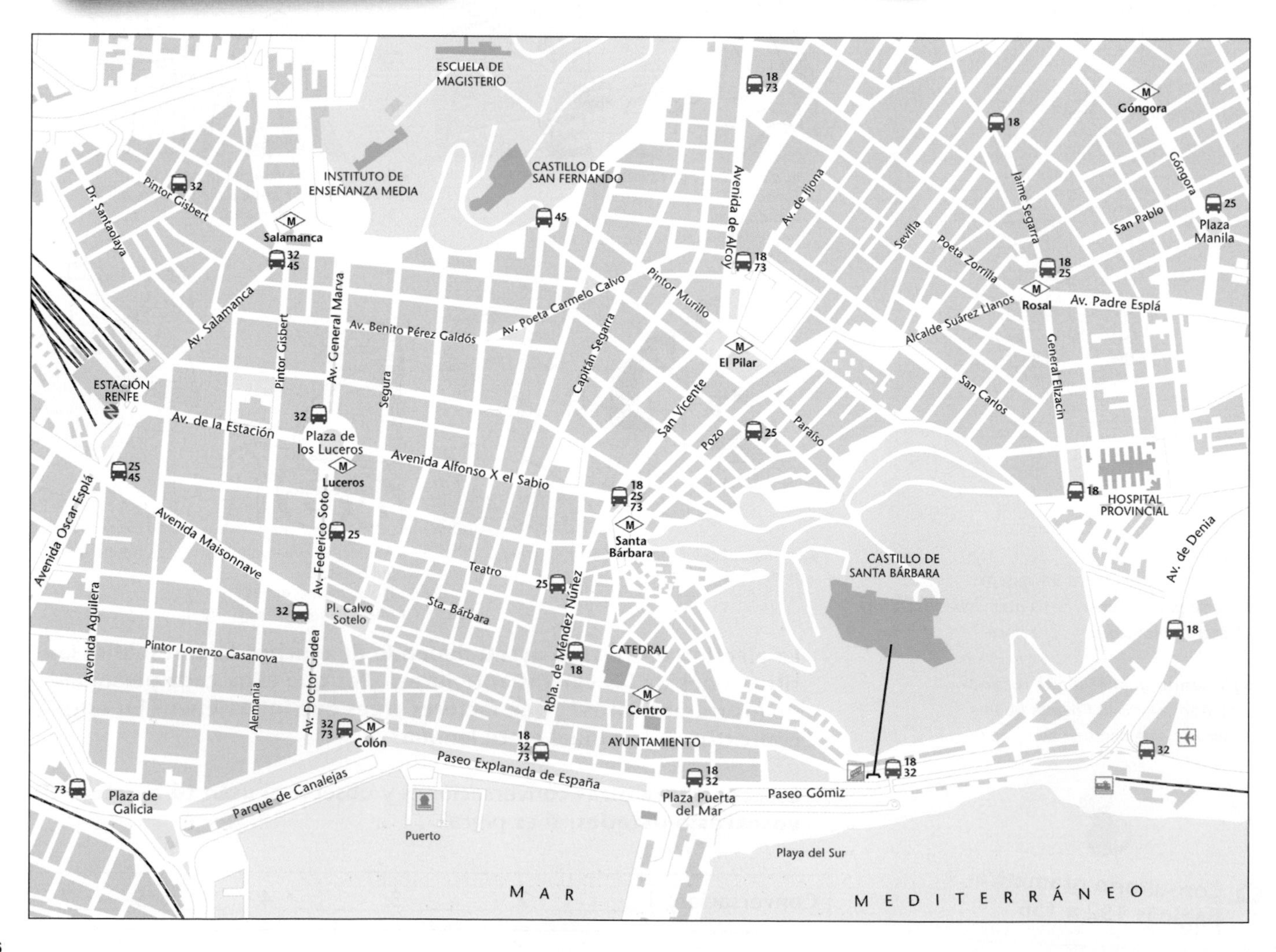

9 La visita: preparación del guión

Trabajad en parejas según el papel que representaréis: por un lado, Juan Ramón o Elisa con su pareja. Por otro lado, los dos invitados. ¿Qué vais a decir? Esta es la secuencia aproximada de la visita (podéis incluir otras cosas).

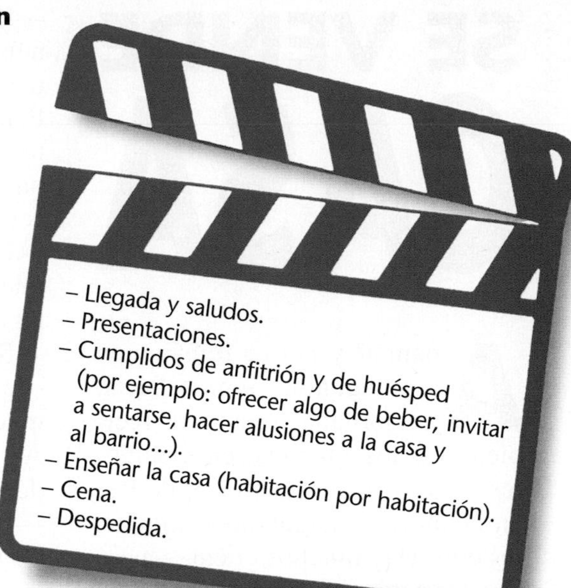

– Llegada y saludos.
– Presentaciones.
– Cumplidos de anfitrión y de huésped (por ejemplo: ofrecer algo de beber, invitar a sentarse, hacer alusiones a la casa y al barrio...).
– Enseñar la casa (habitación por habitación).
– Cena.
– Despedida.

OS SERÁ ÚTIL...

Ofrecimientos:

- **¿Queréis tomar algo**: una cerveza, un zumo...?
- **Sí, gracias,** una cerveza.

Entregar un obsequio:

- **Toma, esto es para** vosotros.
- Pero, ¿por qué os habéis molestado?

Cumplidos:

¡Qué piso **tan** bonito!
¡Qué habitación **tan** grande!
¡Qué barrio **tan** tranquilo!

¿Qué tal { Fernando? / tus padres? / tu hija? / tu marido?

Dale/Dales recuerdos de mi parte.

10 La visita: a escena

Cada grupo de cuatro representa la escena por su cuenta, como si fuera el ensayo de una película.
Al final, un grupo voluntario la escenifica en público.
El profesor u otro alumno hará de director.

SE VENDE CASA

Anamari y Felipe trabajan en una agencia inmobiliaria. Su jornada transcurre recibiendo a los clientes, enseñándoles pisos y apartamentos y, de vez en cuando, consiguiendo alquilarles uno. Hay muchos clientes, pero la competencia también es muy grande.

A Felipe no le gusta mucho este trabajo; a Anamari, sí, dice que así se conoce muy bien a la gente.

—Hoy ha venido una pareja joven. Profesionales sin hijos.

—¿Les has enseñado el piso de San Blas?

—Huy: jóvenes y guapos, con dinero... Quieren algo mejor, 100 metros, como mínimo.

Felipe, por su parte, ha atendido a un estudiante universitario. Buscaba algo para un grupo de cinco o seis amigos, amueblado:

—Estos universitarios son una clientela muy buena. Contrato por un año y sin muchas exigencias.

—Sí, pero cuidan poco la casa.

—¿Poco, dices? Mucho mejor que muchas familias...

Anamari y Felipe casi nunca están de acuerdo.

—Los mejores son los ejecutivos de fuera. Vienen aquí, la empresa les paga, y no se preocupan por los gastos.

—Sí, pero algunos son muy exigentes. ¿Recuerdas el de ayer?

—Sí, ese que tiene dos hijos y todos los chalés le parecen pequeños.

—Es que necesita espacio para los coches, los perros y el billar...

—¿Y les has encontrado algo?...

ALQUILERES

CHALÉS UNIFAMILIARES ALTO STANDING

Zona residencial. Superficie de 1200 m², 600 m² edificados. Salón-comedor de 65 m², gran cocina, biblioteca-despacho de 20 m², 8 habitaciones, 3 baños, 2 salones de 50 m² cada uno, garaje para 3 coches y motos, galería-lavadero, bodega, solarium, 3 terrazas. Piscina, jardín, calefacción y aire acondicionado. Excelentes vistas a la sierra.

Zona tranquila. Terreno de 500 m², 230 construidos. Garaje 3 coches, salón con chimenea, cocina office, 4 habitaciones, 2 baños, calefacción. Jardín.

Zona ajardinada. Solar 624 m². Construidos 450 m². Garaje 4 coches, sala de juegos, cuarto de lavado, trastero, salón con chimenea, cocina office, 6 habitaciones, estudio, piscina. Jardín. Preciosas vistas.

CASAS ADOSADAS

Paseo Acacias. Casa adosada 230 m². 4 habitaciones (1 en planta baja), 2 baños y 1 aseo, jardín 20 m², piscina y gimnasio comunitarios, garaje particular.

Paseo de la Estación. Casa adosada 200 m². 3 habitaciones, estudio de 40 m², salón-comedor de 30 m² a dos niveles, 2 baños completos, terraza, parking, amplio trastero. Jardín.

Avenida Constitución. Casa adosada. 180 m², 4 habitaciones, 2 baños y 1 aseo, salón-comedor 25 m², cocina con salida terraza y jardín. Estudio 15 m², solarium, garaje 3 coches, calefacción, vistas al mar, cerca estación FF. CC.

PISOS, APARTAMENTOS Y ESTUDIOS

Zona Pza. España. Piso 85 m², salón con chimenea, cocina, 3 habitaciones con armarios empotrados, 1 baño, 1 aseo.

C/ Santa Ana. Piso amueblado, 3 habitaciones dobles, salón-comedor, 4 balcones, suelo de parqué y de terrazo. Exterior y soleado. Céntrico.

Zona Reyes Católicos. Piso 70 m², comedor, cocina, 2 habitaciones exteriores, 1 baño y 1 aseo. Calefacción. Piscina y jardín comunitarios. Tranquilo y soleado.

Casco antiguo. Estudio totalmente renovado. 40 m². Ascensor. Exterior, con terraza y balcón. Tranquilo.

11 **¿Cuál de estas viviendas crees que van a escoger los clientes que se mencionan en el texto?**

12 **Imagina que quieres vender tu piso. Redacta un pequeño anuncio como los anteriores. ¿Quién lo compra? Cada alumno debe elegir uno.**

13 Vas a ir a vivir a Barcelona. Un amigo te recomienda estos pisos de Marina Park 2. ¿Te gustan? ¿Qué cosas te convienen o necesitas? ¿Cuáles no?

VIVA EN LA CIUDAD JUNTO AL MAR Y JUNTO A EXTENSAS ZONAS VERDES

MARINA PARK 2 ES UN EDIFICIO DE VIVIENDAS SITUADO EN UNA ZONA PRIVILEGIADA DE LA CIUDAD, CON UNAS VISTAS EXCEPCIONALES, PARA QUE USTED Y SU FAMILIA DISFRUTEN DE UNA CALIDAD DE VIDA INMEJORABLE. SITUADA FRENTE AL PULMÓN VERDE DE LA CIUDAD, EL MAR, Y RODEADA DE EXTENSAS ZONAS VERDES Y DE RECREO, MARINA PARK 2 ES EL LUGAR IDEAL PARA VIVIR CON SU FAMILIA.

3-4 DORMITORIOS + TRASTERO
CALEFACCIÓN INDIVIDUAL A GAS
PUERTA DE ACCESO A LA VIVIENDA BLINDADA
COCINA TOTALMENTE EQUIPADA
HORNO ELÉCTRICO Y CAMPANA EXTRACTORA DE ALUMINIO
MICROONDAS
VÍDEO-PORTERO
ANTENA PARABÓLICA
JUNTO AL PUERTO DEPORTIVO
PARKING EN EL MISMO EDIFICIO

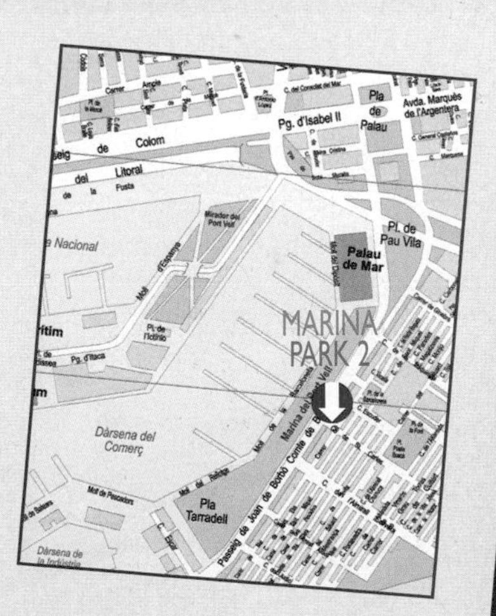

11

Vamos a escribir la biografía de una persona interesante.

Para ello, aprenderemos:

- ✔ a referirnos a datos biográficos e históricos,
- ✔ a situar los acontecimientos en el tiempo y a relacionarlos con otros,
- ✔ a indicar las circunstancias en que se produjeron,
- ✔ el **Pretérito Indefinido** y sus usos,
- ✔ el **Pretérito Imperfecto** y sus usos,
- ✔ el contraste entre tiempos del pasado.

gente e historias

1 Fechas importantes

¿Puedes relacionar cada acontecimiento con el año en el que sucedió? Compara luego tus respuestas con las de otros compañeros.

- Yo creo que las Olimpiadas de Barcelona se celebraron en 1988.
- ¡Noooo! Fueron en el 92.
- Es verdad, fueron en el verano del 92.

1876
1939
1945
1967
1975
1981
1988
1992
1999
2000
2001
2003

Acabó la Guerra Civil española

Acabó la II Guerra Mundial

Acabó la guerra del Vietnam

IBM lanzó el primer PC

Bell inventó el teléfono

Los usuarios de Internet en el mundo llegaron a los 500 millones

Se celebraron las Olimpiadas de Barcelona

Se celebraron las Olimpiadas de Seúl

Se celebraron las Olimpiadas de Sidney

Almodóvar ganó su primer Oscar por *Todo sobre mi madre*

Roberto Benigni ganó un Oscar por *La vida es bella*

Doctor Zhivago ganó el Oscar a la mejor película

Fíjate en el nuevo tiempo verbal que aparece en las frases anteriores. Es el Pretérito Indefinido. Subraya todas las formas que encuentres en este tiempo. ¿Cómo terminan los verbos en singular? ¿Y los que están en plural?

2 ¿Y en tu país?

¿Hay alguna fecha especialmente importante en tu ciudad o en tu país?

3 Diarios de adolescentes españoles

Estos diarios pertenecen a las personas de las fotos. Los escribieron en su adolescencia, en los años 1953, 1978, 1995 y 2001.

Javier Burgos de la Fuente. Jubilado, nacido en 1935.

Javier en 1953, año en el que escribió su diario.

María Luisa Guzmán Ferrer. Ama de casa, nacida en 1961.

María Luisa en 1978, año del diario.

Juan Mora Sánchez. Ingeniero Técnico de Telecomunicaciones, nacido en 1977.

Juan a los 18 años, en 1995.

Alba Piñeiro Ramos. Estudiante, nacida en 1983.

Alba en 2001, año del diario.

A

Domingo, 7 de mayo de _______.

Ayer fuimos al cine con Fermín y Carmina y vimos "Forrest Gump". Esta tarde he ido a ver "Balas sobre Broadway" de Woody Allen, que es mucho mejor. Lo que no entiendo es cómo le han dado tantos oscars a "Forrest Gump".
A la salida del cine me he encontrado con una manifestación por Sarajevo. Me he unido a la marcha. Hemos bajado por el paseo de Miramar y luego por la avenida Príncipes de España. Cuando hemos llegado a la plaza de España, ya era de noche; allí ha terminado la manifestación con un minuto de silencio. Me he encontrado con Mariluz y Juanjo, que también estaban en la manifestación. Hemos ido a tomar una cerveza; en el bar tenían la tele puesta y daban los resultados de las elecciones en Francia. Ha ganado Chirac. También han dicho en las noticias que este verano va a venir a España Prince, en una gira que organiza por toda Europa.

Actividades

¿Qué foto corresponde a cada diario? ¿Por qué? Discútelo con un compañero.

- *Yo creo que el diario B es el de Javier.*
- *No... "Encuentros de la tercera fase" no es de los años 50...*

B

Domingo, 4 de octubre de ________.
Hoy he ido con Cecilia al cine, y hemos visto "Cantando bajo la lluvia". Es una película musical muy bonita, nos ha gustado mucho. Al salir hemos visto a Anita, que estaba con Jaime. También estaban con ellos Gerardo y Esperanza. En el NO-DO han hablado de la firma de un acuerdo entre Franco y los Estados Unidos; esto puede ser el primer paso para la entrada de España en la ONU. También han hablado de fútbol, ha llegado a España el futbolista argentino Alfredo Di Stefano, para jugar en el Real Madrid.
Después del cine hemos ido a dar un paseo con Anita y Jaime. En el parque no había nadie, hacía mucho frío. Hemos entrado en una cafetería y nos hemos tomado un chocolate con churros.

C

Domingo, 3 de diciembre de ________.

Ayer comí con Fernando y luego fuimos al cine, a la primera sesión. Vimos "Encuentros en la tercera fase". A él no le gustó mucho, pero a mí me encantó. Al salir, fuimos al Corte Inglés, que aún estaba abierto, y compramos un disco de Police para Marta, que hoy es su cumpleaños y le gusta mucho. Después, fuimos a cenar a casa de Fernando. Sus padres estaban viendo en la tele el "Informe Semanal"; había un reportaje muy interesante sobre el primer vuelo del Concorde, y otro sobre Louise Brown, el primer bebé probeta. El último fue sobre la nueva Constitución y el referéndum de la semana que viene. Fernando y su padre se pusieron a discutir de política, como siempre. Esta tarde he ido a la fiesta de cumpleaños de Marta; mi regalo le ha gustado mucho. Tienen una casa muy bonita y muy grande, en una urbanización de las afueras; estaba todo preparado en el jardín, pero como hacía frío, la fiesta ha sido en el interior. Lo hemos pasado muy bien.

D

Domingo, 3 de noviembre de ________.

Ayer fue mi cumpleaños y, para celebrarlo, fuimos con algunos de la clase al cine. Ponían varias películas buenas: "Gladiator", "Los otros", con Nicole Kidman y "*El señor de los anillos*". Al final decidimos ir a ver "El señor de los anillos". Nos gustó bastante. Yo no he leído todavía el libro pero Álvaro, que sí lo leyó el año pasado, dice que la peli se parece mucho a la novela.
Luego, teníamos hambre y nos fuimos a comer una pizza a Pepone. Allí nos encontramos con Pablo (¡¡¡que estaba guapísimo!!!).
Lo mejor del día: ¡mis padres me regalaron un teléfono móvil! Y eso que mi padre dice que este año ha empezado una crisis muy grave, que lo de las Torres Gemelas y la guerra de Afganistán solo ha sido el principio de una época muy difícil. Y mi padre de eso sabe... Y además, el año que viene, llega el euro...
Mis compañeros de clase también me regalaron varias cosas: un CD de Britney Spears, el último de Alejandro Sanz y unos calcetines muy chulos. O sea, un día de cumpleaños fenomenal.

4 Tiempos pasados

Actividades

A En los textos aparecen tres formas verbales diferentes para hablar del pasado. Son el Pretérito Perfecto (que ya conocemos), el Indefinido y el Imperfecto. Subraya todos los verbos y observa las listas.

Pretérito Perfecto	*Pretérito Indefinido*	*Pretérito Imperfecto*
he ido han dado he encontrado he unido hemos bajado hemos ido ha ganado han dicho ...	fuimos vimos comí gustó fue pusieron leyó regalaron	era estaban tenían daban estaba hacía había ponían

B ¿Cuándo crees que podemos usar estos tiempos verbales?

- El Pretérito .... lo usamos para contar cosas que han pasado **hoy.**
- Con el Pretérito .... podemos describir situaciones de **hoy** o de **ayer.**
- Con el Pretérito .... contamos cosas que pasaron **ayer.**

C Ahora observa estas frases.

- Después del cine hemos ido a dar un paseo con Anita y Jaime. En el parque no **había** nadie.
- Como **hacía** frío, la fiesta ha sido en el interior.
- Cuando hemos llegado a la plaza de España, ya **era** de noche.
- Luego, **teníamos** hambre y nos fuimos a comer una pizza a Pepone.

Fíjate en los verbos subrayados, están en Pretérito Imperfecto. ¿Para qué crees que sirve? ¿Para referirnos a los sucesos centrales del relato o para describir las circunstancias, el contexto en el que se producen los acontecimientos?

5 Años muy importantes

Piensa en algunos años que han sido especialmente importantes en tu vida y coméntaselo a tus compañeros. Entre todos rellenaremos la ficha. ¿Hay un año especialmente importante para nuestra clase?

- Yo empecé mis estudios en 1986.
- Yo conocí a mi novio en 1998.
- Yo me casé en 1987.
- En 1994 nació mi hija pequeña.

– entré en la Universidad
– terminé mis estudios
– estuve en...
– empecé a trabajar / estudiar

– me divorcié
– me jubilé
– me casé
– me fui a vivir a...
– cambié de trabajo

– nació mi primer hijo / mi hija ... / mi hija pequeña
– conocí a mi novio/a / marido / mujer / compañero/a

	Familia y relaciones	Estudios	Trabajo	Viajes
1986		Monika empezó sus estudios.		

6 Recuerdos en la radio

Javier Burgos habla de sus recuerdos. Toma notas de lo que dice y del año en que sucedió.

7 ¿Cómo era la vida en tu infancia?

Haz una lista de las cosas que no existían cuando tú eras niño. Después, coméntalo con tus compañeros.

- Cuando yo era niño, no había teléfonos móviles.
- Cuando yo era niña, tampoco.

En	las casas las ciudades los pueblos las escuelas	(no)	había... teníamos... ...	Por eso...

EL PRETÉRITO INDEFINIDO

Verbos regulares:

TERMINAR	CONOCER, VIVIR
terminé	conocí
terminaste	conociste
terminó	conoció
terminamos	conocimos
terminasteis	conocisteis
terminaron	conocieron

Verbos irregulares más frecuentes:

SER / IR	TENER	ESTAR
fui	tuve	estuve
fuiste	tuviste	estuviste
fue	tuvo	estuvo
fuimos	tuvimos	estuvimos
fuisteis	tuvisteis	estuvisteis
fueron	tuvieron	estuvieron

EL PRETÉRITO IMPERFECTO

Verbos regulares:

ESTAR	TENER, VIVIR
estaba	tenía
estabas	tenías
estaba	tenía
estábamos	teníamos
estabais	teníais
estaban	tenían

Verbos irregulares:

SER	IR
era	iba
eras	ibas
era	iba
éramos	íbamos
erais	ibais
eran	iban

FECHAS

¿Cuándo / ¿En qué año / ¿Qué día } nació? / se fue? / llegó?

Nació / Se fue / Llegó } **en** 1987 / **en el** 87. / **en** junio. / **el** (día) 6 **de** junio **de** 1987.

CONTRASTE ENTRE PASADOS

Indefinido: información presentada como acontecimientos, con marcadores como:

Ayer / Anteayer / Anoche / El otro día / El lunes / martes... / El día 6... / La semana pasada / El mes pasado / El año pasado } **fui** a Madrid.

Perfecto: información presentada como acontecimientos, con marcadores como:

Hoy / Esta mañana / Esta semana / Este mes / Este año } **he ido** a Madrid.

Imperfecto: información presentada como circunstancias.

- **Iba** a Madrid y tuve un accidente.

Imperfecto: contraste **ahora/antes.**

Ahora / Actualmente } todo el mundo **tiene** tele.

Antes / Cuando yo era niño, / Entonces / En esa época } no **teníamos** tele.

RELACIONAR ACONTECIMIENTOS

No llevaba llave. { Por eso / Así que } no pudo entrar.

Luego / Después / Entonces } llamó a los vecinos.

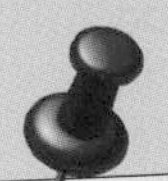

Consultorio gramatical, páginas 157 a 160.

8 A las 7.45 ha salido

Valerio Luzán ha hecho esta mañana estas cosas. Un detective privado le sigue y toma notas de sus movimientos.

1
2
3
4
5
6
7
7.45: Sale de su casa. Vuelve a entrar.
8.05: Sube a su piso. No puede entrar.
8.07: Llama al timbre de los vecinos. Sale otra vez a la calle.
8.40: Un coche con una mujer para a su lado. Él sube.
9.10: Baja en la Pza. de España. Sigue a pie.
9.30: Entra en un edificio de oficinas.

Escribe tú ahora el informe del detective usando el Pretérito Perfecto.

A las 7.45 ha salido de casa. Luego...

Ahora, escucha lo que explica Valerio a las 9.45 a sus colegas. ¿Puedes completar el informe anterior con estas circunstancias y con marcadores?

llovía mucho	no había ni un taxi	pasaba por allí
no tenía las llaves	había mucho tráfico	no llevaba paraguas

9 Tres vidas apasionantes: Luis Buñuel, Chavela Vargas y Vicente Ferrer

¿Has oído hablar de ellos? Coméntalo con tus compañeros.

"Las amarguras no son amargas cuando las canta Chavela Vargas..." (J. Sabina)

Chavela Vargas nació en Costa Rica pero con el tiempo se convirtió en una leyenda de la canción mexicana. Fue musa de Diego Rivera y de Frida Kalho, y representa hoy en día un verdadero mito para muchos músicos españoles.

"La buena acción contiene en sí misma todas las religiones, todas las filosofías, contiene el universo completo."
http://www.fundacionvicenteferrer.org

Vicente Ferrer nació en Barcelona en 1920. A los 49 años llegó a Anantapur, un pueblecito de la India. En su pequeña casa había únicamente una mesa, una silla, una máquina de escribir y un mensaje escrito en la pared. El mensaje decía: "Espera un milagro". Lo leyó y pensó que no había que esperar, que había que salir a buscarlo. Y él salió.

"Me gusta comer temprano, acostarme y levantarme pronto. En eso soy completamente antiespañol."

Luis Buñuel nació en Calanda (Teruel, España), en 1900, y murió en Ciudad de México, en 1983. Su cine, rodado en España y en el exilio, fue siempre inconformista, crítico y anticonvencional. Su punto de vista, a veces amargo, y su ironía hicieron de Buñuel uno de los más discutidos realizadores del cine mundial y el director español más elogiado por la crítica internacional.

Mira las imágenes y lee los textos que acompañan las fotografías. Elige cuál de los tres personajes te interesa más. Luego, busca a uno o a varios compañeros a los que les interese el mismo personaje para seguir trabajando sobre su biografía.

¿Quieres saber más? En grupos tenéis que reconstruir el reportaje del personaje que habéis elegido.
- Primero, buscad en cada una de las cajas los fragmentos que creéis que se refieren a vuestro personaje.
- Luego, ordenad la información. Enseñádsela a vuestro profesor para comprobar si habéis elegido bien.
- Haced una ficha con los datos más importantes. Os servirá para presentarlo oralmente.
- Al final, formad nuevos grupos, con compañeros que hayan trabajado sobre los otros dos personajes. Cada uno explica a los demás lo que sabe del suyo.

- Era hijo de una familia acomodada y tradicional. Empezó sus estudios en Zaragoza y los continuó en Madrid.
- El milagro lo hizo él años más tarde: cuando fundó el Rural Development Trust, una instituición que ha construido más de 7000 viviendas, 1200 escuelas, cuatro hospitales..., y ha abierto más de 18 centros residenciales para niños discapacitados.
- En Madrid se alojó en la Residencia de Estudiantes, donde conoció a Dalí, que también se alojaba allí. Al morir su padre, se fue a París, donde frecuentó los círculos surrealistas y trabajó como ayudante de dirección.
- Tuvo una infancia terrible: primero sufrió la poliomielitis y luego se quedó ciega. Pero los chamanes la curaron de todo. "Yo no lo sabía, pero así estaba preparando el camino a México, que hice a los 14 años". A esa edad se fugó de su casa y se fue a México, donde empezó a cantar en la calle.

- Pero en México las cosas también fueron difíciles: "Yo empecé en medio de una enorme pobreza. En realidad, nunca he tenido nada. (...) Y cuando más tenía, me lo bebí".
- Con Dalí rodó en París *Un perro andaluz* (1929), primera película del surrealismo cinematográfico, y *La Edad de Oro* (1930). En España hizo otro tipo de cine; fue a Las Hurdes, una región que vivía en una extrema pobreza, y rodó *Las Hurdes-Tierra sin pan* (1932). A causa de la crítica social que contenía la película, el gobierno republicano la prohibió.
- Pero todo comenzó antes. En Barcelona, donde empezó a trabajar a favor de los más pobres, y durante la Guerra Civil, en la que luchó en el bando republicano. Al final de la guerra, estuvo preso en un campo de concentración; cuando salió de allí entró en un monasterio.

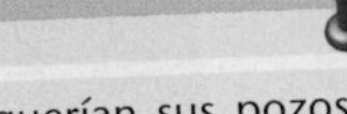

- Todos querían sus pozos, sus colegios, los puestos de trabajo que creaba. Debido a las presiones políticas, decidió abandonar la India, aunque luego pudo regresar. En esa época conoció a Ana Perry, una periodista que estaba allí para informar de las manifestaciones que se organizaban en su favor.
- En México rodó varias películas: *El gran calavera* (1949), *Los olvidados* (1950), *Nazarín* (1958). En 1961 volvió a España para rodar *Viridiana*, con la que ganó la Palma de Oro en Cannes.
- A mediados de los 80 se retiró de los escenarios, víctima del alcoholismo y pasó 12 años fuera de los escenarios. Salió de su retiro gracias al director de cine Almodóvar. Tuvo un pequeño papel en la película *La flor de mi secreto* y suya es la canción "Luz de luna" de *Tacones lejanos*.

- Durante la Guerra Civil formó parte activa del Gobierno de la República. Por eso, al terminar esta, tuvo que exiliarse. Primero, a los Estados Unidos y luego a México, país que acogió generosamente a los exiliados españoles.
- Ya ordenado jesuita, fue a la India como misionero. Pronto empezó a hacer cosas para los más necesitados. Pero sus métodos no gustaban ni a sus superiores, ni a los políticos.
- Empezó a cantar en los años 50 y alcanzó gran popularidad en los 60. Fue la época de los conciertos de Nueva York y París y de las grandes juergas.

- Pasó una temporada en Francia, donde rodó, entre otras, *Belle de jour* (1967) y *El discreto encanto de la burguesía* (1972).
- Se casaron en 1970 y él abandonó la Compañía de Jesús. Le dolió pero no le importó, Ana era la fuerza que le faltaba, su otro yo.
- Y finalmente regresó a España y rodó otras películas, como *Tristana* (1970).
- De todos sus conciertos, uno fue una experiencia única, el de la plaza del Zócalo de México D. F., en el año 2000. "Esa noche estaba agonizando mi hermano, (...) la plaza estaba llena de gentes llorando, 40 000 almas llorando; (...) canté como nunca, mientras mi hermano moría".
- En el 2002, la autora de "Macorina", publicó sus memorias, *Y si quieres saber de mi pasado*.

OS SERÁ ÚTIL...

a los... años
cuando tenía... años
al terminar la guerra

de niño / niña / joven / mayor

Desde 1986 **hasta** 1990 vivió en París.
Vivió en París **cuatro años.**

- Eso fue en los años 40.
- No, fue mucho después, hacia los 60.

Fue **el** año **en el que...**
Fue **la** época **en la que...**

10 Un personaje conocido nuestro

PORTFOLIO

Ahora, vamos a escribir la historia de una persona que conocemos. Formad grupos según vuestras preferencias. Podéis escoger un personaje público, una persona anónima que pueda ser representativa de la gente de vuestro país o ciudad, o una persona de vuestro círculo de conocidos.

Al final, cada grupo presenta a la clase a su nuevo personaje.

EXTRAÑOS EN LA NOCHE

Son las doce de la noche. Noticias en Radio Nacional de España. El murmullo de la radio acompaña (...) como una banda sonora, el recuerdo de las noches de mi infancia. (...) Yo la escuchaba mientras cenaba o, mientras me dormía, desde la cama e imaginaba cómo serían los países y las ciudades desde los que llegaban aquellas voces que cada noche venían a acompañarme. Pensaba que aquellas voces no eran reales, o por lo menos no como la mía, pues siempre decían lo mismo y sonaban casi iguales, pero a mí eso, entonces, no me importaba. Lo que me importaba a mí era saber cómo sería Madrid, o París, o el Vaticano, cuya emisora mi padre conectaba algunas noches para escuchar al Papa, y, sobre todo, aquel extraño país que se llamaba *el Principado de Andorra* y que yo imaginaba tan irreal como la voz de su locutora porque, aparte de sonar a país de cuento, ni siquiera venía en el mapa. Y en esos pensamientos iban pasando las noches, todas iguales y repetidas, todas igual de monótonas que las voces de la radio.

Una noche, sin embargo, una noticia vino a romper la rutina de la radio y de mi casa. Recuerdo aún que estábamos cenando. De repente, la música se interrumpió y una voz grave anunció escuetamente, tras la correspondiente señal de alarma, que el presidente de los Estados Unidos había sido asesinado. (...)

Yo no sabía lo que pasaba. Sabía que era algo grave por el tono de voz de los locutores y por la seriedad y el miedo de mis padres, pero no comprendía qué tenía que ver el presidente de los Estados Unidos con ellos ni por qué les preocupaba tanto (casi tanto como la muerte del abuelo, que había sucedido meses antes) lo que acabara de pasar en un país que, como el Principado de Andorra, imaginaba que tampoco vendría siquiera en el mapa. (...)

Al día siguiente, en la escuela, descubrí con sorpresa que nadie sabía nada: ni quién era Kennedy, ni en qué país gobernaba, ni lo que le había pasado. Y, sobre todo, lo más sorprendente, que a nadie le importaba nada. (...)

(Recuerdo que) su nombre quedó impreso en mi memoria, y unido para siempre al de la radio, porque fue gracias a él como yo supe que aquellas voces que hasta aquel día creía irreales porque siempre decían lo mismo y sonaban casi igual eran voces de personas que existían realmente, (...) igual que también lo eran los países de que hablaban, aunque algunos, como Andorra, ni siquiera figuraran en el mapa. Es decir: que, mientras yo vivía en Olleros rodeado de minas y de montañas, había gente que vivía, trabajaba y moría, como nosotros, en otros muchos lugares.

J. Llamazares, *Escenas de cine mudo*

11 **¿Qué edad crees que tenía el protagonista en el momento en el que escribió *Extraños en la noche*?**
¿Cómo te lo imaginas en el momento que relata: edad, aspecto físisco, ropa que lleva, habitación donde está...?

12 **Un cuento muy breve.**
Léelo.

El dinosaurio

Cuando despertó, el dinosaurio todavía estaba allí.

A. Monterroso,
El Eclipse y otros cuentos

gente

Consultorio gramatical

con notas contrastivas español - inglés

Consultorio gramatical

ÍNDICE

7. gente que come bien

Los pesos y las medidas.
Poco, suficiente, bastante, mucho y **demasiado**.
Ninguno (ningún)/Ninguna, nada. Con nombres contables y no contables. Uso y posición en la frase.
La impersonalidad: **se** + verbo.
Pedir en un bar o en un restaurante.

8. gente que viaja

Ya, todavía / aún.
Indicar días y fechas: **ayer, mañana, el 12 de marzo de 2000...**
Indicar períodos: **la semana que viene, el año pasado...**
Indicar partes del día: **por la mañana, esta noche...**
Referirse a horas.
Referirse a acciones futuras: marcador temporal de futuro + Presente; **ir a** + Infinitivo, y Futuro de Indicativo.
Estar a punto de..., acabar de...
Referencias espaciales: **hacia, hasta, pasar por...**
Pedir información y reservar.

9. gente de ciudad

Las oraciones de relativo: **en el/la que, donde, por el/la que...**
Comparar: **más/menos... que..., mejor/peor, mayor/menor**; y superlativos: **la más...**
Expresar igualdad / desigualdad: **tan, tanto/a/os/as, mismo/a/os/as.**
Hablar del clima.
Me gusta, me gustaría.
Expresar y contrastar opiniones. Dar una opinión: **para mí..., a mí me parece que...** Expresar acuerdo y desacuerdo: **(no) estoy de acuerdo con...** Establecer prioridades: **lo más urgente es..., es fundamental...**

10. gente en casa

Las preposiciones **de, con, sin.**
¿Dónde?
¡Qué... tan...! ¡Qué... más...!
Ponerse de acuerdo para una fecha: **(No) me va bien.**
Estar + Gerundio. Gerundios irregulares.
Imperativo: formas regulares e irregulares. Posición de los pronombres con el Imperativo. Usos.
Hablar por teléfono.
Hacer invitaciones.
Ofrecer y aceptar cosas.
Saludar y despedirse.
Hacer presentaciones.
Hacer cumplidos.

11. gente e historias

El Pretérito Indefinido: verbos regulares e irregulares más frecuentes.
El Pretérito Imperfecto: verbos regulares e irregulares más frecuentes.
Contraste entre los tiempos del pasado: entre Perfecto, Indefinido e Imperfecto; entre Perfecto e Indefinido.
Los usos del Pretérito Imperfecto.
Fechar acontecimientos.
Situar acontecimientos en la biografía de una persona.
Relacionar acontecimientos: **así que, por eso; antes (de), después (de), luego.**
Entonces.

Consultorio verbal

45 modelos de verbos regulares e irregulares, conjugados en las formas verbales que aparecen en GENTE 1: Presente, Pretérito Imperfecto, Pretérito Perfecto y Pretérito Indefinido de Indicativo.

1 CONSULTORIO GRAMATICAL

EL ALFABETO

A a	F efe	K ka	O o	T te	Y i griega
B be	G ge	L ele	P pe	U u	Z zeta
C ce	H hache	M eme	Q cu	V uve	
D de	I i	N ene	R ere/erre	W uve doble	
E e	J jota	Ñ eñe	S ese	X equis	

As the relationship between sound and spelling is more transparent in Spanish, problems with spelling are not as common as in English.

- En América Latina se dice también **be larga** (b), **ve corta** (v) y **ve doble** (w).

- Los nombres de las letras son femeninos: la *ele*, la *zeta*, la *hache*...

- Decimos:

  Se escribe **con hache**. *Se escribe* con ~~una~~ **hache**.

  Ana se escribe **con una ene** y Hanna, **con dos**.

Spanish vowels consist of a clear short sound, in contrast with English vowels, which may be longer, or neutral, or diphthongs. Spanish has five vowels (five letters, five vowel sounds) whereas English has five vowel letters and 20 vowel sounds. That should make things easier for you.

SONIDOS Y GRAFÍAS

- Sonido /x/ (como en **Ge**nte): **ja, je, ji, jo, ju, ge, gi.**
  Sonido /g/ (como en **Go**nzález): **ga, go, gu, güe, güi** (**Ga**rcía, **Gó**mez, Para**gu**ay, **Gu**tiérrez, Si**güe**nza, lin**güi**sta), **gue, gui** (**Gue**rra, **Gui**nea).

- Sonido /θ/ (como en **Za**ragoza): **za, zo, zu, ce, ci.**
  Sonido /k/ (como en **Cá**diz): **ca, co, cu, que, qui, ka, ke, ki, ko, ku.**

- Sonido /b/ (como en **B**arcelona): **ba, be, bi, bo, bu, va, ve, vi, vo, vu.**

- Letra W: en algunas palabras se lee como en inglés (**w**hisky, **w**eb). En otras, como B (**w**áter, **w**atio).

- Letra H: no se pronuncia (**h**ablar, **h**acer).

The English **j** sound, as in **James** doesn't exist in Spanish. Instead the letter **J** is pronounced similar to the sound **ch** as in Scottish **loch**. Remember that the letter **h** is mute in Spanish.

The English **z** sound, as in **Zoo** doesn't exist in Spanish either. The letter **z** in Spanish sounds like the unvoiced **th** in English word like **think, thank.**

IDENTIFICACIÓN PERSONAL

- **¿Cómo te llamas? / ¿Cómo se llama usted?**
- **Me llamo** *Gerardo, y soy español, de Santander.*

- En situaciones administrativas se pueden usar otras formas.

  ¿Cuál es tu/su *nombre?* **¿Cuál es tu/su** *apellido?*

In Spanish the form of the verb varies according to formal or informal situations, while in English the verb never changes.

LOS VERBOS **SER** Y **LLAMARSE**: PRESENTE

	SER	LLAMARSE
(yo)	**soy**	**me llamo**
(tú)	**eres**	**te llamas**
(él, ella, usted)	**es**	**se llama**
(nosotros/as)	**somos**	**nos llamamos**
(vosotros/as)	**sois**	**os llamáis**
(ellos, ellas, ustedes)	**son**	**se llaman**

In Spanish verb endings give us a lot of information, such as the person who's speaking or the subject of the sentence.

LOS PRONOMBRES PERSONALES: **YO, TÚ, USTED...**

LAS PERSONAS QUE HABLAN	yo	nosotros, nosotras
LAS PERSONAS A LAS QUE SE HABLA	tú usted	vosotros, vosotras ustedes
LAS PERSONAS DE LAS QUE SE HABLA	él, ella	ellos, ellas

- En Latinoamérica, la forma **vosotros/as** no se utiliza; en su lugar se usa siempre la forma **ustedes.**

Note that in Spanish five forms of subject pronouns correspond to the English **you:** the informal singular **tú**, the formal singular **usted**, the informal masculine plural **vosotros**, the informal feminine plural **vosotras**, and the formal plural **ustedes**.

In Spanish there is no specific subject pronouns to refer to animals, things or inanimate objects, such as **it** in English.

VERBOS Y PRONOMBRES PERSONALES SUJETO

Los pronombres personales sujeto no son siempre necesarios. Se ponen, entre otros casos, cuando la persona que habla...

- espera que las demás también hablen (el pronombre sólo se pone delante del primer verbo):

  - **Yo soy** colombiano y me llamo Ramiro.
  - **Yo**, peruana.
  - Y **yo**, también.

- se refiere a más de una persona:

  Ella es española y **yo,** cubano.
  Yo me llamo Javier y **él,** Alberto.

- responde a preguntas sobre un nombre. Fíjate en la posición del pronombre:

  - ¿La señora Gutiérrez?
  - **Soy yo.**

  - **¿Es usted** Gracia Enríquez?
  - **No, yo soy** Ester Enríquez. Gracia **es ella.**

- Para hablar de cosas, en español no se usa el pronombre sujeto.

  Mira este mapa de Perú. ~~Él~~ es muy útil.

Subject pronouns are generally omitted in Spanish, since the form of the verb indicates the subject of the sentence. However, they are used when clarification or emphasis is needed.

Note that adjectives of nationality are not capitalised in Spanish.

británico	~~Británico~~
español	~~Español~~

Me llamo Mario Arozamen.

RECURSOS PARA LA CLASE

¿Cómo se escribe XXX?
¿XXX **se escribe con** hache / **con** be / **con** uve /...?
¿Cómo se dice XXX **en español?**
¿Qué significa XXX?
¿Cómo se pronuncia XXX?
¿XXX **lleva acento?**
¿Puede/s repetir?
¿Puede/s hablar más alto/despacio?
No lo sé.

LOS NOMBRES

Con la palabra **nombre** nos referimos a dos realidades: al nombre de las personas (**Elena, Andrés, Felipe**, etc.) y a una clase gramatical de palabras, los nombres o sustantivos, como son, por ejemplo, **casa, niño, lengua.**

- Los nombres gramaticales en español tienen todos género: masculino o femenino. La marca del género es el artículo.

MASCULINOS **el** arte, **el** país	*FEMENINOS* **la** mesa, **la** política

Cuando un nombre femenino empieza por **a** tónica, usamos el artículo masculino singular **el: el agua, el arma, el alma.**

Unlike English, Spanish has grammatical gender. However, it is not related to the biological gender of the noun, and in inanimate objects does not follow any logic.

- Generalmente (pero no siempre), el género depende de la terminación.

MASCULINOS	*FEMENINOS*
-o	**-a**
-aje	**-ción, -sión**
-or	**-dad**

- Todos los nombres tienen su forma en singular y en plural.

TERMINADOS EN VOCAL	**-s**
libro	libro**s**
casa	casa**s**
TERMINADOS EN CONSONANTE	**-es**
país	país**es**
ciudad	ciudad**es**

- El género y el número del nombre repercuten en los de otras palabras: adjetivos, artículos, demostrativos, verbos...

Est**os** libro**s** **son** muy interesant**es**. Est**a** ciu**dad** **es** muy interesant**e**.

LOS DEMOSTRATIVOS: **ESTO; ESTE, ESTA, ESTOS, ESTAS**

Note that the question **What is this?** in Spanish is **¿Qué es esto?,** regardless of gender, since the question sets out to define something still undefined.

- Con un nombre.

JUNTO AL NOMBRE	*SEPARADO DEL NOMBRE*
este país, **esta** ciudad	**Este** es mi teléfono.
estos países, **estas** ciudades	**Esta** es mi ciudad.

- Con un nombre de persona.

Este es Julio. **Esta** es Ana.
Estos son Julio e Iván. **Estos** son Ana e Iván. **Estas** son Ana y Laura.

- Con un nombre de país o ciudad. **Esto** es Sevilla.

- Para identificar o reconocer un objeto.

Esto es una foto de mi casa. ~~Esto~~ es Juan Antonio.

Esto can never be used to refer to people.
Esto is also used to refer to unspecific objects or things, or to point out an idea or a concept.

LOS NÚMEROS DEL 20 AL 100

20 **veinte**
21 **veinti**uno
22 **veinti**dós
23 **veinti**trés
24 **veinti**cuatro
25 **veinti**cinco
26 **veinti**séis
27 **veinti**siete
28 **veinti**ocho
29 **veinti**nueve

30 **treinta**
40 **cuarenta**
50 **cincuenta**
60 **sesenta**
70 **setenta**
80 **ochenta**
90 **noventa**

y uno / dos / tres / cuatro / cinco / seis / siete / ocho / nueve

100 **cien**
101 **ciento** uno
102 **ciento** dos

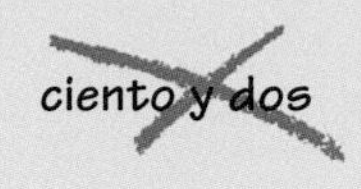
ciento y dos

cien dos

Note that **cien** is only used for 100. Compound numbers from 101 onwards use the word **ciento uno** etc.

Tiene cien años.
No, ciento dos.

LOS ADJETIVOS

-o activ**o** seri**o** **-or** trabajad**or**	**-a** activ**a** seri**a** **-ora** trabajad**ora**	**-os** activ**os** seri**os** **-ores** trabajad**ores**	**-as** activ**as** seri**as** **-oras** trabajad**oras**
-e alegr**e** inteligent**e** **-ista** optim**ista** deport**ista** -CONSONANTE (**-l, -z...**) fáci**l** feli**z**		**-es** alegr**es** inteligent**es** **-istas** optim**istas** deport**istas** -CONSONANTE + **es** (**-les, -ces...**) fáci**les** feli**ces**	

Because adjectives in Spanish have gender and number, they have to agree with the noun they refer to in both gender and number.

Some adjectives have just one form for both feminine and masculine. They are those ending in **–e** or in consonant.

Note the need to add an **e** before the **s** when forming the plural form of an adjective ending in a consonant.
communes (plural of **common**)

- La posición más común del adjetivo es detrás del nombre.

una mujer **inteligente**   un niño **grande**   un niño muy **bueno**

- Pero hay expresiones muy frecuentes como:

un **buen** amigo   un **gran** amigo   una **buena** persona

While in English adjectives usually come before the noun, in Spanish they are usually after the noun.

LA GRADACIÓN DE LAS CUALIDADES

Es **muy** simpático.
Son **un poco** tímidos.

Es **bastante** trabajadora.
No son **nada** sociables.

Ojo: **un poco** solo se usa para aspectos negativos.

When using a negative word like **nada (nothing)**, in Spanish the negation particle **no** is also needed to start the part of the sentence, **No** hay **nada** aquí. (=There's nothing here / There isn't anything here) .

un poco { tímida / antipático / difícil

un poco simpática

The equivalent expression in English for showing our opinion using the structure
¡Qué simpática!
(= **How** nice/friendly she is!)

■ Otras formas de dar nuestra opinión sobre una persona:

¡Qué simpática es! **¡Qué** atractiva es!

MISMO/A/OS/AS

Trabajan en el **mismo** sitio. Viven en la **misma** calle.
Tenemos los **mismos** gustos. Tienen las **mismas** ideas.

Isabel y Ester viven en la **misma** calle = Isabel vive en la **misma** calle **que** Ester.

Julio es una buena persona.

GENTE Y PERSONAS

La palabra **gente** es femenina y singular. La palabra **persona** es siempre femenina:

La gente, en general, es **buena**. Julio es **una buena persona**.
Julia es **una buena persona**.

In Spanish **gente** is a feminine singular noun, while in English it's a plural noun.
La gente aquí es **simpática**.
(= **People** are friendly here)

RELACIONES ENTRE LAS PERSONAS

● ¿Quién es?
○ **Mi** hermano mayor.
Mi cuñada Pepa.

● ¿Quién es?
○ Un amigo **mío**.
Una amiga **mía**.

● ¿Quién es ?
○ Un compañero de clase.
Una compañera de trabajo.

mi padre / mi madre → mis **padres**
mi hermano / mi hermana → mis **hermanos**
mi hijo / mi hija → mis **hijos**

ADJETIVO	**mi/mis**	**tu/tus**	**su/sus**
POSEEDOR(ES)	yo	tú	él/ella/usted, ellos/ellas/ustedes

In English there are no plural forms for when what is possessed is plural, but in Spanish there are plural possessives: **mis, tus, sus...**
mis/tus/sus sueños
(**= my/your/his/her** dreams)

While in English there is a gender agreement in the third person (**his/her**) between the possessive form and who possesses, in Spanish the agreement is between the possessive form and the gender and/or singularity/plurality of what is possessed, in the first and second plural forms: **nuestro/nuestra/nuestros/nuestras** (**our**) and **vuestro/vuestra/vuestros/vuestras** (your –**plural**).

LAS TRES CONJUGACIONES DE LOS VERBOS

En español hay tres grupos de verbos o conjugaciones.

-AR	-ER	-IR
estudi**ar**	le**er**	escrib**ir**
habl**ar**	corr**er**	viv**ir**
est**ar**	ten**er**	dec**ir**

Cada grupo se forma de modo diferente pero los verbos terminados en **-er** y en **-ir** tienen muchas formas comunes.

In Spanish there are three verb conjugations.

When looking up the meaning of a verb in the dictionary, you will need the infinitive form, since it is the only one listed in dictionaries.

EL PRESENTE DE INDICATIVO: VERBOS DE 1ª, 2ª Y 3ª CONJUGACIÓN

	ESTUDIAR	LEER	ESCRIBIR	TENER
(yo)	estudi**o**	le**o**	escrib**o**	**tengo**
(tú)	estudi**as**	le**es**	escrib**es**	**tienes**
(él, ella, usted)	estudi**a**	le**e**	escrib**e**	**tiene**
(nosotros/as)	estudi**amos**	le**emos**	escrib**imos**	**tenemos**
(vosotros/as	estudi**áis**	le**éis**	escrib**ís**	**tenéis**
(ellos, ellas, ustedes)	estudi**an**	le**en**	escrib**en**	**tienen**

Some verbs are irregular, and that means that they either don't follow the endings of their conjugation, or that the stem of the infinitive form changes when conjugating the verb. **Tener (have)** is a stem-changing irregular verb, eg: **tengo que hacerlo (i have to do it)**.

HABLAR DE LA NACIONALIDAD Y DE LA PROCEDENCIA

PAÍS

- **¿De dónde eres?**
- Chileno.

CIUDAD O PUEBLO

- **¿De dónde es usted?**
- **De** Santiago de Chile.

While in English the preposition is usually at the end of a question, in Spanish it is at the beginning:
¿De dónde eres?
(= Where are you **from?**)

MASCULINO	FEMENINO
ACABADOS EN **-o** austriac**o**, suec**o**, norueg**o**, hondureñ**o**...	ACABADOS EN **-a** austriac**a**, suec**a**, norueg**a**, hondureñ**a**...
ACABADOS EN CONSONANTE alemá**n**, francé**s**, portugué**s**...	AÑADEN UNA **a** aleman**a**, frances**a**, portugues**a**...
UNA SOLA FORMA EN **-í**: iran**í**, marroqu**í**... EN **-ense**: nicaragü**ense**, canadi**ense**... EN **-a**: belg**a**, croat**a**	

¿Qué edad tiene usted?
Treinta años.

HABLAR DE LA EDAD

- **¿Qué edad tiene usted?**
  ¿Qué edad tienes?
- Treinta años.
  Tengo treinta años.

Soy treinta.

una mujer **de** cuarenta años   un bebé **de** tres meses

Y si es una edad aproximada:

Tiene **unos** cuarenta años.

Es { **un/a chico/a joven.** / **un/a niño/a.** / **un/a señor/a mayor.** }

In English the verb **to be** is used to express one's age, while in Spanish the verb **tener** is used in the same situation:
Creo que **tiene** unos cuarenta años.
(= I think he**'s** in his 40s)

In other contexts, when referring to an approximate number in English we use **about** and in Spanish **unos** or **unas**:
Hay **unas** cuarenta personas.
(= There are **about** forty people)

gente con gente

HABLAR DE LA PROFESIÓN

- **¿A qué se dedica usted? / ¿A qué te dedicas?**

○ **Trabajo en** una empresa de informática.
Estudio en la universidad.
Soy arquitecto.
Estoy parado.
Estoy jubilado.

Es ~~un~~ profesor.

Pero: Es **un** profesor muy bueno. Es **un** profesor de mi cole.

Soy arquitecto.
Estoy parado.

Note that the translation of **What do you do?** into Spanish: **¿Qué haces?** can be understood as **What are you doing?**, unless the context makes it very clear that the question refers to work.

Remember:
Trabajo **para** una empresa.
(=I work **for a** company)

■ Algunos nombres tienen dos formas y otros una sola.

MASCULINO	*FEMENINO*
un profesor vendedor	una profesor**a** vendedor**a**
UNA SOLA FORMA un/una periodi**sta**, arti**sta**, piani**sta** un/una cantant**e**	

In Spanish there is no article preceding the name of the profession:
Ø Soy profesora. (= I'm a teacher)

■ Las formas femeninas de profesiones o cargos están cambiando. Se usan...

MASCULINO	*LAS FORMAS MASCULINAS CON LOS ARTÍCULOS FEMENINOS*	*FORMAS FEMENINAS NUEVAS*
un juez un médico un arquitecto un abogado un presidente	un**a** juez un**a** médico un**a** arquitecto un**a** abogado un**a** presidente	un**a** juez**a** un**a** médic**a** un**a** arquitect**a** un**a** abogad**a** un**a** president**a**

Like any other nouns, professions in Spanish have feminine and masculine gender forms. As women have entered virtually every profession, Spanish has had to adapt to this new reality.

HABLAR DEL ESTADO CIVIL

Soy / Estoy
- **soltero/a.**
- **casado/a.**
- **viudo/a.**
- **divorciado/a.**
- **separado/a.**

Note that to express marital status both verbs **ser** and **estar** can be used.
Soy / estoy casado.
(= I'm married)

DAR EXPLICACIONES CON **PORQUE**

Tecla Riaño no trabaja **porque** tiene 72 años.
Uwe habla muy bien español **porque** vive en España.

HABLAR DE GUSTOS Y DE INTERESES

Me gusta / Me interesa / Me encanta } la playa / este bar /... — *NOMBRES EN SINGULAR*; pasear / conocer gente /... — *VERBOS EN INFINITIVO*

Me gustan / Me interesan / Me encantan } los deportes / las ciudades — *NOMBRES EN PLURAL*

A mí	**me**		
A ti	**te**		
A él	**le**		
A ella	**le**		**muchísimo.**
A usted	**le**	gusta/n	**mucho.**
A nosotros/as	**nos**		**bastante.**
A vosotros/as	**os**		
A ellos	**les**		
A ellas	**les**		
A ustedes	**les**		

A mí		**me**		
A ti		**te**		
A él		**le**		
A ella		**le**		**mucho.**
A usted	**no**	**le**	gusta/n	**nada.**
A nosotros/as		**nos**		
A vosotros/as		**os**		
A ellos		**les**		
A ellas		**les**		
A ustedes		**les**		

Pero:

Me encanta/n ~~muchísimo~~ / ~~mucho~~ / ~~bastante~~.

In Spanish the verb **gustar (to like)** is used mainly in the third person, singular and plural, because the thing or things we're expressing our likes or dislikes about are the grammatical subject of the sentence.
*¿**Te gusta** el teatro?*
*(= **Do you like** theatre?)*

The use of **a mí. a ti, a él**, etc. depends on the need to clarify or emphasise who likes or dislikes something, but the use of the pronouns **me, te, le...** is not optional. They can't be replaced by **a mí, a ti...**
***A mí** me gusta la fotografía.*
(= I like photography)

Note that **le** in Spanish doesn't have gender, while in English it could be **to him** and **to her**.
***Le** vamos a hacer un regalo.*
*(= We're going to give **him/her** a present)*

Y, NO... NI, TAMBIÉN, TAMPOCO, PERO

En el pueblo hay un hotel **y** dos bares. **También** hay un casino.
En el pueblo **no** hay cine **ni** teatro. Y **tampoco** hay farmacia.
En el pueblo no hay restaurante, **pero** hay dos bares y una cafetería.

A mí también = Me too.
Yo también = Me too.

A mí tampoco = Me neither.
Yo tampoco = Me neither.

A mí, sí = I do.
Yo, sí = I do.

A mí, no = I don't.
Yo, no = I don't.

PUES

Muchas veces, cuando contrastamos opiniones, usamos **pues**.

- Me encanta.
- **Pues** a mí no me gusta mucho.

SÍ, NO, TAMBIÉN, TAMPOCO

- (**A mí**) me gusta mucho el cine. — ○ **A mí también.** / **A mí, no.**
- (**A mí**) no me gustan las ciudades en verano. — ○ **A mí, tampoco.** / **A mí, sí.**
- (**Yo**) soy profesor de español. — ○ **Yo, también.** / **Yo, no.**
- (**Yo**) no tengo dinero para ir en avión. — ○ **Yo, tampoco.** / **Yo, sí.**

HAY, TIENE Y ESTÁ/N

Usamos **hay** o **tiene** para hablar de la existencia de cosas, lugares y servicios. Usamos las formas **está** y **están** para localizar esas mismas cosas.

- Si queremos saber si un lugar cuenta con determinado servicio, al preguntar por este, usamos **hay** o **tiene** y el sustantivo sin artículo. Si nos parece lógico que solo haya uno, el nombre va en singular.

● *¿**Hay** piscin**a** en el cámping?*
○ *No, no **hay** piscin**a**.*

● *¿El cámping **tiene** piscin**a**?*
○ *No, no **tiene**.*

Usamos el nombre en plural cuando suponemos que hay más de uno.

● *¿**Hay** lavanderí**as** en este barrio?*
○ *No, en este barrio no **hay**.*

● *¿Barcelona **tiene** buen**os** hospital**es**?*
○ *Sí, varios.*

- Si lo que queremos es encontrar un servicio, usamos el artículo indeterminado **(un/una)**.

*¿**Hay una** farmacia cerca de aquí?* (= necesito una)

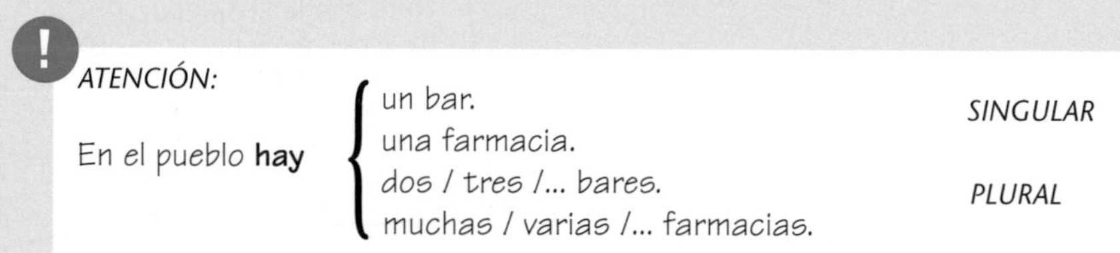
ATENCIÓN:

En el pueblo **hay**	un bar. una farmacia.	*SINGULAR*
	dos / tres /... bares. muchas / varias /... farmacias.	*PLURAL*

- Las formas del **está** y **están** corresponden al singular y al plural.

SINGULAR	El restaurante	**está**	en la calle Mayor.
	La farmacia	**está**	en la plaza.
PLURAL	Los museos	**están**	en la avenida de la Constitución.
	Las farmacias	**están**	en la plaza y en la calle Mayor.

QUERER Y PREFERIR: E/IE

	QUERER	PREFERIR
(yo)	qu**ie**ro	pref**ie**ro
(tú)	qu**ie**res	pref**ie**res
(él, ella, usted)	qu**ie**re	pref**ie**re
(nosotros/as)	queremos	preferimos
(vosotros/as)	queréis	preferís
(ellos, ellas, ustedes)	qu**ie**ren	pref**ie**ren

Quiero / Prefiero / ... } **un apartamento** barato. / **las vacaciones** en septiembre. — *SUSTANTIVOS*

Quiero / Prefiero / ... } **visitar** el Museo Guggenheim. / **alojarme** en un cámping. — *VERBOS EN INFINITIVO*

Hay is the only form in Spanish for what in English is **there is** and **there are**, and like in English, **hay** is used to talk about the existence or presence of a person, object, place or service, that has not been introduced in conversation before.

In order not to make mistakes here are some tips that may be useful to you: **estar** collates with **el/la/los/las** + noun; **hay** collates with **un/una/unos/unas** + noun, or a noun with no article.

¿Hay una peluquería por aquí cerca?

The English **to be** in Spanish can be either **ser** or **estar**. You've already studied the use of **ser** to talk about nationality, profession, to define, identify or describe an object or a person. **Estar** is used to talk about location.

Note that these two stem-changing verbs have a stem vowel change that affects all forms except for **nosotros** and **vosotros**. Other verbs that belong to this group of irregularity are: **entender, pensar, empezar.**

LOS NÚMEROS A PARTIR DE 100

100 cien	400 cuatrocientos/as	700 **setecientos/as**	1000 **mil**
200 doscientos/as	500 **quinientos/as**	800 ochocientos/as	1000 000 **millón**
300 trescientos/as	600 seiscientos/as	900 **novecientos/as**	

■ Si el número 100 va seguido de unidades (un, dos, tres...) o de decenas (diez, veinte, treinta...) se dice **ciento**; si no, se dice **cien.**

100 **cien**	101 **ciento** uno
	151 **ciento** cincuenta y uno
3100 tres mil **cien**	3150 tres mil **ciento** cincuenta
100 000 **cien** mil	110 200 **ciento** diez mil doscientos
100 000 000 **cien** millones	102 000 000 **ciento** dos millones

■ Las centenas, desde 200 al 999, concuerdan en género con el nombre.

	MASCULINO	*FEMENINO*
300	trescient**o**s coches	trescient**a**s person**a**s
320	trescient**o**s veinte euros.	trescient**a**s veinte libr**a**s

1,000 is never expressed with **un**, just **mil**.
Me costó **mil** euros.
(= It cost me **a thousand** euros).

In Spanish we cannot say **twenty one hundred** when referring to the amount 2,100. We have to say **dos mil cien**.

Years in Spanish must be said as a full number; they aren't broken into two, as **19-85 (nineteen eighty five)**.

Remember: numbers from 200 to 900 must agree in gender with the noun they refer to.
Doscientas botellas, **novecientos** platos.
(two hundred bottles, nine hundred plates)

EXPRESAR NECESIDAD U OBLIGACIÓN: TENER QUE / NECESITAR

TENER	QUE	*INFINITIVO*
Tengo **Tienes** **Tiene** **Tenemos** **Tenéis** **Tienen**	**que**	comprar un regalo. traer el vino a la cena.

Tener que + Infinitivo
(= **to have to** + Infinitive)
Tengo que hablar contigo.
(= **I have to talk** to you)

La necesidad se puede expresar mediante **necesitar** + Infinitivo / sustantivo .

Necesito compr**ar** un ordenador. **Necesito** un **ordenador.**

PREGUNTAR Y DECIR EL PRECIO

• ¿Cuánto
SINGULAR
cuest**a** esta camisa?
val**e** este jersey?
PLURAL
cuest**an** estos pantalones?
val**en** estos zapatos?

○ (La camisa) cuest**a** 72 euros.
(El jersey) val**e** 48 euros.
(Los pantalones) cuest**an** 110 euros.
(Los zapatos) val**en** 50 euros.

UN/UNO, UNA

■ **Un** y **una** pueden ir delante del nombre.

Tengo **un** hermano y **una** hermana.

■ **Uno** y **una** pueden aparecer en lugar del nombre.

• ¿Tienes **billetes** de 5 euros? ○ Sí, aquí tengo **uno.** Toma.

Where in English there is only the word **one** when counting, in Spanish we use **uno/una** if the noun is not in the sentence, and **un/una** when followed by the noun:

Solo hay **un** tomate en la nevera.
(= There's **a** tomato in the fridge)
• ¿Hay **tomates?**
(= Are there **any tomatoes?**)
○ Solo **uno.** (= Just **one**)

CONSULTORIO GRAMATICAL

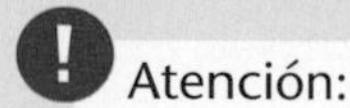

Atención:
Con el verbo **tener** y similares, y cuando se habla de prendas de ropa, de posesiones personales, de servicios, etc., no se usa **un/una** si se presupone que de ese objeto o servicio solo haya uno.

- ¿Tienes móvil?
- Sí, claro.

- ¿La casa tiene piscina?
- No, pero tiene pista de tenis.

LOS PRONOMBRES OD Y OI DE TERCERA PERSONA

■ Los pronombres Objeto Indirecto (OI) son **le** y **les**. Se refieren generalmente a las personas.

	SINGULAR	*PLURAL*
MASCULINO Y FEMENINO	le	les

Con algunos verbos su uso es obligatorio: **gustar**, **doler**, etc.

A Carlitos **le duele** la cabeza.

■ Los pronombres Objeto Directo (OD) son **lo**, **la**, **los** y **las**. Pueden referirse a personas o a cosas. Atención: los objetos directos referidos a personas llevan generalmente la preposición **a**. ¿Conoces **a** Juan?

	MASCULINO	*FEMENINO*
SINGULAR	lo	la
PLURAL	los	las

- ¿Conoces **a sus padres?**
- No, no **los** conozco.

- ¿Conoces **estos libros?**
- No, no **los** conozco.

Remember: the English **to him** and **to her** have just one pronoun in Spanish: **le**.

In Spanish even when the indirect object itself is present in the sentence (**a Julia, a mí, a tus padres...**) the corresponding indirect object pronoun must be included. This is called a redundant object pronoun, or a duplication of indirect object, eg: **A sus padres les pareció bien la idea** (**His/her parents liked the idea**).

Atención: en español no existen los nombres de género neutro. Pero sí los pronombres neutros, como **lo**. Este pronombre no se refiere a un nombre concreto sino a una parte de lo que se ha dicho.
Su hermana está aquí pero ella no **lo** sabe. (no sabe **que está aquí**)

Normalmente se ponen en el lugar del nombre, pero si este nombre va antes del verbo, se ponen los dos, nombre y pronombre OD.

Los vasos los compro yo.

There is also a redundant object pronoun in the case of a direct object when it goes before the verb:
Los vasos, los compro yo.
(= I'll buy the glasses)

■ Los pronombres OD y OI van normalmente delante del verbo.

A mis padres **les compramos** un disco. Este libro no **lo tengo.**

Pero con los verbos en Infinitivo van detrás, formando una sola palabra.

Los hermanos de Pilar están aquí para **darle** el regalo.

■ En construcciones como **ir a, querer, poder** y **tener que** + Infinitivo los pronombres pueden ir en dos posiciones:

Sus hijos **quieren darle** el regalo.
Sus hijos **le quieren dar** el regalo.

~~Sus hermanos quieren le dar el regalo.~~

EL PRESENTE DE INDICATIVO

VERBOS REGULARES

	BAIL**AR**	BEB**ER**	ESCRIB**IR**
(yo)	bail**o**	beb**o**	escrib**o**
(tú)	bail**as**	beb**es**	escrib**es**
(él, ella, usted)	bail**a**	beb**e**	escrib**e**
(nosotros/as)	bail**amos**	beb**emos**	escrib**imos**
(vosotros/as)	bail**áis**	beb**éis**	escrib**ís**
(ellos, ellas, ustedes)	bail**an**	beb**en**	escrib**en**

VERBOS IRREGULARES

■ La irregularidad **E/IE** se da en verbos como **querer, despertarse...**

	DESP**E**RTARSE
(yo)	me desp**ie**rto
(tú)	te desp**ie**rtas
(él, ella, usted)	se desp**ie**rta
(nosotros/as)	nos despertamos
(vosotros/as)	os despertáis
(ellos, ellas, ustedes)	se desp**ie**rtan

■ La irregularidad **E/I** se da en verbos como **decir, servir, seguir, pedir, vestirse...**

	D**E**CIR	S**E**RVIR
(yo)	d**i**go	s**i**rvo
(tú)	d**i**ces	s**i**rves
(él, ella, usted)	d**i**ce	s**i**rve
(nosotros/as)	decimos	servimos
(vosotros/as)	decís	servís
(ellos, ellas, ustedes)	d**i**cen	s**i**rven

Note that the verbs whose infinitive forms end in **–er** and **–ir** have almost the same endings except for the forms **nosotros** and **vosotros**.

In Spanish there is a lot of information concentrated at the end of a verbal form. Looking carefully at the ending of a verbal form will tell you the conjugation, the tense and the subject.

■ Las irregularidades **O/UE: poder, acostarse, volver... y U/UE: jugar.**

	P**O**DER	AC**O**STARSE	J**U**GAR
(yo)	p**ue**do	me ac**ue**sto	j**ue**go
(tú)	p**ue**des	te ac**ue**stas	j**ue**gas
(él, ella, usted)	p**ue**de	se ac**ue**sta	j**ue**ga
(nosotros/as)	podemos	nos acostamos	jugamos
(vosotros/as)	podéis	os acostáis	jugáis
(ellos, ellas, ustedes)	p**ue**den	se ac**ue**stan	j**ue**gan

■ Existen verbos que presentan una irregularidad en la 1ª persona del singular: **hacer, poner, decir, venir, salir, tener...**

(yo) ha**g**o pon**g**o di**g**o ven**g**o sal**g**o ten**g**o

Observa que hay verbos que tienen varias irregularidades en el Presente: ven**g**o, v**ie**nes; di**g**o, d**i**ces.

■ Presentan irregularidades especiales los verbos **ir, dar, estar** y **saber**.

	IR	DAR	ESTAR	SABER
(yo)	**voy**	**doy**	**estoy**	**sé**
(tú)	**vas**	das	estás	sabes
(él, ella, usted)	**va**	da	está	sabe
(nosotros/as)	**vamos**	damos	estamos	sabemos
(vosotros/as)	**vais**	dais	estáis	sabéis
(ellos, ellas, ustedes)	**van**	dan	están	saben

VERBOS REFLEXIVOS

	DUCHAR**SE**	ABURRIR**SE**
(yo)	**me** ducho	**me** aburro
(tú)	**te** duchas	**te** aburres
(él, ella, usted)	**se** ducha	**se** aburre
(nosotros/as)	**nos** duchamos	**nos** aburrimos
(vosotros/as)	**os** ducháis	**os** aburrís
(ellos, ellas, ustedes)	**se** duchan	**se** aburren

There is no direct equivalence in English for reflexive verbs. A reflexive verb is when the subject is both the performer and the receiver of the action expressed by the verb. In English that nuance is often clarified by the use of a reflexive pronoun, or a possessive:
Marta **se peina.**
(= Marta **combs her hair**/Marta **combs herself**)
Marta **peina a su hermana.**
(= Marta **combs her sister's hair**)

■ Los pronombres van normalmente delante del verbo pero en perífrasis con Infinitivo o con Gerundio pueden ir antes del verbo conjugado o después del Infinitivo o del Gerundio.

CON INFINITIVO

tengo que acostar**me**	**me** tengo que acostar
tienes que acostar**te**	**te** tienes que acostar
tiene que acostar**se**	**se** tiene que acostar
tenemos que acostar**nos**	**nos** tenemos que acostar
tenéis que acostar**os**	**os** tenéis que acostar
tienen que acostar**se**	**se** tienen que acostar

CON GERUNDIO

estoy duchándo**me** — **me** estoy duchando

Tenéis que acostaros.
¡FLAS!

EXPRESAR LA FRECUENCIA

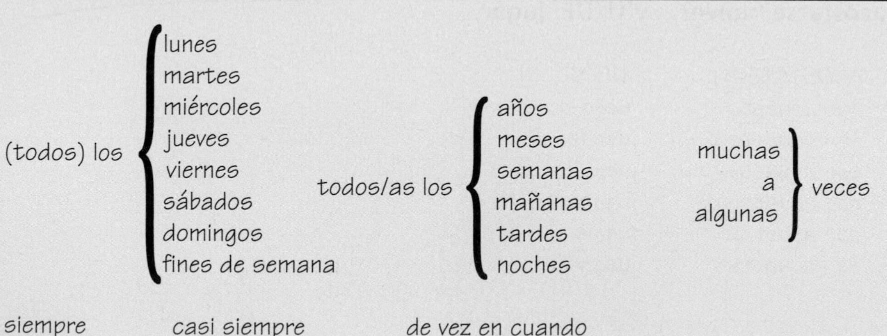

(todos) los { lunes, martes, miércoles, jueves, viernes, sábados, domingos, fines de semana }

todos/as los { años, meses, semanas, mañanas, tardes, noches }

{ muchas, a, algunas } veces

In English days of the week are not used with the definite article, and they usually collate with the preposition **on**. In Spanish there is no preposition, but the days always collate with the definite article.
El Sábado nos vemos.
(= I'll see you **on Saturday**)

siempre	casi siempre	de vez en cuando
nunca	casi nunca	

Estas expresiones pueden ir en varios lugares de la frase.

Vamos **siempre** a esquiar a Francia.
Vamos a esquiar **siempre** a Francia.
Siempre vamos a esquiar a Francia.

TODOS Y CADA

■ **Cada** va solo con nombres en singular. Tiene una sola forma para los nombres masculinos y femeninos.

cada mes **cada** semana **cada** año

■ **Todos/as** va siempre delante de nombres en plural. Los nombres llevan siempre el artículo determinado **los/las**.

todos los días **todos los** meses **todas las** semanas

(Existe la forma en singular **todo el día, toda la semana,** pero entonces significa el día completo, la semana completa.)

■ Muchas veces son equivalentes las formas **cada** y **todos los/todas las.** Pero otras veces, no. En español ponemos **cada** cuando queremos resaltar la individualidad y **todos** cuando interesa más la generalidad.

• ¿Vais **todos los** veranos al mismo sitio?
○ No, **cada** verano vamos a un lugar diferente.

Don't get confused:
Todo el día = the whole day
Todos los días = every day
Cada día = each day

NUNCA

nunca + *VERBO* — **Nunca** tomo café.
no + *VERBO* + **nunca** — **No** tomo café **nunca.**

Funcionan como **nunca** otras palabras con sentido negativo.

nadie nada ningún ninguno ninguna jamás tampoco

• ¿**No** practicas **ningún** deporte? ○ No, **ninguno.**

The use of a negation **no** and another negative particle in the same sentence is called **double negation** and the negative meaning of the sentence remains.
No hay **ningún** problema.
(= There's **no** problem)

MUY, MUCHO, DEMASIADO...

Son formas invariables cuando se refieren a verbos y a adjetivos.

REFERIDAS A VERBOS	*REFERIDAS A ADJETIVOS*
Ana trabaja **demasiado.** Estos niños duermen **mucho.** Coméis muy **poco.** Emilio no estudia **nada.**	Ana está **demasiado** cansada. Estoy **muy** cansado. Yo soy **poco** ágil. **No** es **nada** fuerte.

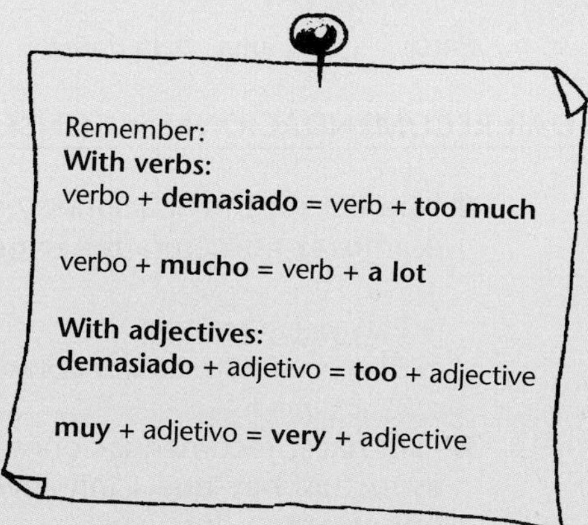
Remember:
With verbs:
verbo + **demasiado** = verb + **too much**

verbo + **mucho** = verb + **a lot**

With adjectives:
demasiado + adjetivo = **too** + adjective

muy + adjetivo = **very** + adjective

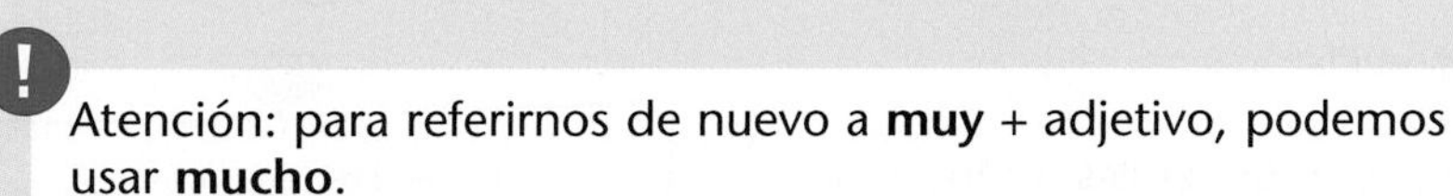
!
Atención: para referirnos de nuevo a **muy** + adjetivo, podemos usar **mucho**.

• Estás **muy** cansado, ¿verdad? ○ Sí, **mucho.**

Recuerda que **un poco** solo se usa con adjetivos de significado negativo.

Es **un poco** lento.

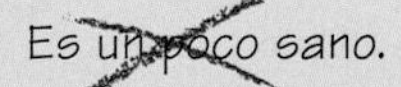
Es un poco sano.

■ Las formas referidas a nombres, en cambio, son variables y concuerdan con estos en género y en número.

Ana trabaja **demasiados** días / **demasiadas** horas.
Estos niños duermen **mucho** tiempo / **muchas** horas.
Coméis **poco** pescado / **pocas** naranjas.
Emilio **no** estudia **ningún** día en casa / **ninguna** tarde en casa.

A lot (of), **(too) many** and **(too) much** in English are **demasiado/ mucho** in Spanish, but with countable nouns they have to agree in gender and number: **demasiado, demasiada, demasiados, demasiadas, mucho, mucha, muchos, muchas.**
With uncountable nouns there is only gender agreement: **demasiada/mucha contaminación**, (a lot of/too much pollution), **demasiado/mucho tiempo** (a lot of/too much time).

EL GÉNERO Y EL NÚMERO DE LOS NOMBRES

■ Para formar el plural de los nombres, los acabados en vocal añaden **-s**; los acabados en consonante añaden **-es**.

día → día**s**　　　enfermedad → enfermedad**es**
verdura → verdura**s**　　　excursión → excursion**es**

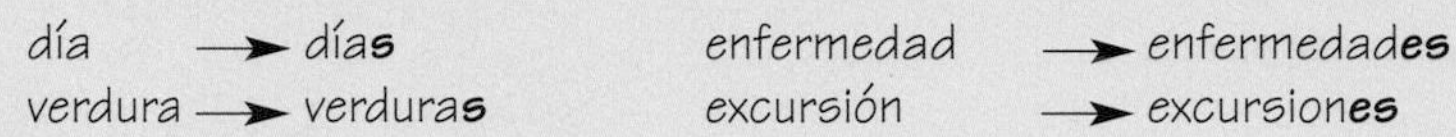

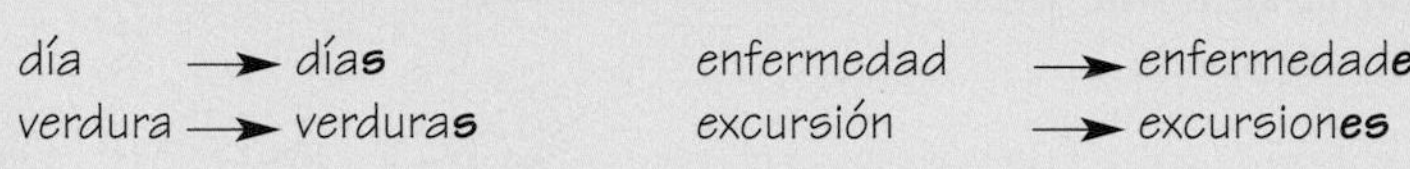

Atención a los cambios gráficos:

-ción → -ciones　　　ac**ción** → ac**ciones**
-z → -ces　　　pe**z** → pe**ces**

■ Los nombres terminados en **-a** son generalmente femeninos y los terminados en **-o**, masculinos. Hay, sin embargo, muchas excepciones:

la mano　**la** foto　**la** moto　**el** día　**el** mapa

En general son femeninos los nombres que tienen las terminaciones **-ción/-sión, -dad, -eza, -ura.**

la conversa**ción**　**la** difu**sión**　**la** felici**dad**　**la** trist**eza**　**la** hermos**ura**

Son masculinos la mayor parte de los nombres terminados en **-ma.**

el te**ma**　**el** proble**ma**　**el** trau**ma**　**el** sínto**ma**　**el** dra**ma**

Pero:　**la** ca**ma**　**la** da**ma**　**la** ra**ma**

Me aburro mucho en esta ciudad.
Tienes que salir más, ir al cine, a cenar fuera...

DAR RECOMENDACIONES Y CONSEJOS

■ Para dar recomendaciones y consejos personales, a alguien concreto, usamos la estructura **tener que** + Infinitivo.

● Estoy muy cansado.
○ Sí, creo que **tienes que dormir** más y **trabajar** menos.

■ Para hacer recomendaciones impersonales y generales, usamos la estructura **hay que** + Infinitivo o la forma **es necesario / bueno / importante** + Infinitivo.

Para estar en forma **hay que hacer** ejercicio.
Para adelgazar **es importante llevar** una dieta equilibrada.
Para tener una alimentación sana **es necesario comer** mucha fruta.

These general or impersonal suggestions in English can be expressed with a passive construction:
Hay que hacer algo para solucionar el problema.
(= **Something has to be** done to solve this problem)

EL PRETÉRITO PERFECTO

	*PRESENTE DE **HABER***	*PARTICIPIO*
(yo)	**he**	
(tú)	**has**	est**ado**
(él, ella, usted)	**ha**	com**ido**
(nosotros/as)	**hemos**	viv**ido**
(vosotros/as)	**habéis**	
(ellos, ellas, ustedes)	**han**	

En español hay varios tiempos para hablar del pasado y uno de ellos es el Pretérito Perfecto. Se utiliza:

- para hablar de sucesos que queremos relacionar con el momento presente. Por eso se usa frecuentemente con expresiones como: **hoy, esta mañana, esta semana, estos días, estas vacaciones**, etc.
- cuando lo que interesa es si una acción se ha realizado o no. No interesa tanto el momento en que se ha realizado. Por eso se usa frecuentemente con expresiones como: **alguna vez, varias veces, nunca**, etc.

The Present perfect in English is only used in a similar way to the Spanish Pretérito Perfecto when we are talking about events in indefinite time:
Sylvia **ha estado** en Nueva Zelanda.
(= Sylvia **has been** to New Zealand.)

For recent events, where English uses the present perfect: eg: **We've just done this**, Spanish uses a different verbal construction:
Acabamos de hacer esto.

The same is true when we talk about continuing states and conditions:
Lleva un año jugando en el Barça.
(= He's been playing for Barça for a year)
Trabajo aquí desde el 1996.
(= I've been working here since 1996)

EL PARTICIPIO

VERBOS EN -AR	**-ado**	*VERBOS EN -ER/-IR*	**-ido**
HABLAR	habl**ado**	TENER	ten**ido**
TRABAJAR	trabaj**ado**	SER	s**ido**
ESTUDIAR	estudi**ado**	VIVIR	viv**ido**
ESTAR	est**ado**	IR	**ido**

- Algunos de los participios irregulares más frecuentes son:

VER → **visto** HACER → **hecho** PONER → **puesto**
ESCRIBIR → **escrito** DECIR → **dicho** VOLVER → **vuelto**
ABRIR → **abierto** ROMPER → **roto** CUBRIR → **cubierto**

- Usamos el Participio en el Pretérito Perfecto y con el verbo **estar.** En el Pretérito Perfecto, el Participio es invariable; sin embargo, con el verbo **estar**, el Participio concuerda en género y en número con el sujeto, y en número con el verbo **estar.**

En el Pretérito Perfecto:

Ha escrit**o** una carta a Juan.
Ha escrit**o** un libro.
Ha escrit**o** unas poesías.
Ha escrit**o** unos artículos.

Con **estar:**

La cart**a** **está** bien escrit**a**.
El libr**o** **está** bien escrit**o**.
Las poesí**as** **están** bien escrit**as**.
Los artícul**os** **están** bien escrit**os**.

Note than in Spanish when the past participle is used as an adjective, it agrees in gender and number with the noun it modifies:
Profundamente **dormidos,** no oyeron el teléfono.
(= Fast **asleep**, they didn't hear the phone)

CONSULTORIO GRAMATICAL

ALGUNA VEZ, MUCHAS VECES, NUNCA

- ¿Has estado **alguna vez** en México?

○ Sí, { **una vez.** / **dos / tres... / varias / muchas veces.**

○ **No,** (**no** he estado) **nunca.**

También se puede decir:

Nunca he estado en México.

In questions:
¿Has estado **alguna vez** en México?
(= Have you **ever** been to Mexico?)

In answers:
alguna vez = sometimes
muchas veces = many times/often
nunca = never

EL INFINITIVO

El Infinitivo puede tener en las frases las mismas funciones que un nombre: sujeto, OD, etc.

Aprender bien un idioma es difícil.
Me gustaría **trabajar** en una escuela.
Quiero **trabajar** en un banco.

HABLAR DE HABILIDADES

■ Para preguntar por las habilidades de alguien usamos el Presente del verbo **saber** + Infinitivo o preguntamos directamente con el verbo que indica la habilidad.

	SABER
(yo)	**sé**
(tú)	sab**es**
(él, ella, usted)	sab**e**
(nosotros/as)	sab**emos**
(vosotros/as)	sab**éis**
(ellos, ellas, ustedes)	sab**en**

¿Sabes jugar al golf?

¿Juegas al golf?

■ Para valorar las habilidades de alguien.

Ana toca la guitarra **muy bien.**
Luis juega **bastante bien** al tenis.
Yo juego **regular** al ajedrez.
Felipe **no** habla inglés **demasiado bien.**
Marta **no** canta **nada bien.**

Yo (**no**) **sé** { nadar. / conducir. / cocinar.

~~Puedo~~ nadar / tocar la guitarra / conducir.

~~Juego la~~ guitarra.

The verb **saber** can be used in many contexts in Spanish, among them when we want to express a skill, where in English we would often use **can** or **know how to**:
Sé cocinar.
(= I **can** cook/I **know how to** cook)

Remember:
muy bien = very well
bastante bien = quite well
regular = fair/so-so
no... demasiado bien = not ... too well
no... nada bien = not ... at all

In Spanish **tocar** means two different things: **to touch** and **to play an instrument**. Instead, **jugar** means only **to play a game**.

Marta no canta nada bien.

IDIOMAS

■ En español, los nombres de los idiomas coinciden con el gentilicio del país, en su forma de masculino singular.

el griego	el turco
el francés	el italiano
el árabe	el alemán
el inglés	el holandés

¿Hablan ustedes italiano?
Yo, un poco.
Yo lo hablo bastante bien.
Yo lo entiendo pero no lo hablo.

■ Con **hablar, saber,** etc. se pueden usar con o sin artículo.

Sabe ruso.	Habla ruso.
Sabe **el** ruso.	Habla **el** ruso.

Pero:

El ruso es un idioma muy difícil para los españoles.
El francés tiene muchas vocales.

Remember: neither nationalities nor languages are not capitalised in Spanish.
No hablo **francés.**
(= I don't speak **French**)
Irene es **irlandesa.** (= Irene is **Irish**)

EXPRESAR Y CONTRASTAR OPINIONES

<table>
<tr><td colspan="2">EXPRESAR UNA OPINIÓN
• Maribel trabaja bien.
Yo creo que Maribel trabaja bien.</td><td>• Maribel no trabaja bien.
Yo creo que Maribel no trabaja bien.</td></tr>
<tr><td colspan="2">DESACUERDO
○ Yo creo que no. (+ OPINIÓN)</td><td>DESACUERDO
○ Yo creo que sí. (+ OPINIÓN)</td></tr>
<tr><td colspan="3">ACUERDO
○ Sí, es verdad.</td></tr>
<tr><td colspan="3">AÑADIR INFORMACIONES, OPINIONES O ARGUMENTOS
○ Sí / No, y además es una persona muy especial.</td></tr>
<tr><td colspan="3">CONTRADECIR EN PARTE
○ Sí / No, pero es una persona muy especial.</td></tr>
</table>

Yo creo que sí. = I think so.
Yo creo que no = I don't think so.
Y además = What's more/ and another thing
Pero = but

■ Para referirnos a lo dicho por otras personas se utiliza el pronombre neutro **eso**.

Eso que ha dicho Javier no es verdad.
No estoy de acuerdo con **eso.**
Eso es muy interesante.

Eso is a neutral demonstrative used to refer to an idea or concept. The nearest equivalent in English is **that**.
Eso es lo que quiero decir.
(= **That's** what I mean)

LOS PESOS Y LAS MEDIDAS

un kilo de carne 1 kg
un litro de leche 1 l

un cuarto de kilo de carne 1/4 kg
un cuarto de litro de leche 1/4 l

medio kilo de carne 1/2 kg
medio litro de leche 1/2 l ~~un medio~~

tres cuartos de kilo de carne 3/4 kg
tres cuartos de litro de leche 3/4 l

100 **gramos de** jamón 100 g
250 **gramos de** queso 250 g

una docena de huevos (= 12)
media docena de huevos (= 6) ~~una media~~

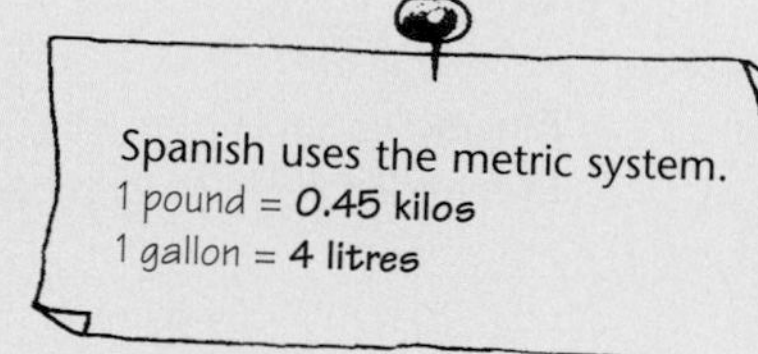

Spanish uses the metric system.
1 pound = **0.45 kilos**
1 gallon = **4 litres**

POCO, SUFICIENTE, BASTANTE, MUCHO Y DEMASIADO

- Cuando se refieren a un nombre, estas palabras son adjetivos y tienen formas variables.

SINGULAR		*PLURAL*	
MASCULINO	*FEMENINO*	*MASCULINO*	*FEMENINO*
poc**o**	poc**a**	poc**os**	poc**as**
much**o**	much**a**	much**os**	much**as**
demasiad**o**	demasiad**a**	demasiad**os**	demasiad**as**
suficient**e**		suficient**es**	
bastant**e**		bastant**es**	

Remember:
poco = a little / a few
mucho = much / many / a lot
demasiado = too much / too many
suficiente, bastante = enough

Bebe demasiad**o** alcohol.
Toma much**os** helados.
No hace suficient**e** ejercicio.
Come poc**a** fibra.
Come demasiad**as** hamburguesas.
Tiene bastant**es** amigos.

- Cuando se refieren a un verbo, estas palabras son adverbios y tienen formas invariables. Se utiliza la forma correspondiente al masculino singular.

Come **poco.**
Fuma **bastante.**
Lee **mucho.**
Trabaja **demasiado.**

Pero:

No duerme **lo suficiente.**

Come **demasiadas** golosin**as** y **demasiados** bocadill**os**.

NINGUNO (NINGÚN) / NINGUNA, NADA

■ Para indicar la ausencia de una cosa, por contraste con su presencia, se pone la frase en negativo (y el nombre sin el adjetivo negativo **ningún/ninguna**).

No he comprado garbanzos ni peras.
No hay manzanas en casa.
NOMBRES CONTABLES EN PLURAL

No tenemos harina ni arroz.
No pongo sal en la tortilla.
NOMBRES NO CONTABLES EN SINGULAR

La paella puede llevar guisantes, pero no lleva garbanzos.
En el gazpacho ponemos aceite y vinagre, pero no ponemos vino.

Si el nombre ha sido mencionado antes, puede omitirse en la respuesta.

● ¿Hay fresas?
○ No, no hay.

También podemos decir:

No, no hay fresas.
No, fresas no hay.
No, no hay ~~ningunas~~.

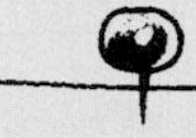

To ask about the existence or presence of something in English, we use **any**:
Are there **any** strawberries?
In the same context, in Spanish we don't need a particle:
¿**Hay** fresas?

To give a negative answer in Spanish the verb takes a negative form:
No **hay** manzanas / No **hay** leche.
This is different to English, where we can say:
There are no apples / There's no milk.

For countable nouns:
No hay **ninguna** razón.
(= There's is **no** reason)
No hay **ninguna**.
(= There is/are **none**)

■ Para indicar la ausencia total de una cosa contable, por contraste con una determinada cantidad, usamos **ninguno (ningún)/ninguna.**

No + verbo + **ningún/a** + *NOMBRES CONTABLES*

En la nevera **no** queda **ninguna manzana.**
Este año **no** he comido **ningún helado.**

Si el nombre ha sido mencionado antes, las formas **ninguno/ninguna** pueden aparecer solas:

● ¿Has comido muchas manzanas?
○ No, **no** he comido **ninguna.**

No he comido ~~ningunas~~.

● ¿Has comido muchos helados?
○ No, **no** he comido **ninguno.**

No he comido ~~ningunos~~.

! Atención:
Hay diversos tipos de nombres contables que no siguen esta regla cuando van con el verbo **tener** y similares. En estos casos, el nombre va en singular, sin artículo ni adjetivo.

Con nombres de instalaciones, de servicios o de aparatos, de los que generalmente solo hay uno: **piscina**, **teléfono**, **aire acondicionado**, **aeropuerto**, **garaje**, **jardín**...

Con nombres de objetos y de prendas personales, de los que generalmente se tiene uno solo: **ordenador**, **coche**, **barba**, **bigote**...

Con nombres de relaciones personales: **madre**, **novio**, **jefe**...

■ Para indicar ausencia total de cosas no contables, por contraste con una determinada cantidad, usamos **nada (de)**.

No + verbo + **nada de** + *NOMBRE NO CONTABLE*

En la nevera **no** queda **nada de** leche.
Llevan mucho arroz y azúcar, pero **nada de** aceite ni **de** sal.

For uncountable nouns:
No hay **nada de** leche.
(= There is**n't any** milk)
No hay **nada.** (= There isn't **anything**)

Si el nombre ha sido mencionado antes, se utiliza la forma **nada.**

● ¿Has puesto mucha harina en este pastel?
○ No, no he puesto **nada.**

LA IMPERSONALIDAD: SE + VERBO

■ Cuando el nombre es singular, el verbo va en singular.

Aquí **se** com**e** **un pescado** muy rico.
En estas tierras **se** cultiva **arroz.**

■ Cuando el nombre es plural, el verbo va en plural.

En España **se** public**an** **muchas novelas** al año.
En este país **se** fabric**an** **muchos coches.**

■ Cuando no hay nombre, el verbo va en singular.

En España **se cena** tarde.
Aquí **se vive** muy bien.

There is no one-to-one equivalent in English for the word **se**. Instead, the impersonality or lack of subject in a sentence is expressed by using a passive structure or the symbolic subject **people**, as in: **People in Spain have dinner late. / They have dinner late in Spain. / Dinner is eaten late in Spain,** or **Rice is grown in this area,** (**Se cultiva el arroz aquí**) etc.

PEDIR EN UN BAR O EN UN RESTAURANTE

■ Para pedir los platos.

De primero, (quiero) macarrones.
De segundo, (voy a comer) lomo.
De postre, helado de chocolate.
Y **para beber,** agua sin gas.

■ Para pedir algo que falta.

¿Me puede traer

un cuchillo / **un** tenedor / **una** botella de agua...?

un poco más de { pan? / salsa? / agua? / vino? } *CON NOMBRES NO CONTABLES*

otro { vaso de vino? / café? }

otra { cerveza? / ración de jamón? }

CON NOMBRES CONTABLES

When asking someone for something, the main difference between English and Spanish is that in English the verb or the action is projected towards the person who asks: **May/Can I have some more bread, please?** In Spanish the verb or the action is projected towards the person who we ask: **¿Puede traerme un poco más de pan?**

Remember:
un poco más de ... = some more...
otro / otra = another

Note that **un otro** or **una otra** is not correct in Spanish.

YA, TODAVÍA / AÚN

■ Para expresar que una situación conocida no ha cambiado, usamos **todavía** o **aún**.

- ¿**Todavía** está cerrado?
- Sí, **todavía no** han abierto.

- ¿**Aún** está cerrado?
- Sí, **aún no** han abierto.

Todavía y **aún** pueden ir en dos posiciones.

Todavía no / Aún no ha llegado el tren. *ANTES DEL VERBO*
El tren está parado **todavía / aún.** *DESPUÉS DEL VERBO*

■ Para expresar que una situación conocida ha cambiado, usamos **ya**.

- ¿**Ya** ha salido de casa?
- Sí, **ya** no está.

Ya también puede ir en dos posiciones.

El tren ha llegado **ya.** *DESPUÉS DEL VERBO*
Ya ha llegado el tren. *ANTES DEL VERBO*

Here are some equivalents that may help you:

¿Todavía/aún está allí?
(= Is he **still** there?)
Sí, **todavía/aún** (está allí).
(= Yes, he's **still** there)
No, **ya** no (está allí).
(= No, he isn't there **anymore**)

¿**Ya** has terminado?
(= Have you finished **yet?**)
Sí, **ya** he terminado.
(= Yes, I've **already** finished)
No, **todavía/aún** no he terminado.
(= No, I haven't finished **yet**)

No lo entiendo.
Sí, fíjate: x+y=2/7z-nx21=13
¡Ah, ya! Ya, ya, ya.

INDICAR DÍAS Y FECHAS

PASADOS	*FUTUROS*
ayer	**mañana**
anteayer / antes de ayer	**pasado mañana**
el lunes = **el** lunes **pasado**	**el** lunes = **el próximo** lunes = **el** lunes **que viene**
el pasado 16 de julio	**el próximo** 16 de julio

■ Para indicar la fecha no usamos el artículo.

Hoy **es** lunes dos **de** septiembre **de** 1997.
Mañana **es** tres **de** septiembre.

■ Pero cuando preguntamos o hablamos de las fechas en las que pasa o pasará algo, usamos el artículo.

- ¿**Cuándo / Qué día** { es tu cumpleaños? / se casa Sara?
- **El** dos **de** marzo.

Nos vamos de vacaciones **el** 24 de agosto.
Sara se casa **el** sábado 24 de mayo.

Note that in American English to say the date, the month goes first, followed by the day. In Spanish it's the other way around, like in British English, so 10/4 is always **10 de abril**.

Months in Spanish are not capitalised eg: **enero**, not **Enero**.

INDICAR PERÍODOS

PASADOS	*FUTUROS*
la semana pasada	**la semana que viene / la próxima semana**
el mes pasado	**el mes que viene / el próximo mes**
el verano pasado	**el verano que viene / el próximo verano**
el año pasado	**el año que viene / el próximo año**

INDICAR PARTES DEL DÍA

por la mañana	de día	esta mañana
al mediodía	de noche	esta tarde
por la tarde		esta noche
por la noche		

anoche (= ayer por la noche)
anteanoche (= anteayer por la noche)

El mediodía in Spanish is not **noon**, but a period of time that goes from around 12.00 to around 15.00, in other words, it more or less coincides with **early afternoon**.

REFERIRSE A HORAS

- Para expresar la hora actual, se usa el artículo **las** (excepto **la una**).

• ¿Qué hora es?
○ **Las** cinco / **La** una.

las dos	(en punto)	(de la madrugada)
las cuatro	y cinco	(de la mañana)
las doce	y cuarto	(del mediodía)
las tres	y media	(de la tarde)
las diez	menos veinte	(de la noche)
las cinco	menos cuarto	(de la mañana)

Para informaciones de servicios públicos (transportes, medios de comunicación, etc.) se usa también la forma numérica.

las veintidós horas	(22h)
las catorce treinta	(14.30h)
las diecinueve cuarenta y cinco	(19.45h)

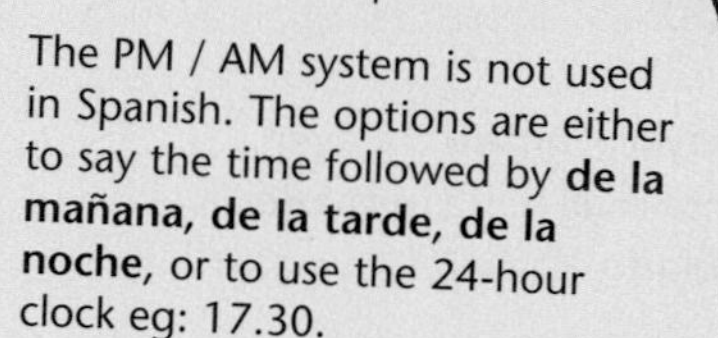

The PM / AM system is not used in Spanish. The options are either to say the time followed by **de la mañana, de la tarde, de la noche**, or to use the 24-hour clock eg: 17.30.

Para expresar la hora a la que ocurre un acontecimiento o suceso se usa la preposición **a + las** (**la**).

• **¿A qué hora** sale el barco?
○ **A las** diez.

• **¿A qué hora** abre la discoteca?
○ **A la** una.

- Para hablar de los horarios de trabajo o de los de los establecimientos se usan las preposiciones **de... a** o **desde... hasta**.

• ¿Qué horario tiene la biblioteca?
○ **De** nueve **a** cinco.

• ¿Cuál es tu horario de trabajo?
○ **De** ocho y media **a** seis.

• ¿Cuándo está abierta la escuela?
○ **Desde** las nueve **hasta** las cinco.

REFERIRSE A ACCIONES FUTURAS

- Una de las maneras de expresar la idea de futuro es usar un marcador temporal que indique futuro + Presente de Indicativo. Esta estructura informa sobre una acción futura como parte de un plan ya decidido.

Mañana	**voy** a Múnich.
El mes que viene	**regreso** a Sevilla.
El 15 de julio	**vamos** al teatro.
Esta tarde	**nos reunimos** con María Lourdes.

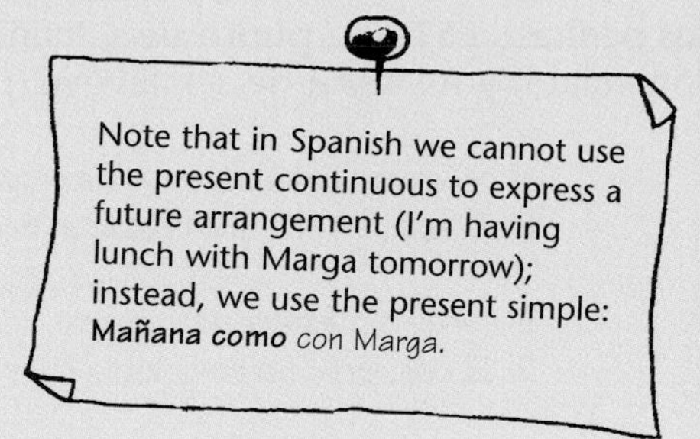

Note that in Spanish we cannot use the present continuous to express a future arrangement (I'm having lunch with Marga tomorrow); instead, we use the present simple:
Mañana como con Marga.

- Otra manera de expresar la idea de futuro es usar **IR a** + Infinitivo (con una marca de momento futuro o sin ella). Esta forma expresa los planes o las intenciones que se refieren a acciones futuras.

(yo)	**voy**	a + *INFINITIVO*
(tú)	**vas**	
(él, ella, usted)	**va**	
(nosotros/as)	**vamos**	
(vosotros/as)	**vais**	
(ellos, ellas, ustedes)	**van**	

(El próximo año) **vamos a hacer** un viaje por el norte de España.
¿El señor López? Creo que **va a ir** a Madrid mañana.

!

¡Atención!
Hay expresiones con **IR a** + Infinitivo que solo indican la decisión de hacer algo en una acción inmediata.

● Ahora está en casa.
○ ¿Sí? Pues **vamos a llamarle** por teléfono.

Y hay otras que no indican ni futuro ni intención, y en las que el verbo **IR** conserva su idea de movimiento.

● Andrés está en el hotel.
○ Pues **vamos a verlo.** (Vamos al hotel.)

● ¿Adónde **vas?**
○ **A hacer** footing.

- También expresamos la idea de futuro con el Futuro de Indicativo (con una marca de momento futuro o sin ella). El Futuro de Indicativo es un tiempo muy regular.

INFINITIVO + TERMINACIONES

(yo)		**-é**
(tú)	viaj**ar**	**-ás**
(él, ella, usted)	com**er**	**-á**
(nosotros/as)	dorm**ir**	**-emos**
(vosotros/as)		**-éis**
(ellos, ellas, ustedes)		**-án**

PRESENTE	Mañana **escribo** la carta.
PRESENTE DE **IR** + **A** + *INFINITIVO*	**Voy a escribir** la carta.
FUTURO DE INDICATIVO	**Escribiré** la carta.

ESTAR A PUNTO DE..., ACABAR DE...

Para matizar el momento exacto en que algo sucede o ha sucedido se usan las perífrasis **ESTAR a punto de** + Infinitivo (para expresar un futuro muy inmediato) y **ACABAR de** + Infinitivo (para expresar un pasado muy cercano).

El concierto **está a punto de** empezar.
(= El concierto va a empezar inmediatamente.)

El concierto **acaba de** empezar.
(= El concierto ha empezado hace muy poco tiempo.)

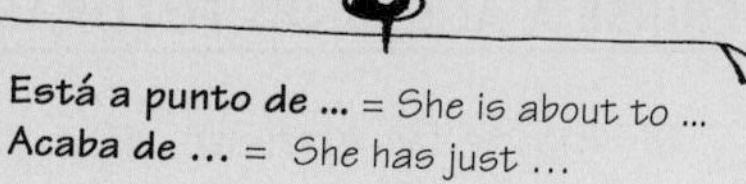

Está a punto de ... = She is about to ...
Acaba de ... = She has just ...

Va a tocar.

Todavía no ha tocado.

Está a punto de tocar.

Acaba de tocar.

Ya ha tocado.

REFERENCIAS ESPACIALES

ORIGEN Y DESTINO	**de... a...** **desde... hasta...**	**De** Madrid **a** Vic vamos en moto. **Desde** Madrid **hasta** Vic vamos en moto.
DIRECCIÓN	**hacia...**	Va **hacia** Santiago.
LÍMITE	**hasta...**	Voy **hasta** La Coruña en coche.
DISTANCIA	**estar a... de...** **estar cerca / lejos de...**	Madrid **está a** 450 km **de** Granada. **¿Está lejos** Aranjuez? Mi pueblo **está muy cerca de** aquí.
RUTA	**pasar por...**	**¿Pasas por** Sevilla para ir a Granada?
VELOCIDAD	**a... kilómetros por hora**	Va **a** 100 **kilómetros por hora** (100 km/h).

PEDIR INFORMACIÓN Y RESERVAR

Quisiera saber

qué vuelos hay de Madrid a Granada.
a qué hora sale el tren de Burgos.
cómo puedo ir a Astorga.
cuánto cuesta la habitación doble.

si tienen habitaciones libres a partir del 3.
si hay autobuses para Madrid.

el teléfono de Juan García Severo.
su número de fax.

Quisiera reservar

una habitación para la noche del 12.
una mesa para tres personas.
tres billetes Madrid-Amsterdam para el jueves 2.

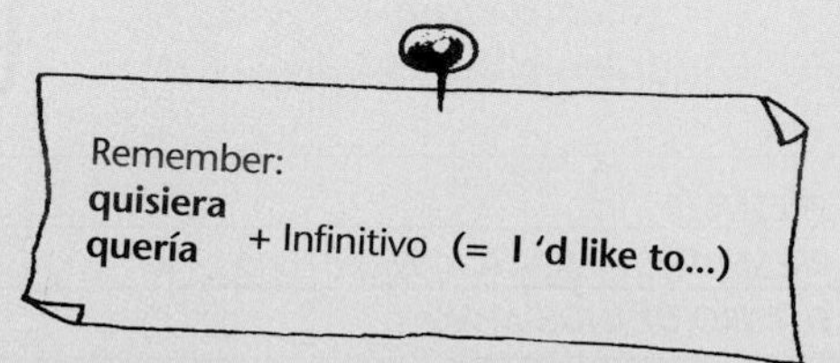

LAS ORACIONES DE RELATIVO

- Las oraciones relativas van sin preposición cuando **que** sustituye a un Sujeto o a un Objeto Directo (excepto los OD con la preposición **a**).

Es una persona **que** tiene mucha paciencia.
(Esa persona tiene mucha paciencia.)
Es un plato **que** comemos mucho en España.
(Comemos mucho ese plato en España.)

Esa persona tiene mucha paciencia.

- Las frases relativas van con preposición cuando **que** sustituye a otro elemento de la frase, un elemento que lleva preposición.

Es un lugar	**en el que**	se vive muy bien.
Es una ciudad	**en la que**	
Es un lugar/una ciudad	**donde**	

(**En** ese lugar / **En** esa ciudad se vive muy bien.)

Es un lugar	**al que**	voy mucho.
Es una ciudad	**a la que**	
Es un lugar/una ciudad	**adonde**	

(**A** ese lugar / **A** esa ciudad voy mucho.)

Es un lugar	**por el que**	paso cada día.
Es una ciudad	**por la que**	
Es un lugar/una ciudad	**por donde**	

(**Por** ese lugar / **Por** esa ciudad paso cada día.)

In Spanish the use of **que** (that) followed by a clause that tell us more information about the subject is a very common resource, while in English it is more common to have more concentrated information:
Es una persona **que** tiene mucha experiencia.
(= He's a very experienced person)
Es un plato **que** comemos mucho en España.
(= It's a very popular Spanish dish)

COMPARAR

Madrid: 2 938 723 habitantes
Barcelona: 1 503 884 habitantes

Madrid tiene **más** habitantes **que** Barcelona.
Madrid es **más** grande **que** Barcelona.

Barcelona tiene **menos** habitantes **que** Madrid.
Barcelona es **más** pequeña **que** Madrid.

- Hay algunas formas especiales.

~~más bueno/a~~ → **mejor** — **Lo mejor es vivir en el campo.**
~~más malo/a~~ → **peor** — **Es peor vivir en la ciudad.**

~~más grande~~ → **mayor** *PARA LA EDAD* — **Ana es mayor que mi padre.**
~~más pequeño/a~~ → **menor** — **Rául es menor que su novia.**

Cuando hablamos de tamaño se pueden usar las dos formas: **mayor** o **más grande** y **menor** o **más pequeño.**

- Superlativos.

Madrid es **la** ciudad **más** grande de España.
El Ebro es **el** río **más** caudaloso de España.

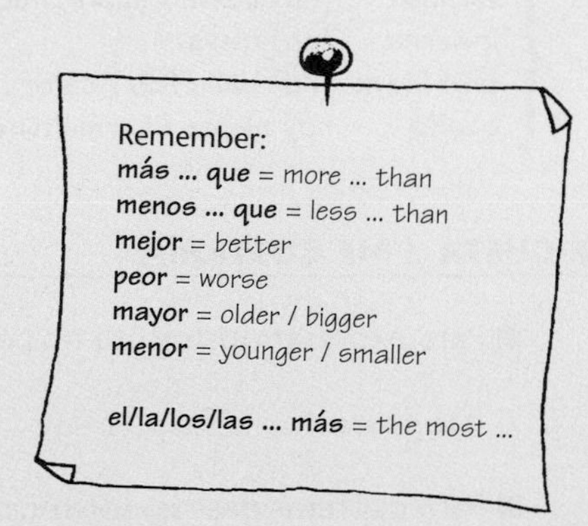

Remember:
más ... que = more ... than
menos ... que = less ... than
mejor = better
peor = worse
mayor = older / bigger
menor = younger / smaller

el/la/los/las ... más = the most ...

IGUALDAD / DESIGUALDAD: TAN, TANTO/A/OS/AS, MISMO/A/OS/AS

- Con nombres, las formas son variables: **tanto/a/os/as... como.**

Villarriba	(**no**) tiene	**tanto**	turismo rural	**como**	Villabajo.
	(**no**) tiene	**tanta**	contaminación	**como**	
	(**no**) tiene	**tantos**	restaurantes	**como**	
	(**no**) tiene	**tantas**	zonas verdes	**como**	

- Con verbos, la forma es invariable: **tanto... como.**

María (**no**) duerme **tanto como** Laura.

- Con adjetivos, la forma es invariable: **tan... como.**

María es **tan** trabajadora **como** Laura.

- También se puede expresar igualdad con el adjetivo **mismo/a/os/as.**

Los dos locales tienen	**el mismo**	tamaño.
Anabel y Héctor tienen	**la misma**	edad.
Las dos empresas tienen	**los mismos**	problemas.
Los dos hermanos tienen	**las mismas**	ideas.

The comparison particle **tanto** in Spanish when working with a noun functions as an adjective, and so it has to agree in gender and number with it.

Uncountable nouns and their adjectives are always singular.

With verbs:
Tanto como = As much as
With adjectives:
Tan ... como = As ... as
Also:
el mismo / la misma / los mismos / las mismas = the same

HABLAR DEL CLIMA

Tiene un clima { *muy duro / suave / agradable.*
mediterráneo / continental / tropical / templado.

En	**verano**	**(no) llueve / llueve mucho.**
	invierno	**(no) nieva.**
	primavera	**(no) hace frío / calor / sol / buen tiempo / mal tiempo/...**
	otoño	**hay niebla / tormentas/...**

Since in Spanish there is no neutral subject pronoun for inanimate subjects like the English **it**, the weather is expressed with an impersonal construction:
Hace calor, hay tormenta...
(= **It's hot, There's a storm**)

ME GUSTA / ME GUSTARÍA

- Para expresar gustos usamos el verbo **gustar** en Presente.

Me gusta mucho este barrio.

- Para expresar deseos, solemos usar el Condicional **gustaría**.

Me gustaría vivir en este barrio.
comprar un piso.

- También usamos **gustaría** para rechazar cortésmente una invitación.

Me gustaría poder ir con vosotros pero hoy no puedo.

Me gustaría + Infinitivo
(**= I would like to** + Infinitive)

In English when responding to an invitation without repeating the whole sentence we need to use **it** after the verb **would like** for a thing, and **to** for a verb: **I'd like it, but I can't afford it / I'd like to, thanks.** In Spanish there is no need for a word after the verb **gustar.**
Me gustaría, pero no puedo.

EXPRESAR Y CONTRASTAR OPINIONES

■ Para dar una opinión, podemos usar:

Para mí,
Yo pienso que
A mí me parece que
Yo creo que
} + *OPINIÓN*
se necesita una guardería nueva.

	PENSAR
(yo)	pienso
(tú)	piensas
(él, ella, usted)	piensa
(nosotros/as)	pensamos
(vosotros/as)	pensáis
(ellos, ellas, ustedes)	piensan

Getting it right:
To give one's opinion:
para mí = to me, in my opinion
To say who receives an action or an object:
para mí = for me

■ Ante las opiniones de otros, podemos mostrar acuerdo, desacuerdo y añadir argumentos.

Yo (no) estoy de acuerdo con lo que ha dicho Juan.
contigo.
con eso.
Sí, tienes razón.

Sí, claro,
Eso es verdad, pero
Bueno,
} + *OPINIÓN*

The preposition **with** in the first and second persons is just one word: **conmigo, contigo.**
Dice que quiere ir **contigo.**
(= He/She says she wants to go **with you**)

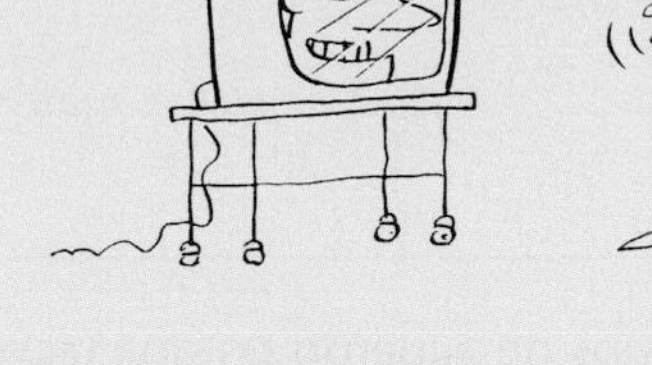

!

Para referirnos a lo inmediatamente dicho por otros se usa **eso.**

Eso { no es verdad. / es una tontería. / está bien.

■ Para establecer prioridades:

Lo más { **grave** / **urgente** / **importante** / **necesario** }
{ **es** *INFINITIVO* solucionar el problema de la guardería.
NOMBRES
es la guardería nueva.
son las guarderías nuevas.

Lo más corresponds in English to **the most**. In this context **lo** refers to **the thing** or **the idea,** so:
The most important thing now is to talk to her.
(= **Lo más** importante ahora es hablar con ella)

Es { **importantísimo** / **fundamental** / **urgente** / **necesario** } construir una guardería nueva.

LAS PREPOSICIONES **DE, CON, SIN**

un piso **de** 100 metros cuadrados
un pueblo **de** 160 habitantes

una casa **con** jardín
un piso **con** terraza
una habitación **con** ventanas

un piso **sin** vistas
un barrio **sin** zonas verdes
una calle **sin** ruido

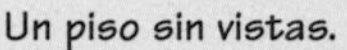

Un piso sin vistas.

¿DÓNDE?

● **¿Dónde** viven sus padres?
○ **En** Sevilla.

● **¿Adónde** vais este verano?
○ **A** la Costa del Sol.

● **¿De dónde** vienes tan tarde?
○ **De** una reunión con mi jefe.

● **¿Por dónde** habéis venido?
○ **Por** la autopista.

¡QUÉ... TAN...! / ¡QUÉ... MÁS...!

		SUSTANTIVO		*ADJETIVO*
Es un proyecto muy interesante.	**¡Qué**	proyecto	**tan**	interesante!
Son unos chiquillos muy majos.	**¡Qué**	chiquillos	**tan**	majos!

■ Otra estructura parecida para expresar la misma idea:

¡Qué proyecto **más** interesante! **¡Qué** chiquillos **más** majos!

(NO) ME VA BIEN

■ Usamos **ir bien** para ponernos de acuerdo en una fecha, una hora o un lugar.

● **¿Te va bien** a las cinco?
○ No, a las cinco **no puedo**. Tiene que ser a las seis.
A las cinco **no me va muy bien**. Mejor un poco más tarde, a las seis.

■ La expresión **ir bien** funciona sintácticamente como el verbo **gustar.**

(A mí)	Me	**va bien**	el 12 / el miércoles / a las seis...
(A ti)	Te		
(A él, ella, usted)	Le		
(A nosotros/as)	Nos		
(A vosotros/as)	Os		
(A ellos, ellas, ustedes)	Les		

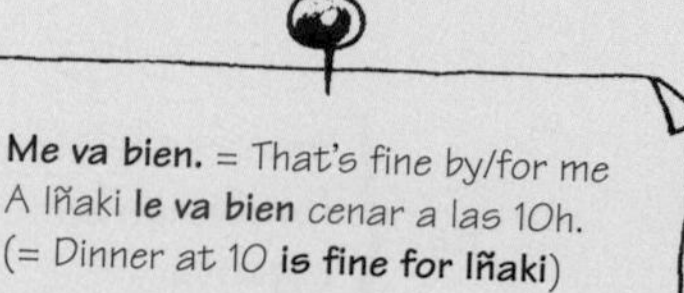

Me va bien. = That's fine by/for me
A Iñaki **le va bien** cenar a las 10h.
(= Dinner at 10 **is fine for Iñaki**)

ESTAR + GERUNDIO

El Gerundio es una forma que aparece normalmente con otros verbos. Su uso más frecuente es la forma **estar** + Gerundio, que sirve para presentar de forma concreta una acción actual durante su desarrollo.

This verbal construction in Spanish is used to express what someone is doing at that precise moment, never to express a future action.
Beckham **está jugando** muy bien hoy.
(= Beckham's **playing** well today)

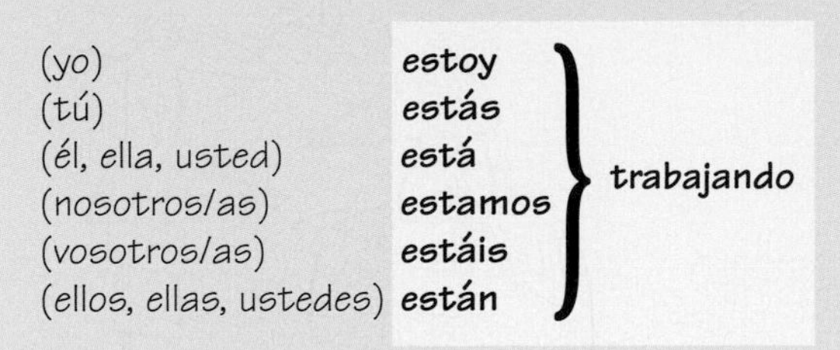

(yo)	**estoy**	**trabajando**
(tú)	**estás**	
(él, ella, usted)	**está**	
(nosotros/as)	**estamos**	
(vosotros/as)	**estáis**	
(ellos, ellas, ustedes)	**están**	

- ¿Está Juan?
- Todavía **está durmiendo.**

■ Gerundios irregulares más frecuentes:

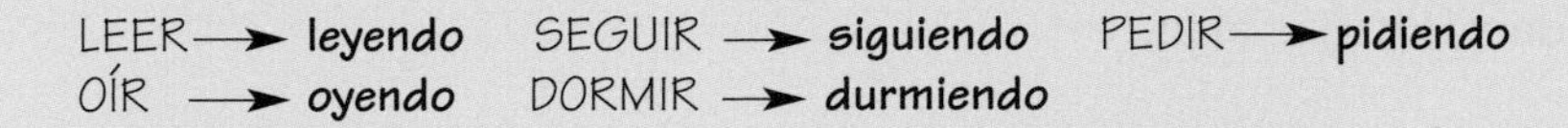

LEER → **leyendo** SEGUIR → **siguiendo** PEDIR → **pidiendo**
OÍR → **oyendo** DORMIR → **durmiendo**

■ A diferencia de lo que pasa en otros idiomas, en español el Gerundio no se usa como sujeto. Para esta función se utiliza el Infinitivo.

Conocer nuevos países es muy interesante.

Conociendo nuevos países es muy interesante.

IMPERATIVO

FORMAS REGULARES

	TOMAR	BEBER	SUBIR
(tú)	tom**a**	beb**e**	sub**e**
(vosotros/as)	tom**ad**	beb**ed**	sub**id**
(usted)	tom**e**	beb**a**	sub**a**
(ustedes)	tom**en**	beb**an**	sub**an**

FORMAS IRREGULARES

	PONER	SER	IR	DECIR	SALIR	VENIR	TENER	HACER
(tú)	**pon**	**sé**	**ve**	**di**	**sal**	**ven**	**ten**	**haz**

The Spanish Imperativo corresponds to the English imperative, used to ask or tell people to do something, except that Spanish has singular and plural forms, according to how many people are being asked or told to do something. Spanish may also use a subject pronoun:
Vén / Vénte aquí. **Come** here.
Déjalo en la mesa.
(= **Leave** it on the table)

■ Los pronombres OD, OI y reflexivos **(me, te, lo, la, nos, os, los, las, le, les y se)** se ponen detrás del verbo en Imperativo, formando una sola palabra.

Miradlo, allí está. Pasa, pasa y **siéntate.** **Dame** ese periódico.

■ Al unir un pronombre al Imperativo se producen algunas modificaciones.

Aparece una tilde cuando la palabra se convierte en esdrújula.

Mira → *Mírate en el espejo.*

Se pierde la **-d** final delante del pronombre **os.**

Mirad → **Miraos** *en el espejo.*

■ Si hay dos pronombres, el orden es OI + OD. Cuando los dos pronombres son de tercera persona, **le** y **les** se convierten en **se**.

● ¿Puedo llevarme estas fotos?
○ Sí, pero luego devuélve**melas.**

● ¿Quieres estos documentos?
○ No, dá**selos** a Juan.

Ponte
un poco más
de pastel.

■ Usamos el Imperativo con diversas intenciones.

Para ofrecer cosas o para invitar.

Toma un poco más de café.
Ponte un poco más de sopa.

Para dar instrucciones.

● ¿Para llamar por teléfono al extranjero?
○ **Marca** primero el 00 y luego **marca** el prefijo del país.

Para dar órdenes y pedir que los demás hagan algo.

Llama al Director, por favor.
Por favor, **dígale** que he llamado.
Carlos, guapo, **ayúdame** a llevar esto.

Para dar permiso.

● ¿Puedo llamar por teléfono desde aquí?
○ Sí, claro. **Llama, llama.**

Note that in Spanish to reinforce the message of encouraging someone to do something, the imperative form can be repeated:
Ven. Pasa, pasa.

Or other affirmative signs can be used:
Sí claro, **míralas.**
(= Go ahead and **look at them**)

To call someone's attention:
Mira = Look
Oye = Listen
Oiga = Excuse me/Pardon me.
Toma = Here

!

Observa:
Para dar permiso, repetimos varias señales afirmativas.
● ¿Puedo mirar estas fotos?
○ **Sí, claro, míralas.**

Para llamar la atención del interlocutor en algunas fórmulas muy frecuentes en las conversaciones:

Al hacer presentaciones.

Mira, te presento a Julia.
Mire, le presento al señor Barrios.

Mira,
te presento
a Inma.

Al introducir una pregunta.

Oye, ¿sabes dónde está el Museo Nacional?
Oiga, ¿sabe dónde está el Museo Nacional?

Al entregar un objeto.

Toma, esto es para ti.
Tome, esto es para usted.

HABLAR POR TELÉFONO

■ Responder.

- ¿Sí? / Diga.

!

En algunas partes de Latinoamérica:
- ¿Aló?
- ¿**Se encuentra** el Sr. Gutiérrez?
- **No,** en este momento **no se encuentra.**

■ Preguntar por alguien.

- ¿Está Alexis?
  ¿Alexis?
  ¿Puedo hablar con Alexis?
  Quería hablar con Alexis.

■ Identificar e identificarse.

- Sí, soy yo.

- ¿De parte de quién?
- **De** Julián Rueda.
  Soy Paquita.
  su marido.
  su hija.

Note that in Spanish we say **Sí, soy yo**, whereas in English we say **speaking**.
- ¿Eres Adelina? (=Is that Adelina?)
- **Sí, soy yo.** (=**Speaking**)

- De parte de quién? (= Who's calling please?)

■ Recados.

- ¿Le digo algo?
  ¿Quiere/s dejarle algún recado?

- Dile que he llamado.
  Dígale que he llamado.
  No, gracias. Yo lo/la llamo luego / más tarde / en otro momento...

- Vale, se lo digo.

HACER INVITACIONES

¿Por qué no { vienes/viene a tomar café mañana? / venís/vienen a comer este fin de semana? }

Mira, **te llamaba para** invitarte a casa este fin de semana.

En muchas ocasiones damos una explicación para nuestra invitación. Esta explicación puede ir introducida por **así**.

¿Por qué no venís a vernos el sábado? **Así** conocéis a mis hermanos.
Así os enseñamos la casa nueva.

In Spanish we can use the past tense to refer to an action that is happening at the moment:
Te llamaba para invitarte a casa este fin de semana.
In English the present continuous or the past continuous can be used in the same situation:
I'm / I was calling to invite you to my place this weekend.

OFRECER Y ACEPTAR COSAS

CON EL IMPERATIVO ● **Toma** un poco más de tarta.

CON UNA PREGUNTA ● **¿No quieres** un poco más de tarta?
¿Queréis tomar algo: una cerveza, un zumo...?

SIN VERBO ● ¿Un poco más de tarta?

○ **Sí, voy a tomar / tomaré un poco más.** Está muy rica.
No, gracias. Está muy rica, **pero no quiero más.**

■ Insistir en el ofrecimiento es, en español, una cortesía obligada. Algunos invitados esperan esta segunda invitación antes de aceptar.

● **Venga, sí, toma un poquito más.**
¿De verdad? ¿No quieres un poquito más?
○ **Bueno, ya que insistes...**
Bueno, si insistes...

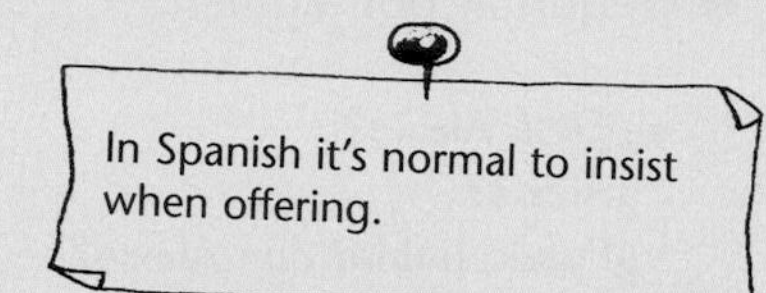

In Spanish it's normal to insist when offering.

SALUDAR Y DESPEDIRSE

● **Hola, ¿qué tal?**
○ **Muy bien, ¿y tú?**
¿y usted?
● **Muy bien, gracias.**

HASTA EL ALMUERZO	*DESPUÉS DEL ALMUERZO*	*A PARTIR DEL ANOCHECER O DE LA CENA*
Buenos días	Buenas tardes	Buenas noches

¡Adiós!

¡Hasta { luego! / mañana! / el domingo! / pronto!

HACER PRESENTACIONES

● **Mira/Mire, esta es** Gloria, una amiga.
te/le presento a Gloria, una amiga.
Mirad/miren, os/les presento a la Señora Gaviria.
○ **Mucho gusto.**
Encantado/a.
Hola, ¿qué tal?

HACER CUMPLIDOS

¿Qué tal { tus padres? / tu hija? / su marido?

Dale/Dales / **Dele/Deles** } **recuerdos de mi parte.**

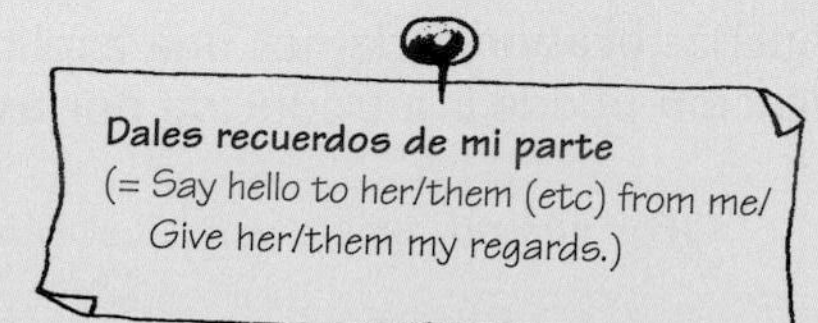

Dales recuerdos de mi parte
(= Say hello to her/them (etc) from me/ Give her/them my regards.)

EL PRETÉRITO INDEFINIDO

■ Verbos regulares.

	- AR TERMINAR	-ER CONOCER	-IR VIVIR
(yo)	termin**é**	conoc**í**	viv**í**
(tú)	termin**aste**	conoc**iste**	viv**iste**
(él, ella, usted)	termin**ó**	conoc**ió**	viv**ió**
(nosotros/as)	termin**amos**	conoc**imos**	viv**imos**
(vosotros/as)	termin**asteis**	conoc**isteis**	viv**isteis**
(ellos, ellas, ustedes)	termin**aron**	conoc**ieron**	viv**ieron**

¿Y cuándo la conociste?
Cuando fui a Berlín.

■ Verbos irregulares más frecuentes.

	SER	IR
(yo)	**fui**	**fui**
(tú)	**fuiste**	**fuiste**
(él, ella, usted)	**fue**	**fue**
(nosotros/as)	**fuimos**	**fuimos**
(vosotros/as)	**fuisteis**	**fuisteis**
(ellos, ellas, ustedes)	**fueron**	**fueron**

Muchos indefinidos irregulares tienen un cambio de sílaba tónica: en la primera persona singular (**yo**) y en la tercera singular (**él, ella, usted**) el acento no recae en la terminación sino en la raíz.

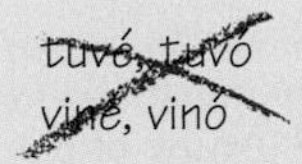
tuvé, tuvó
viné, vinó

tuve, **tu**vo
vine, **vi**no
...

Los verbos irregulares en Indefinido tienen una raíz irregular y, normalmente, estas terminaciones:

(yo)	**-e**
(tú)	**-iste**
(él, ella, usted)	**-o**
(nosotros/as)	**-imos**
(vosotros/as)	**-isteis**
(ellos, ellas, ustedes)	**-ieron**

PODER:	**pud-**	VENIR:	**vin-**
PONER:	**pus-**	ESTAR:	**estuv-**
QUERER:	**quis-**	SABER:	**sup-**
TENER:	**tuv-**		

	HACER	DECIR	DAR
(yo)	**hice**	**dije**	**di**
(tú)	**hiciste**	**dijiste**	**diste**
(él, ella, usted)	**hizo**	**dijo**	**dio**
(nosotros/as)	**hicimos**	**dijimos**	**dimos**
(vosotros/as)	**hicisteis**	**dijisteis**	**disteis**
(ellos, ellas, ustedes)	**hicieron**	**dijeron***	**dieron**

*Casi todos los verbos acabados en **-er** e **-ir** hacen la 3ª persona del plural en **-ieron; decir** y algunos otros verbos acabados en **-cir** la hacen en **-eron.**

EL PRETÉRITO IMPERFECTO

	-AR	-ER	-IR	
	HABLAR	TENER	VIVIR	
(yo)	habl**aba**	ten**ía**	viv**ía**	
(tú)	habl**abas**	ten**ías**	viv**ías**	
(él, ella, usted)	habl**aba**	ten**ía**	viv**ía**	*REGULARES*
(nosotros/as)	habl**ábamos**	ten**íamos**	viv**íamos**	
(vosotros/as)	habl**abais**	ten**íais**	viv**íais**	
(ellos, ellas, ustedes)	habl**aban**	ten**ían**	viv**ían**	

	SER	IR	
(yo)	**era**	**iba**	
(tú)	**eras**	**ibas**	
(él, ella, usted)	**era**	**iba**	*IRREGULARES*
(nosotros/as)	**éramos**	**íbamos**	
(vosotros/as)	**erais**	**ibais**	
(ellos, ellas, ustedes)	**eran**	**iban**	

CONTRASTE ENTRE LOS TIEMPOS DEL PASADO

■ Contraste entre el Perfecto y el Indefinido, y el Imperfecto.

El Pretérito Indefinido y el Pretérito Perfecto presentan la información como acontecimiento.

Ayer **llovió.** Y esta mañana **ha llovido** otra vez.
Ayer por la noche **estuvimos** en un restaurante muy bueno.

El Pretérito Imperfecto presenta la información como circunstancia de otra acción que va en Indefinido o en Perfecto.

Fuimos al cine por la noche y al salir, **llovía.**
Esta mañana no **he salido** de casa. **Llovía** otra vez.
Estábamos en un restaurante muy bueno y **llegó** Paqui.

In Spanish the Pretérito Imperfecto and the Pretérito Indefinido forms are contrasted, and the use of one or the other depends on the view or perspective that the speaker takes of an action or event.

There are two contexts in which there are clear equivalences between Spanish and English in the use of the Imperfecto:

Estábamos charlando cuando ella **llegó.**
(= We **were** chatting when she **came**)

Cuando **era** pequeña, **iba** a la escuela a pie.
(= When I was a child I **used to go** to school on foot).

■ Contraste entre Perfecto e Indefinido.

El Pretérito Indefinido va, generalmente, con estos marcadores:

ayer	anteayer
anoche	el otro día
el lunes / martes...	el (día) 6 / 21 /...
la semana pasada	el mes pasado
el año pasado	

El Pretérito Perfecto va, generalmente, con estos marcadores (que incluyen el "ahora" del que habla):

hoy	esta mañana / tarde...
esta semana	este mes
este verano / otoño/...	este año

¿Viste ayer a Pedro?
No, lo he visto hoy.

!

El contraste Perfecto / Indefinido varía mucho según los países e incluso según las regiones. En Latinoamérica y en muchas zonas de España está mucho más extendido el uso del Indefinido que el del Perfecto.

El contraste entre Perfecto e Indefinido, e Imperfecto es mucho más generalizado y se hace igual en todos los países.

LOS USOS DEL IMPERFECTO

- Describir circunstancias en un relato, referidas a diversos aspectos.

Características del contexto en el que sucede el hecho que relatamos, como la hora, la fecha, el lugar, el tiempo, etc.

Eran las nueve.
Hacía mucho frío y **llovía.**
Era de noche.
Estábamos cerca de Madrid.

Estado y descripción de las personas que hablan o de las que se habla.

Estaba muy cansado. Me **encontraba** mal. Yo no **llevaba** gafas.

Existencia de cosas en torno al hecho que relatamos.

Había mucho tráfico. **Había** un camión parado en la carretera.

- Expresar contraste entre el estado actual y estados anteriores.

Ahora hablo español y catalán. Antes solo **hablaba** francés.
Antes **tenía** muchos amigos. Ahora solo tengo dos o tres.

- Describir hábitos en el pasado.

Cuando era niño, **íbamos** a la escuela a pie, no había transporte escolar.
Antes no **salía** nunca de noche, no me **gustaba.**

- Manifestar sorpresa al recibir una información desconocida.

¿Estás embarazada? No lo **sabía.**
¡No **tenía** ni idea!

- Contar la información que se tenía.

Yo creía que **eras** argentino.

- Disculparse por estar mal informado.

Yo **pensaba** que no **había** que venir personalmente.

- Como fórmula de cortesía para suavizar nuestra postura.

Quería comentarte una cosa (= quiero)
Venía a ver si ha llegado mi certificado. (= vengo)

FECHAR ACONTECIMIENTOS

- ¿Qué día nació su hija?
- **El (día)** 14 de agosto de 1992.
- ¿Cuándo terminó los estudios?
- **En el** 94.

- ¿Cuándo llegaste a España?
- **En** marzo de 1992.
- ¿En qué año se casó?
- **En** 1985.

SITUAR ACONTECIMIENTOS EN LA BIOGRAFÍA DE UNA PERSONA

In Spanish when using the word **joven (youth/youngster/young)** we refer to people from about 15 years old. Below that, the person is considered **niño, niña, pequeño** or **pequeña**, so to refer to when you were ten years old you say:
Cuando **era** pequeño/ niño.
rather than:
Cuando **era** joven.

a los cinco años...
cuando tenía cinco años / meses / semanas...

cuando era niño / joven / soltero / estudiante...
de niño / joven / soltero / estudiante / mayor...

cuando { **terminó** los estudios... / **cumplió** los 18 años...

al { **terminar** los estudios... / **cumplir** los 18 años...

RELACIONAR ACONTECIMIENTOS

To present the consequences of something:
así que = so
y por eso = that is why

To put actions or events in chronological order:
antes = before
después = after/afterwards

Note that in Spanish the words **after** and **before** are followed by an infinitive, rather than an **–ing** form:
Después de **ver** el partido fuimos a cenar.
(= After **watching** the match, we went to get dinner)

■ Para presentar consecuencias podemos usar **así que** y **por eso.**

Su familia era humilde, **así que** tuvo que trabajar para pagarse los estudios.
Empezó a llover, **por eso** anularon el concierto.

■ Para marcar un orden usamos **antes (de), después (de)** y **luego.**

Fui a la facultad, pero **antes** estuve en la biblioteca.
Estuve en la biblioteca y { **después** fui a la facultad. / **luego** volví a casa.

Antes de + *INFINITIVO* **Antes de** ir a la facultad, estuve en la biblioteca.

Después de + *INFINITIVO* **Después de** estar en la biblioteca, fui a la facultad.

ENTONCES

Es un conector de uso muy frecuente que sirve para:

■ referirse a un periodo ya mencionado.

Me fui a vivir a Italia en el 71. **Entonces** (= en aquella época) yo era muy joven.

Spanish **entonces** corresponds to **then** or **so** in English, and its use is similar.
¿Qué hacemos **entonces?**
(= What shall we do **then**?)
¿Entonces ya no quieres ir?
(= **So** now you don't want to go?)

■ sacar conclusiones de lo dicho.

- Ayer Lola tenía una reunión por la noche.
- **Entonces** no fue a la cena.
- No, no pudo.

■ preguntar por las consecuencias.

- No hay nadie y yo no tengo las llaves.
- ¿Y **entonces** qué hacemos?

Consultorio verbal

verbos regulares

VERBOS REGULARES

INFINITIVO PARTICIPIO	PRESENTE	PRETÉRITO IMPERFECTO	PRETÉRITO INDEFINIDO	PRETÉRITO PERFECTO PRESENTE DE **HABER**	+ PARTICIPIO*
1. ESTUDIAR estudi**ado**	estudi**o**	estudi**aba**	estudi**é**	he	estudi**ado**
	estudi**as**	estudi**abas**	estudi**aste**	has	estudi**ado**
	estudi**a**	estudi**aba**	estudi**ó**	ha	estudi**ado**
	estudi**amos**	estudi**ábamos**	estudi**amos**	hemos	estudi**ado**
	estudi**áis**	estudi**abais**	estudi**asteis**	habéis	estudi**ado**
	estudi**an**	estudi**aban**	estudi**aron**	han	estudi**ado**

INFINITIVO PARTICIPIO	PRESENTE	PRETÉRITO IMPERFECTO	PRETÉRITO INDEFINIDO	PRETÉRITO PERFECTO PRESENTE DE **HABER**	+ PARTICIPIO*
2. COMER com**ido**	com**o**	com**ía**	com**í**	he	com**ido**
	com**es**	com**ías**	com**iste**	has	com**ido**
	com**e**	com**ía**	com**ió**	ha	com**ido**
	com**emos**	com**íamos**	com**imos**	hemos	com**ido**
	com**éis**	com**íais**	com**isteis**	habéis	com**ido**
	com**en**	com**ían**	com**ieron**	han	com**ido**

INFINITIVO PARTICIPIO	PRESENTE	PRETÉRITO IMPERFECTO	PRETÉRITO INDEFINIDO	PRETÉRITO PERFECTO PRESENTE DE **HABER**	+ PARTICIPIO*
3. VIVIR viv**ido**	viv**o**	viv**ía**	viv**í**	he	viv**ido**
	viv**es**	viv**ías**	viv**iste**	has	viv**ido**
	viv**e**	viv**ía**	viv**ió**	ha	viv**ido**
	viv**imos**	viv**íamos**	viv**imos**	hemos	viv**ido**
	viv**ís**	viv**íais**	viv**isteis**	habéis	viv**ido**
	viv**en**	viv**ían**	viv**ieron**	han	viv**ido**

*PARTICIPIOS IRREGULARES

abrir	abierto	**freír**	freído/frito	**poner**	puesto
cubrir	cubierto	**hacer**	hecho	**romper**	roto
decir	dicho	**ir**	ido	**ver**	visto
escribir	escrito	**morir**	muerto	**volver**	vuelto

VERBOS IRREGULARES

Infinitivo / Participio	Presente	Imperfecto	Indefinido
4. ACTUAR actuado	actúo actúas actúa actuamos actuáis actúan	actuaba actuabas actuaba actuábamos actuabais actuaban	actué actuaste actuó actuamos actuasteis actuaron
5. ANDAR andado	ando andas anda andamos andáis andan	andaba andabas andaba andábamos andabais andaban	anduve anduviste anduvo anduvimos anduvisteis anduvieron
6. BUSCAR buscado	busco buscas busca buscamos buscáis buscan	buscaba buscabas buscaba buscábamos buscabais buscaban	busqué buscaste buscó buscamos buscasteis buscaron
7. CAER caído	caigo caes cae caemos caéis caen	caía caías caía caíamos caíais caían	caí caíste cayó caímos caísteis cayeron
8. COGER cogido	cojo coges coge cogemos cogéis cogen	cogía cogías cogía cogíamos cogíais cogían	cogí cogiste cogió cogimos cogisteis cogieron
9. CONDUCIR conducido	conduzco conduces conduce conducimos conducís conducen	conducía conducías conducía conducíamos conducíais conducían	conduje condujiste condujo condujimos condujisteis condujeron
10. CONOCER conocido	conozco conoces conoce conocemos conocéis conocen	conocía conocías conocía conocíamos conocíais conocían	conocí conociste conoció conocimos conocisteis conocieron
11. CONTAR contado	cuento cuentas cuenta contamos contáis cuentan	contaba contabas contaba contábamos contabais contaban	conté contaste contó contamos contasteis contaron
12. DAR dado	doy das da damos dais dan	daba dabas daba dábamos dabais daban	di diste dio dimos disteis dieron
13. DECIR dicho	digo dices dice decimos decís dicen	decía decías decía decíamos decíais decían	dije dijiste dijo dijimos dijisteis dijeron
14. DISTINGUIR distinguido	distingo distingues distingue distinguimos distinguís distinguen	distinguía distinguías distinguía distinguíamos distinguíais distinguían	distinguí distinguiste distinguió distinguimos distinguisteis distinguieron
15. DORMIR dormido	duermo duermes duerme dormimos dormís duermen	dormía dormías dormía dormíamos dormíais dormían	dormí dormiste durmió dormimos dormisteis durmieron
16. ENVIAR enviado	envío envías envía enviamos enviáis envían	enviaba enviabas enviaba enviábamos enviabais enviaban	envié enviaste envió enviamos enviasteis enviaron
17. ESTAR estado	estoy estás está estamos estáis están	estaba estabas estaba estábamos estabais estaban	estuve estuviste estuvo estuvimos estuvisteis estuvieron

VERBOS IRREGULARES

INFINITIVO PARTICIPIO	PRESENTE	IMPERFECTO	INDEFINIDO
18.	he	había	hube
HABER	has	habías	hubiste
habido	ha	había	hubo
	hemos	habíamos	hubimos
	habéis	habíais	hubisteis
	han	habían	hubieron
19.	hago	hacía	hice
HACER	haces	hacías	hiciste
hecho	hace	hacía	hizo
	hacemos	hacíamos	hicimos
	hacéis	hacíais	hicisteis
	hacen	hacían	hicieron
20.	incluyo	incluía	incluí
INCLUIR	incluyes	incluías	incluiste
incluido	incluye	incluía	incluyó
	incluímos	incluíamos	incluimos
	incluís	incluíais	incluisteis
	incluyen	incluían	incluyeron
21.	voy	iba	fui
IR	vas	ibas	fuiste
ido	va	iba	fue
	vamos	íbamos	fuimos
	vais	ibais	fuisteis
	van	iban	fueron
22.	juego	jugaba	jugué
JUGAR	juegas	jugabas	jugaste
jugado	juega	jugaba	jugó
	jugamos	jugábamos	jugamos
	jugáis	jugabais	jugasteis
	juegan	jugaban	jugaron
23.	leo	leía	leí
LEER	lees	leías	leíste
leído	lee	leía	leyó
	leemos	leíamos	leímos
	leéis	leíais	leísteis
	leen	leían	leyeron
24.	llego	llegaba	llegué
LLEGAR	llegas	llegabas	llegaste
llegado	llega	llegaba	llegó
	llegamos	llegábamos	llegamos
	lllegáis	llegabais	llegasteis
	llegan	llegaban	llegaron
25.	muevo	movía	moví
MOVER	mueves	movías	moviste
movido	mueve	movía	movió
	movemos	movíamos	movimos
	movéis	movíais	movisteis
	mueven	movían	movieron
26.	oigo	oía	oí
OÍR	oyes	oías	oíste
oído	oye	oía	oyó
	oímos	oíamos	oímos
	oís	oíais	oísteis
	oyen	oían	oyeron
27.	pienso	pensaba	pensé
PENSAR	piensas	pensabas	pensaste
pensado	piensa	pensaba	pensó
	pensamos	pensábamos	pensamos
	pensáis	pensabais	pensasteis
	piensan	pensaban	pensaron
28.	pierdo	perdía	perdí
PERDER	pierdes	perdías	perdiste
perdido	pierde	perdía	perdió
	perdemos	perdíamos	perdimos
	perdéis	perdíais	perdisteis
	pierden	perdían	perdieron
29.	puedo	podía	pude
PODER	puedes	podías	pudiste
podido	puede	podía	pudo
	podemos	podíamos	pudimos
	podéis	podíais	pudisteis
	pueden	podían	pudieron
30.	pongo	ponía	puse
PONER	pones	ponías	pusiste
puesto	pone	ponía	puso
	ponemos	poníamos	pusimos
	ponéis	poníais	pusisteis
	ponen	ponían	pusieron
31.	quiero	quería	quise
QUERER	quieres	querías	quisiste
querido	quiere	quería	quiso
	queremos	queríamos	quisimos
	queréis	queríais	quisisteis
	quieren	querían	quisieron

verbos irregulares

VERBOS IRREGULARES

INFINITIVO PARTICIPIO	PRESENTE	IMPERFECTO	INDEFINIDO
32. REÍR reído	río ríes ríe reímos reís ríen	reía reías reía reíamos reíais reían	reí reíste rio reímos reísteis rieron
34. SABER sabido	sé sabes sabe sabemos sabéis saben	sabía sabías sabía sabíamos sabíais sabían	supe supiste supo supimos supisteis supieron
36. SENTIR sentido	siento sientes siente sentimos sentís sienten	sentía sentías sentía sentíamos sentíais sentían	sentí sentiste sintió sentimos sentisteis sintieron
38. SERVIR servido	sirvo sirves sirve servimos servís sirven	servía servías servía servíamos servíais servían	serví serviste sirvió servimos servisteis sirvieron
40. TRAER traído	traigo traes trae traemos traéis traen	traía traías traía traíamos traíais traían	traje trajiste trajo trajimos trajisteis trajeron
42. VALER valido	valgo vales vale valemos valéis valen	valía valías valía valíamos valíais valían	valí valiste valió valimos valisteis valieron
44. VENIR venido	vengo vienes viene venimos venís vienen	venía venías venía veníamos veníais venían	vine viniste vino vinimos vinisteis vinieron

INFINITIVO PARTICIPIO	PRESENTE	IMPERFECTO	INDEFINIDO
33. REUNIR reunido	reúno reúnes reúne reunimos reunís reúnen	reunía reunías reunía reuníamos reuníais reunían	reuní reuniste reunió reunimos reunisteis reunieron
35. SALIR salido	salgo sales sale salimos salís salen	salía salías salía salíamos salíais salían	salí saliste salió salimos salisteis salieron
37. SER sido	soy eres es somos sois son	era eras era éramos erais eran	fui fuiste fue fuimos fuisteis fueron
39. TENER tenido	tengo tienes tiene tenemos tenéis tienen	tenía tenías tenía teníamos teníais tenían	tuve tuviste tuvo tuvimos tuvisteis tuvieron
41. UTILIZAR utilizado	utilizo utilizas utiliza utilizamos utilizáis utilizan	utilizaba utilizabas utilizaba utilizábamos utilizabais utilizaban	utilicé utilizaste utilizó utilizamos utilizasteis utilizaron
43. VENCER vencido	venzo vences vence vencemos vencéis vencen	vencía vencías vencía vencíamos vencíais vencían	vencí venciste venció vencimos vencisteis vencieron
45. VER visto	veo ves ve vemos veis ven	veía veías veía veíamos veíais veían	vi viste vio vimos visteis vieron

ÍNDICE DE VERBOS DE **GENTE 1 NUEVA EDICIÓN**

La siguiente lista recoge los verbos que aparecen en *Gente 1 nueva edición*. Junto a cada verbo aparece un número, que indica el modelo de verbo, es decir, la manera de conjugar ese verbo.

abandonar, 1
abrir, 3*
aburrirse, 3
acabar, 1
acampar, 1
aceptar, 1
acercarse, 6
acoger, 8
acompañar, 1
aconsejar, 1
acordar, 11
acostarse, 11
acostumbrarse,1
actuar, 4
adaptarse, 1
adecuarse, 1
adelgazar, 41
adivinar, 1
admirar, 1
admitir, 3
adoptar, 1
afeitarse, 1
afirmar, 1
agonizar, 41
agregar, 24
ahorrar, 1
alcanzar, 41
alojarse, 1
alquilar, 1
andar, 5
anotar, 1
anular, 1
añadir, 3
aparecer, 10
apetecer, 10
aportar, 1
apoyar, 1
apreciar, 1
aprender, 2
aprovechar, 1
asar, 1
asesinar, 1
asignar, 1
asociar, 1
atender, 28
aumentar, 1
averiguar, 1
ayudar, 1
bailar, 1
bajar, 1
bañarse, 1
batir, 3
beber, 2
buscar, 6
caer, 7
calentar, 27
cambiar(se), 1
cantar, 1
casarse, 1
celebrar(se), 1
cenar, 1
cerrar, 27
circular, 1
clasificar, 6
cobrar, 1
cocinar, 1
coger, 8
coincidir, 3
coleccionar, 1
colocar, 6
combinar, 1
comentar, 1
comer, 2
comparar, 1
completar, 1
comprar, 1
comprender, 2
comprobar, 11
comunicar, 6
conectar, 1
confesar, 27
confirmar, 1
conjugar, 24
conocer, 10
conseguir, 38
conservar, 1
consistir, 3
construir, 20
consultar, 1
consumir, 3
contaminar, 1
contar, 11
contener, 39
contestar, 1
contrastar, 1
contribuir, 20
controlar, 1
convencer, 43
convenir, 44
convertir(se), 36
corregir, 38
correr, 2
corresponder, 2
cortar, 1
costar, 11
crear, 1
crecer, 10
creer, 23
criticar, 6
cruzar, 41
cuantificar, 6
cubrir, 3*
cuidar, 1
curar, 1
charlar, 1
dar, 12
debatir, 3
deber, 2
decidir, 3
decir, 13
declarar, 1
dedicarse, 6
defender, 28
deletrear, 1
demostrar, 11
depender, 2
desaparecer, 10
desayunar, 1
descansar, 1
describir, 3*
descubrir, 3*
descuidar, 1
despedirse, 38
despertarse, 27
destinar, 1
dictar, 1
discutir, 3
disfrutar, 1
disponer, 30
distinguir, 14
distribuir, 20
divorciarse, 1
doblar, 1
doler, 25
dominar, 1
dormir(se), 15
ducharse, 1
echar, 1
elaborar, 1
elegir, 38
empezar, 27
encantar, 1
encargar(se), 24
encontrar, 11
enfadarse, 1
engordar, 1
enseñar, 1
entender, 28
entrar, 1
entregar, 24
entrevistar, 1
enviar, 16
equivocarse, 6
escenificar, 6
escribir, 3*
escuchar, 1
escurrir, 3
esquiar, 16
establecer, 10
estar, 17
estimar, 1
estirar, 1
estudiar, 1
evitar, 1
existir, 3
explicar, 6
exponer, 30
exportar, 1
expresar, 1
extraer, 40
fabricar, 6
facilitar, 1
faltar, 1
figurar, 1
fijarse, 1
formar, 1
formular, 1
frecuentar, 1
freír, 32*
fugarse, 24
fumar, 1
funcionar, 1
fundar, 1
ganar, 1
gastar, 1
girar, 1
gobernar, 27
grabar, 1
guardar, 1
gustar, 1
haber, 18
hablar, 1
hacer, 19
hallarse, 1
hervir, 36
hundir, 3
identificar, 6
imaginar, 1
importar, 1
incluir, 20
indicar, 6
informar(se), 1
inscribir, 3*
instalar, 1
intentar, 1
interesar(se), 1
interrumpir, 3
intervenir, 44
invertir, 36
invitar, 1
ir, 21
jubilarse, 1
jugar, 22
juntar, 1
justificar, 6
lanzar, 41
leer, 23
levantar(se), 1
liderar, 1
luchar, 1
llamar(se), 1
llegar, 24
llorar, 1
llover, 25 (unipersonal)
madrugar, 24
mandar, 1
mantener(se), 39
marcar, 6
mencionar, 1
merendar, 27
mezclar, 1
mirar, 1
modificar, 6
molestarse, 1
morir, 15*
mostrar, 11
mover, 25
nadar, 1
navegar, 24
necesitar, 1
observar, 1
obtener, 39
ofrecer, 10
oír, 26
olvidar, 1
opinar, 1
ordenar, 1
organizar, 41
pagar, 24
parecer, 10
participar, 1
pasar, 1
pasear, 1
pedir, 38
pegar(se), 24
pelar, 1
pensar, 27
perder, 28
perfeccionar, 1
permitir, 3
pertenecer, 10
pescar, 6
picar, 6
pintar, 1
poder, 29
poner, 30
ponerse, 30
practicar, 6
precisar, 1
preferir, 36
preguntar, 1
preocuparse, 1
preparar, 1
presentar(se), 1
probar(se), 11
producir, 9
progresar, 1
prohibir, 3
pronunciar, 1
proponer, 30
provocar, 6
publicar, 6
quedar, 1
querer, 31
quitar, 1
realizar, 41
recibir, 3
recomendar, 27
reconocer, 10
reconstruir, 20
recordar, 11
recorrer, 2
redactar, 1
reducir, 9
referirse, 36
regalar, 1
regresar, 1
relacionar, 1
rellenar, 1
remitir, 3
remover, 25
repasar, 1
representar, 1
reservar, 1
resumir, 3
retirar(se), 1
reunir, 33
rodar, 11
rodear, 1
romper, 2*
saber, 34
sacar, 6
salar, 1
salir, 35
saltar, 1
saludar, 1
seguir, 38
seleccionar, 1
sentar(se), 27
sentir, 36
señalar, 1
ser, 37
servir, 38
significar, 6
simular, 1
situar, 4
solicitar, 1
sonar, 11
subir, 3
subrayar, 1
suceder, 2
sufrir, 3
superar, 1
suponer, 30
tardar, 1
tener, 39
terminar, 1
tocar, 6
tomar, 1
trabajar, 1
traer, 40
transcurrir, 3
transmitir, 3
tratar, 1
tutear, 1
unir, 3
usar, 1
utilizar, 41
valer, 42
valorar, 1
vencer, 43
vender, 2
ver, 45
viajar, 1
vivir, 3
volar, 11
volver, 25
votar, 1

* Ver apartado *Participios irregulares*, página 161.

TRANSCRIPCIONES

Unidad 1
Gente que estudia español

1. El primer día de clase

● ¿Ana Redondo Cortés?
○ Sí.
● ¿Luis Rodrigo Salazar?
■ Soy yo.
● ¿Eva Tomás Alonso? Eva, Eva Tomás Alonso.
□ Yo, yo... Soy yo.
● ¿José Antonio Valle Pérez?
✖ Vallés.
● ¿Cómo?
✖ Va-llés, con ese al final.
● Va-llés. De acuerdo. ¿Raúl Olano?
▼ Sí.
● Mari Paz Rodríguez Prado. ¿Mari Paz Rodríguez Prado? No está. ¿Francisco Leguineche?
✣ Sí.
● Perdona, ¿el segundo apellido?
✣ Zubizarreta.
● ¿Cómo?
✣ Zu-bi-za-rre-ta: ceta, u, be, i, ceta, a, erre, e, te, a.
● Ah, vale, gracias.
✣ De nada.
● ¿Cecilia Castro Omedes?
▲ Yo, soy yo.
● ¿Alberto Vizcaíno Morcillo?
◆ Sí.
● ¿Silvia Jiménez Luque?
✚ Sí.
● Vale... A ver... ¿Nieves Herrero García? ¿Nieves...? No está. ¿Paz Guillén Cobos?
◆ ¿Paz Guillén?
● Sí.
◆ Soy yo, soy yo...
● Gerardo Bermejo Bermejo.
× Sí.
● David Blanco Herrero.
♠ Soy yo.

4. El español en el mundo

● Señores y señoras, a continuación vamos a escuchar la votación de Argentina. ¿Buenos Aires? ¿Buenos Aires...?
○ Sí, aquí Buenos Aires, buenas noches. Esta es la votación del jurado argentino: Bolivia, tres puntos.
● Bolivia, tres puntos.
○ Colombia, cinco puntos.
● Colombia, cinco puntos.
○ Chile, nueve puntos.
● Chile, nueve puntos.
○ Cuba, dos puntos.
● Cuba, dos puntos.
○ España, un punto.
● España, un punto.
○ Guinea Ecuatorial, seis puntos.
● Guinea Ecuatorial, seis puntos.
○ Honduras, ocho.
● Honduras, ocho.
○ Panamá, siete.
● Panamá, siete.
○ Paraguay, cuatro.
● Paraguay, cuatro.
○ República Dominicana, nueve.
● República Dominicana, nueve.
○ Uruguay, diez puntos.
● Uruguay, diez puntos. Gracias, muchas gracias. Buenas noches, Buenos Aires.
○ Buenas noches.

7. Sonidos y letras

Hugo
Hernández
Hoyo
Carolina
Cueto
Cobos
Quique
Quesada

Jaime
Jiménez
Juárez
Gerardo
Ginés

Borja
Bermúdez
Bárcena
Vicente
Velasco

Celia
Cisneros
Zara
Zorilla

Marina
Pérez
Arturo
Aranda

Rita
Rodrigo
Curro
Parra

Pancho
Chaves
Chelo

Gonzalo
Guerra
Guadalupe
Guillén

Valle
Llorente
Llanos

Toño
Yáñez
Paños

15. El español suena de maneras diferentes

Dos argentinos:
■ Usted, ¿cómo se llama?
○ Guillermo Zamora.
■ ¿Cómo?
○ Guillermo Zamora.
■ ¿Tiene teléfono?
○ Sí, es el 942-13-45-10.
■ Gracias.
○ De nada.

Dos canarios:
■ ¿Cómo se llama usted?
○ Guillermo Zamora.
■ ¿Cómo?
○ Guillermo Zamora.
■ ¿Tiene teléfono?
○ Sí, es el 942-13-45-10.
■ Gracias.
○ De nada.

Dos versiones un castellano y un vasco:
■ ¿Cómo se llama usted?
○ Guillermo Zamora.
■ ¿Cómo?
○ Guillermo Zamora.
■ ¿Tiene teléfono?
○ Sí, es el 942-13-45-10.
■ Gracias.
○ De nada.

Unidad 2
Gente con gente

2. ¿De quién están hablando?

● ¡Qué simpático es!
○ Sí, es una persona muy agradable.
● Y muy trabajador.
○ Sí, es cierto. Y no es nada egoísta...
● No, qué va... Al revés.

■ Es una mujer muy inteligente.
□ Sí, pero es pedante, antipática...
■ Sí, eso sí. Y un poco egoísta.
□ ¡Muy egoísta!

4. La gente de la calle Picasso

1.
- No es español, ¿verdad?
- ¿Quién? ¿El del saxofón? ¡No! Es extranjero. Alemán, creo.
- Ah, alemán...
- Es muy amable...
- Sí. Pero, chica, qué ruido...
- ¿Ruido?
- Sí, la música...
- Sí, eso sí...
- ¡Es que el otro, el español, toca la batería!
- Sí, pero son buenos chicos.
- Claro, como tu vives en la casa 10...

2.
- Tienen un niño pequeño, ¿no?
- Sí, monísimo. Tiene cuatro o cinco años.
- Y él habla con un acento...
- Es que es argentino.
- ¡Ah...!
- Son muy simpáticos, ¿no?
- Sí, muy majos.

3.
- No, no... Ella no trabaja. Bueno..., trabaja en casa, quiero decir. ¡Y estudia en la Universidad!
- Ah, ¿sí?
- Sí... Es una chica muy trabajadora.
- Tienen dos hijos, ¿no?
- Sí, dos. Un niño y una niña.

4.
- Vive sola, ¿no?
- No, con su hermana... ¡Son gemelas!
- Anda... ¡Son dos!
- Sí, gemelas.

5.
- ¿Está casado?
- No, divorciado. Pero sale con una chica... Un chica muy amable, que tiene una moto...
- No, no la conozco... Y él vive con su hija, ¿verdad?
- Sí, una chica muy guapa... Baila flamenco, la chica...
- Ah, ¿sí?
- Sí, sí, sí. Baila muy bien.

6.
- ¡Tecla tiene novio...!
- ¿Tú crees? Si es muy mayor...
- Sí, sí, seguro, un señor con barba, de unos 60 años. Es pintor, o algo así...
- ¡Ah...!
- Míralo, míralo, ahí viene, ese es.

7. El árbol genealógico de Paula

- Y mi familia, bueno, mi familia está compuesta por mi mamá y mi papá, y... mis tres hermanos y yo.
- ¿Y cómo se llaman tus papás?
- Mi papá se llama Omar Raúl. Mi mamá se llama Helena.
- ¿Y tus hermanos?
- Mis hermanos se llaman... el mayor, Gustavo, luego vengo yo, que me llamo Paula, después mi hermana, que se llama Victoria, y el menor, mi hermano, que se llama Gastón.
- ¿Y tus abuelos?
- Mis abuelos se llaman... Mi abuelo, Cristóbal, y mi abuela, Helena.
- ¿Y quiénes eran? ¿ Los padres de quién?
- Los padres de mi madre. Y mi abuelo Otto y mi abuela Ana María, los padres de mi padre. Y tengo una sola tía.
- ¿Una sola?
- Sí.
- ¿Y cómo se llama?
- Cuqui.
- ¿Y qué es? ¿Hermana de quién?
- Es la hermana de mi papá. Y tengo un sobrino.
- ¿Sí?
- Sí.
- ¿Cómo se llama?
- Luciano.
- ¿Y es hijo de quién?
- Es hijo de mi hermana, Victoria.
- ¿Y el marido de tu hermana cómo se llama?
- Juan José. Pero le dicen Chivo.

10. Dónde se puede sentar tu compañero

- Oye, ¿la señora Toledo viaja sola?
- ¿Toledo?
- Sí, Marina Toledo, la profesora de música.
- Ah, ya... No, no, no va sola. Va con una amiga... Con Celia Ojeda, creo que se llama.
- ¡Ah!...

- ¿Y el señor este suizo?
- ¿El Señor Müller?
- Sí, eso...
- No, viaja con su novia, con la señorita Tomba, la chica italiana...

- ¡Qué simpático es el señor López Marín!
- Sí, es muy divertido.
- Y su mujer también.
- Sí, es verdad. Son encantadores.

- El señor Ponce es un poco pesado, ¿no?
- Sí, mucho. Y además, habla y habla y habla...
- ¡Y solo de fútbol!

Unidad 3
Gente de vacaciones

4. Las vacaciones de David, de Edu y de Manuel

1.
- Hola David.
- Hola, ¿cómo estás?
- Bien, yo bien. Y tú, ¿cómo estás?
- Pues muy bien. Estoy por ir de vacaciones
- ¿Sí?
- Sí.
- Y adónde te vas
- Pues me voy a la playa
- A la playa... A qué playa?
- Voy a ir a Málaga.
- A Málaga... Bonito.
- ¿Y con quién vas?
- Pues voy con mi esposa y con mi hijo de dos años.
- A muy bien, muy bien. Y qué... ¿Cómo vais a ir?
- En coche.
- En coche. Bueno, así te da un poco más de tranquilidad, ¿no?
- Claro...
- ¿Pero sueles viajar en coche?, normalmente.
- Siempre que me voy de vacaciones, voy en mi coche.
- ¿Y siempre soléis ir a la playa? ¿Por qué zona vais, a la playa?
- Bueno, ahora viajo por España, pero anteriormente iba por otros sitios.
- ¡Ajá!, muy bien... Y la estación del año, ¿os da igual o siempre conincide en verano...?
- No, siempre en verano, en el mes de agosto.
- Mmmm...

2.
- Hola Edu, ¿cómo estás?
- Muy bien. Mira, aquí estoy... ordenando las fotografías de mis viajes.
- De tus viajes... ¿Y adónde sueles ir de viaje?
- Pues la verdad es que siempre voy lo más lejos posible. Me encanta ir a sitios exóticos.
- Pero dentro de España? ¿O te gusta salir a otros países?
- Pues la verdad es que mis últimos viajes han sido muy, muy lejos. He estado últimamente en Brasil, en Australia y en Camboya.

• ¡Vaya!
❍ Sí...
• ¿Y cómo sueles ir?
❍ Pues... Bueno, lógicamente siempre viajo en avión hasta esos sitios. Pero dentro de los países intento desplazarme en... en transportes publicos, coger los trenes, los autobuses... Eh..., viajar como viaja la gente del país.
• Ya. ¿Y cómo viajas: con gente, solo...?
❍ Pues siempre solo. Al menos estos últimos tres viajes los he hecho, los he hecho solo. Normalmente, aprovecho temporadas bajas, cuando los billetes son más baratos, sobre todo en otoño y en invierno; noviembre y enero, que los billetes son muy baratos y... y bueno es lo que hago casi siempre, bueno, lo que he hecho los últimos años ha sido eso.
• ¿Y qué sueles haces en tus viajes?
❍ Bueno, pues, sobre todo intento conocer gente; es lo que más me interesa. Pero también depende del país. Por ejemplo, en, en Brasil una de las cosas más interesantes ha sido... visitar sitios fantásticos como las cataratas o ir a la selva o, o... conocer las playas del Nordeste, que son alucinantes. Osea, que depende del país. A veces hago cosas más... naturales, por decirlo así, pero otras veces es..., pues conocer gente, salir mucho de noche...; depende del país.

3.
• ¿Qué tal Manuel? Veo que estás preparando tus vacaciones.
❍ Sí, estoy con la mochila, es el elemento más importante, sabes, porque yo... Es que me gusta mucho el montañismo y me paso todas las vacaciones, siempre que puedo, sobre todo en primavera que es cuando mejor se camina y esto, ¿no? Siempre me voy a la montaña.
• ¿A la montaña?
❍ Sí, tengo un grupo de amigos que siempre salimos y siempre nos organizamos. Y entonces nos pasamos en la montaña... pues eso entre quince y veinte días, entonces es fantásticos. Y la mochila es fundamental, claro.
• Claro, claro, ¿y por dónde sueles viajar?
❍ Pues mira normalmente... La verdad es que nunca hemos salido de Europa. Lo más lejos que hemos llegado ha sido a los Alpes suizos, porque es una montaña que, ya con eso, nosotros ya nos damos por satisfechos, sabes, porque el nivel de dificultad es bastante grande y los equipos que tenemos nosotros tampoco están muy preparados, sabes. Necesitas mucho dinero, los gastos de viajes complican mucho la situación, sabes. Y como tenemos poco tiempo pues...
• Ya. ¿Y qué es lo que soléis hacer, senderismo...?
❍ Sí, sí. Hacemos.. Mira, a veces vamos con bicicleta y entonces hacemos unas rutas que ya están marcadas. Otras veces, a veces, cogemos hasta con caballos; hemos hecho unas rutas por el Pirineo, fantásticas, sabes, porque ya está todo marcado.
• ¡Qué bonito!
❍ Sí. Entonces vamos allí con un guía, que nos lleva... Y... Luego otras veces hacemos lo que es ir de una zona a otra por caminos rurales, sabes, haciendo lo que llamamos el "vivac", que es dormir a la noche en el campo, sabes, sin casetas, osea, sin tiendas de campaña, sin nada; simplemente, allí donde llegamos paramos, cenamos y dormimos, y por la mañana seguimos caminando.

12. Ven a conocer Castilla y León

Ven a conocer Castilla y León.
Sus ciudades, llenas de historia y de arte: Ávila y sus murallas, Salamanca y su universidad, Segovia y su acueducto; León, Burgos: sus catedrales góticas.
Ven a pasear por sus calles y a visitar sus museos.
El campo castellano: la Ruta del Duero, el Camino de Santiago. Sus castillos: Peñafiel, La Mota. Sus monasterios: Silos, Las Huelgas.
Pueblos para vivir y para descansar.
Castilla y su gente: ven a conocernos.

Unidad 4
Gente de compras

3. Las compras de Daniel

1.
• ¿Cuánto vale este?
❍ Ciento noventa euros. Es precioso...
• Es... demasiado caro...

2.
❍ ¿Y un perfume?
• Sí, ¿pero cuál?
❍ Este es el nuevo de Nina Pucci, "Pasión"...
• Uy, no, qué fuerte...

3.
• Es un poco grande, ¿no?
■ Sí, un poco. Pero en negro solo tengo esta talla.
• ¿Y esta otra?
■ Esta también está muy bien, pero solo la tengo en azul.

4.
• ¿Tienen pilas?
❑ No, lo siento...

5.
▼ ¿De hombre o de mujer?
• De hombre.
▼ Pues tiene que ir a la segunda planta...

6.
• ¿Aceptan tarjetas?
✖ Sí, Visa.
• ¿Y American Express, o Master?
✖ No. Solo Visa.

11. ¿Qué le regalamos?

1. Conversación A
• Bueno, ¿qué?
❍ No sé, no sé... ¿Qué...?
• Pues tenemos dos horas, ¿eh?
❍ ¿Qué te parece un libro?
• Un libro, pues... No... Porque el otro día ya le compramos un libro... Es que me parece lo fácil... Vamos, al final...
❍ Ya pero...
• Siempre le compramos un "compact" o un disco. Podíamos pensar algo un poco más original...
❍ Es que no sé, de verdad, no, no, no sé qué regalarle.
• Pues un póster, no sé...
❍ ¡Un póster! Un póster... Es verdad.
• ¿Qué le gusta? O una película de Woody Allen.
❍ Ah... Ostras... Sí, sí, sí... Lo que pasa que él...
• Igual las tiene...
❍ Sé que tiene dieciocho.. Ahora, no sé cuáles...
• Pues, macho, si tiene dieciocho, entonces ya, ¿qué?... No, no, pues entonces, no. ¿Y un póster de qué?
❍ Espera, espera, esto de la película me... me gusta... O sí... Ay, no sé, no sé...
• Porque... Ay, no sé...
❍ ¡Un póster de Woody Allen!
• Seguro que tiene también, si tiene dieciocho películas... Bueno, ¿qué?
❍ No sé, un disco de algún grupo que...
• ¿Quieres que vayamos a ver los pósters?
❍ Va, sí, vamos a ver los pósters.
• ¿Los pósters?
❍ Sí, sí, sí.

2. Conversación B

■ ¿Qué?
❑ No tengo ni idea, eh, la verdad...
■ Hombre, pero, a ver... Un pañuelo...
❑ ¿Un pañuelo?
■ Lo que pasa es que...
❑ ¿Suele vestir con pañuelos?
■ No, ahora que lo dices, no. Espera, espera...
❑ ¿Y un peluche?
■ ¿Un peluche? No, un peluche no, no, hombre, no... ¿Y dónde lo pone el peluche? En la habitación...
❑ Claro.
■ Música no, porque música no sabemos qué...
❑ ¿Y un libro?
■ Un libro... Pero es que...
❑ Es el recurso de siempre, ya sé pero...
■ ¿Pero ella, un libro?
❑ Vaya, también lee.
■ Hombre, claro que lee pero... Pero no sé... Zapatos.
❑ ¿Zapatos?
■ Zapatos. No sé qué...
❑ Es muy arriesgado, eh, zapatos.
■ Sí, tienes razón. Una bolsa, que siempre va con bolsas.
❑ ¡Ah, una bolsa grande!
■ ¡Sí!
❑ Lleva siempre muchas cosas, y además para viajar y eso...
■ Sí, exacto, exacto.
❑ Ah, perfecto.
■ ¿Bolsa grande...? Vamos a mirarlo.
❑ Exacto.

Unidad 5
Gente en forma

3. ¿Hacen deporte los españoles?

1.
● ¿Usted, señora, hace deporte?
○ Sí, sí. Hago natación. Media hora cada día.
● ¿Cada día?
○ Sí, sí, y algunos días dos veces: mañana y tarde.
● ¿Y usted también, caballero?
■ Yo, también. Pero solo los fines de semana. Todos los fines de semana salgo en bici, con los amigos. Hacemos un promedio de 35 ó 40 kilómetros.
● ¿Y entre semana? ¿Algo más?
■ No, la verdad es que no tengo tiempo.

2.
● Oye, por favor, ¿tú haces deporte?
❑ No... no... De vez en cuando juego al tenis pero no tengo mucho tiempo.
● ¿Y vosotras? A ver, tú.
✖ Yo, sí. Voy al gimnasio, tres veces por semana.
✣ Y yo, también.
✓ Vamos juntas.
● Ah, muy bien, gracias.

3.
● A ver, vosotros, ¿quién es el que hace más deporte?
◆ Uy, yo no... Yo solo en verano.
▲ Pues yo sí. Yo juego al fútbol. Los sábados, partido. Martes y jueves, entrenamos.
● ¿Y tú? ¿También juegas al fútbol?
× Sí, sí. Y al tenis.

6. Malas costumbres para una vida sana

A
● Perdón, señor, ¿me permite un momento?
○ ¿Sí?
● Somos de Radio Ondas. ¿Usted cree que lleva una vida sana?
○ ¿Yo? No mucho.
● No, ¿eh? ¿Por qué? Díganos por qué.
○ Hombre..., duermo pocas horas..., fumo...
● Ya, ya. ¿Y hace algún deporte?
○ Sí, eso sí. Juego al golf.
● Ajá. ¿Cada semana?
○ ¡No! De vez en cuando.
● Gracias.

B
● Perdón, señora, ¿me contesta a unas preguntas para Radio Ondas?
■ Sí, sí, pregunte, pregunte...
● ¿Usted cree que lleva una vida sana?
■ ¿Yo? Muchísimo, ya lo creo. Mire: como mucha verdura, no fumo, no tomo café...
● ¿Y deporte? ¿Practica algún deporte?
■ Mmmmm... No, deporte, no... Bueno, sí... Nado...
● Ah... Pero, ¿cuánto? ¿Una vez a la semana? ¿Dos?
■ ¡No, no! A veces... Bueno, en verano todos los días.
● En la playa.
■ Sí, en la playa. Vamos todos los años con mi marido y con unos amigos.
● Gracias. Muchas gracias.

C
● Perdón, señor. Somos de Radio Ondas y estamos haciendo una encuesta sobre las costumbres sanas de los españoles.
❑ Ah, es un tema muy importante. Mire, yo creo que hay mucha gente que no lleva una vida sana. Hay gente que come muy mal. Y que no... Sí, sí, pregunte, pregunte...
● Sí, perdone. Nos interesa saber qué cosas hace usted.
❑ ¿Yo? Muchas. Por ejemplo: ando mucho. Cada día doy un paseo de una hora. Porque tengo un problema. Trabajo en una oficina y estoy demasiadas horas sentado.
● Ya, ya. Y aparte de eso, ¿practica algún deporte?
❑ Bueno, a veces vamos a jugar al tenis con unos amigos y también salimos en bicicleta.
● ¿Y en cuanto a la alimentación?
❑ Claro, claro. También es un tema muy importante. Siempre desayuno cereales con fibra. La carne y el pescado, siempre a la plancha. Mucha fruta, a mí me gusta mucho la fruta.
● Bien. Gracias. Muchas gracias.

Unidad 6
Gente que trabaja

5. Alicia busca empleo

● Veo que hablas muchos idiomas...
○ Sí, es que me gusta mucho estudiar idiomas. Me encanta. He estudiado inglés en la escuela y luego..., he estudiado francés, árabe y... también un poquito de ruso. Bueno, y además también he vivido un tiempo en Holanda y hablo un poquito el holandés... También estuve unos meses en Italia...
● ¿Has vivido en Holanda y en Italia...?
○ Sí, en Italia también.
● Y los últimos años has estado viajando por varios países, ¿no?
○ Sí, he viajado mucho, por toda Europa...Y por el norte de África.
● ¿Pero por trabajo?
○ Sí, es que he estado trabajado para una empresa farmacéutica española...
● ¿Un laboratorio farmacéutico?
○ Sí, es un laboratorio que produce medicamentos, a partir de algas y productos marinos... Se llama Thalos.
● Mmm, interesante, sí.
○ Sí, mucho.
● Pero exactamente, ¿cuál era tu trabajo?
○ Bueno, en realidad, han sido varios. He empezado haciendo labores de secretaria de dirección y, después, he empezado a trabajar como intérprete. He acompañado a los técnicos en sus viajes porque es que he estudiado biología, concretamente, oceanografía. Y bueno, tengo una formación científica...
● Pero, osea, de bióloga, exactamente, ¿no has trabajado nunca?
○ No, no, de bióloga, nunca... He terminado la universidad y he empezado a traba-

jar en la empresa...Y como me ha gustado el trabajo... Es que he conocido mucha gente, he viajado, he aprendido cosas muy interesantes del mundo...

10. Anuncios de trabajo: ¿qué piden?

Y hoy hemos encontrado en la prensa del día una serie de anuncios que os vamos a leer, por si os interesa alguno.

Vamos a ver, en primer lugar, tenemos la empresa multinacional Home & Comfort, que se instala en nuestra ciudad. Esto va a suponer la creación de un número importante de puestos de trabajo.

Necesitan 500 vendedores, quinientos. De ambos sexos, chicos y chicas. Si tienes entre 20 y 26 años, voluntad de progresar y capacidad de trabajo en equipo, y estás buscando trabajo, ya puedes enviar tu solicitud. Quieren personas amables, abiertas al trato con la gente. Piden también "buena presencia" –aunque esto no es un problema, porque ya sabemos que todos vosotros sois muy guapos–. Si no tienes experiencia en este tipo de trabajo, no importa. Aunque, claro, mucho mejor si la tienes.

Otro puesto para la misma empresa: administrativos. Ofrecen 100 plazas, también para candidatos de ambos sexos. Igual que con los vendedores, para este puesto también valoran la experiencia, pero... no la exigen. Admiten personas ya no tan jóvenes: de edades comprendidas entre los 22 y los 35 años. Si no eres una persona muy organizada, mejor pides otro puesto de trabajo. ¿Que no hablas ni inglés ni francés? Bueno, pero si los lees, puedes solicitar el puesto. Piden conocimiento de programas informáticos a nivel de usuario (Windows) y conocimiento de una de estas dos lenguas, a nivel de lectura. Suponemos que hay que leer correspondencia internacional.

Más empleos de Home & Comfort, para personas de ambos sexos: decoradores y decoradoras. Ofrecen 20 plazas para personas de edades entre 22 y 28 años. Piden formación especializada en decoración y presentación de escaparates, aunque no dice nada sobre estudios y titulación. Tampoco piden experiencia previa. Lo que les interesa son personas con aptitudes y sensibilidad para la presentación estética del producto. ¡Ah!, y con capacidad para trabajar en equipo.

Y finalmente, buscan 200 mozos de almacén; no dice necesariamente que han de ser varones (las mujeres pueden ser igualmente fuertes, ¿no?), pero tienen que tener entre 20 y 30 años. Piden personas bien dispuestas para el trabajo y con voluntad de progresar. O sea: como nosotros, ¿no?

Unidad 7
Gente que come bien

2. Supermercado Blasco

- Supermercado Blasco, dígame.
- ❍ Quiero hacer un pedido. Soy Carmen Millán.
- ¿Qué tal Sra. Millán?
- ❍ Bien, bien.
- Tomo nota. Dígame.
- ❍ Dos kilos de naranjas.
- ¿Para zumo o para comer?
- ❍ Para comer.
- Dos de naranjas para comer...
- ❍ Media docena de huevos.
- Huevos..., media... ¿Grandes?
- ❍ Sí, grandes. Doscientos gramos de queso manchego.
- Queso manchego... Doscientos.
- ❍ Sí, doscientos gramos, en un trozo. Leche, dos cartones.
- ¿Entera o desnatada?
- ❍ Entera.
- ¿Asturivaca le va bien?
- ❍ Sí.
- Dos de leche entera Asturivaca... ¿Algo más?
- ❍ Sí, una botella de Castillo Manchón...
- Vino Castillo Manchón, una botella... ¿Tinto?
- ❍ Sí, tinto. Seis latas de coca-cola.
- Seis de coca-colas. ¿"Ligth" o normal?
- ❍ Normal, normal... Un paquete de azúcar.
- ¿Algo más?
- ❍ No, nada más.
- Es calle Princesa, ¿verdad?
- ❍ Eso, calle Princesa, 10, primero B.
- Vale. Princesa, 10, primero B... Se lo llevamos al mediodía, sobre la una.
- ❍ De acuerdo.

3. Cocina mexicana

- Hola, ¿qué deseas para comer?
- ❍ Pues no sé, voy muy perdida... Si me puedes...
- Bueno, mira, el menú del día, tenemos para hoy quesadillas, de primero, quesadillas y caldo de cola de buey, ¿qué te apetece más?
- ❍ ¿Y las quesadillas? ¿Qué es?
- Mira, las quesadillas son unas tortitas de maíz, de harina de maíz, y están rellenas..., pueden ir rellenas de champiñones, con queso, o de carne o... o de lo que quieras...
- ❍ Pues venga, sí, quesadillas.
- ¿Quieres unas quesadillas?
- ❍ Sí, sí, sí.
- Y son fritas, ¿eh? O sea, se fríen y después se les pone salsa picante.
- ❍ Ah, ah, sí, sí, muy bien.
- ¿Quieres unas quesadillas?
- ❍ Sí, sí, quesadillas. Y... A ver, y de segundo plato, ¿qué me recomiendas?
- Y, de segundo plato, mira, tenemos para hoy, chiles en nogada y mole poblano.
- ❍ Mole... ¿qué es?
- El mole es una salsa roja hecha de cacahuate, chocolate, ajonjolí y hojas de aguacate. Entonces, una salsa roja agridulce. Y va con pollo, con pollo cocido. Y es eso... la salsa...
- ❍ ¿Y los chiles?
- Y los chiles en nogada son chiles..., esto... chiles grandes y van rellenos de carne, con piña, granada, pasas y piñones.
- ❍ Ya, no. El mole, mejor.
- ¿El mole?
- ❍ Sí, sí.
- Vale.
- ❍ ¿Y de postre?
- Y de postres, mira, solo tenemos hoy capirotada.
- ❍ Ah...
- Y bueno, la capirotada es un postre muy típico... Y es pan, frito, con cebolla y... bañado con un jarabe dulce y con queso y cacahuetes y pasas.
- ❍ Caray.
- Es un poco fuerte.
- ❍ Mmmm. Pues venga, adelante.
- ¿Lo quieres?
- ❍ Sí, sí, sí.
- Vale.

9. La tortilla española

- Y luego, también tiene sus truquitos. Primero la sartén tiene que estar muy caliente, la sartén sin el aceite...
- ❍ Sin el aceite...
- Sin el aceite, sí, tiene que estar muy caliente, casi casi que humee. Entonces echas el aceite, un poquito, que se caliente. Se calienta enseguida, instantáneo. Y entonces pones las patatas, y las patatas tienen que llevar mucho aceite. Al estar muy caliente el aceite, las patatas no cogen demasiado aceite

y queda bien.
○ ¿Y cómo cortas la patata? ¿Fina?
● La patata, finita. Así se hace antes, también.
○ ¡Ajá!
● Y entonces, la dejas allá y lo dejas a fuego lento. Y se va haciendo, se va haciendo tranquilamente; sacas las patatas, sacas un poco de aceite, porque si no, quedaría con mucho aceite; bates los huevos, previamente... Entonces echas el huevo y la patata, todo junto, y el truco: la patata, si la has frito con un poco de cebolla, sale una tortilla increíble. Entonces, bueno, vas haciendo, luego ya subes el fuego, vas haciendo y le das la vuelta a la tortilla. Sale genial, ¿eh? Con un poquito de vino y un poquito de pan. ¡Y bueno...!

Unidad 8
Gente que viaja

3. Un curso de español en Granada

1.
● A ver, España... 3-4... 9-5-8... 2-2-3-4-4-3.
○ Rimasa, dígame.
● ¿Centro de español Al-Andalus?
○ ¿Cómo dice?
● ¿Es el Centro de español?
○ Lo siento. Se equivoca. Aquí es un taller de coches.
● Perdone. ¡Ah! ¡Es el 9-5-8-2-2-3-4-4-5!
■ Centro de español, dígame.
● Hola, buenos días. Mire, estoy inscrito en el curso del próximo mes y...
■ ¿Cómo se llama usted?
● Flávio Guimarães.
■ ¿Puede deletrearme el apellido, por favor?
● Guimarães: ge, u, i, eme, a, ere, a, e, ese.
■ Sí, sí, aquí tengo su inscripción...
● Ah... Y quisiera saber a qué hora tengo que estar allí.
■ El curso empieza el día 2, a las nueve y media de la mañana.
● Dos de marzo... Ok, muy bien, gracias.
■ De nada.
● Perdone, otra cosa: no tengo la dirección de la familia.
■ ¿No ha recibido nuestra carta con toda la información?
● No, no...
■ ¡Qué raro! A ver, tome nota: plaza Mariana Pineda, 6.
● ¿Está en el centro?
■ Sí, es muy céntrico. Al lado mismo de la oficina de turismo. Pero hay un pequeño problema...
● ¿Un problema?
■ Sí. La habitación está libre a partir del día 3.
● ¡Ah! ¿A partir del 3?
■ ¿Tiene usted fax?
● Sí.
■ Si quiere, le mando una lista de hoteles...
● Sí, estupendo.
■ Pues le mando la lista y el plano por fax, con la dirección de la escuela y de la familia...
● Perfecto, muy amable, le doy mi número...

2.
Infoiberia. Sentimos comunicarle que todas nuestras líneas están ocupadas. Manténgase a la espera.
❑ Infoiberia....
● Quisiera saber qué vuelos hay Madrid-Granada.
❑ ¿Qué día quiere viajar?
● El día 1.
❑ El día 1, viernes... A ver... Sí, tome nota. Hay uno a las 12.35 y otro, por la tarde, a las 17.15.
● Ah, vale, 12.35 y a las 17.
❑ 17.15.

3.
Hotel Generalife, dígame.
● Hola, buenas tardes, quisiera reservar una habitación para las noches del 1 y del 2.
✖ Día 1 y 2, ¿de marzo?
● Sí, el 1 y 2 de marzo...
✖ Su nombre...
● Flavio Guimarães.
✖ Flavio... Gui-ma-rã-es...
● Perdone, ¿cuánto cuesta la habitación?
✖ ¿Individual o doble?
● Individual, con baño.
✖ Sí, todas las habitaciones tienen baño. A ver, la individual... 50 euros.
● De acuerdo. ¿Puedes hacerme la reserva?, entonces.
✖ Perfecto... Una habitación... doble, no perdón, individual, las noches 1 y 2 de marzo..., a nombre de Flavio Guimarães.
● Exacto. Muchas gracias.
✖ Muy bien, buenas tardes, adiós.

4.
Este es el contestador de Carlos y Alicia. Deje un mensaje después de la señal, por favor.
● ¡Hola guapos! Soy Flávio. Os llamo para decir que estaré en España un mes para hacer un curso de español, entre el 1 de marzo y el 3 de abril. Y estaré en Granada y... me gustaría mucho veros, pero, no sé, ya nos hablaremos. Os llamo. Un beso.

6. Hotel Picos de Europa

1.
● Hotel Picos de Europa, dígame.
○ Sí, mire, soy Tomás Marquina y tengo reservada una habitación a partir del día 11.
● Marquina. Viernes 11.
○ Sí. Y quería decirles que vamos a llegar el 12.
● El sábado.
○ Sí, el sábado día 12.
● O sea, que quiere anular la reserva del viernes.
○ Eso es.
● Muy bien, tomo nota, ningún problema, señor.
○ Gracias y hasta el sábado.
● Adiós.

2.
● Picos de Europa, buenos días.
■ Buenos días. Mire, quería reservar dos habitaciones para este fin de semana.
● Sí, ¿para qué noches?
■ La noche del sábado y la del domingo.
● Sábado, 12 y domingo, 13. ¿Dos habitaciones dobles?
■ Sí, dos dobles. Sánchez.
● Perdone, ¿a qué nombre?
■ Sánchez, Sánchez. Juan Sánchez.
● Muy bien, ¿puede usted darme el número...?

3.
❑ Hotel Picos de Europa.
✖ Buenas tardes. Llamo de parte de la señora Benito. Tenía una reserva para dos noches...
❑ A ver... Sí, aquí está.
✖ Es que no va a poder ir. Ha tenido un problema familiar y...
❑ ¿Anulamos la reserva?
✖ Sí, por favor.
❑ Muy bien.
✖ Muchas gracias.

4.
❑ Hotel Picos de Europa.
▼ ¿Tienen alguna habitación para el día 13?
❑ La noche del 13... Sí, todavía hay alguna.
▼ Pues quería reservar una doble, con una cama para un niño, una pareja y un niño pequeño.

❑ ¿A qué nombre?
▼ Cebrián.
❑ Cebrián. Una habitación doble, con cama supletoria para la noche del domingo. Muy bien.
▼ Pues... Hasta el domingo. Ah... Vamos a llegar un poco tarde, a las ocho o a las nueve.
❑ Muy bien. No hay problema. Tomo nota.

9. El hotel

1.
● Hotel Universidad, dígame.
❍ Quisiera reservar una habitación para el día 14.
● La noche del 14... Mmm, lo siento, el hotel está completo.
❍ Ah, bueno...
● Lo siento mucho, ¿eh?
❍ Adiós.
● Adiós.

2.
■ Hotel Trap.
❍ Quisiera saber los precios de las habitaciones.
■ 95 euros más IVA, la habitación doble.
❍ Vale. ¿Y la habitación individual?
■ La individual, 72 euros.
❍ ¡Ah!, y otra pregunta: ¿dónde está el hotel? ¿En el centro?
■ No, no, en el centro, no. Está cerca de la carretera de Barcelona, no muy lejos del aeropuerto.
❍ Ah, vale.
3.
❑ Hotel San Plácido, buenas tardes.
❍ Quisiera saber el precio de las habitaciones.
❑ La habitación individual, 85 euros de lunes a viernes, con desayuno incluido e IVA incluido.
❍ ¿La individual...?
❑ Sí, y la doble...
❍ No, la individual...
❑ Ah... Y el fin de semana, 59.
❍ ¿Y dónde está exactamente el hotel?
❑ En la plaza San Pácido, cerca de la Plaza de España.
❍ O sea, en el centro.
❑ Sí, sí, muy céntrico, pero en una calle tranquila.

Unidad 9
Gente de ciudad

8. Villarreal

● ¿Que qué problemas tiene Villarreal? El paro... claro, el paro. El paro es el problema número uno. De eso no hay duda... Claro, si la gente no puede trabajar...
❍ Sí, es verdad, el paro, el paro es lo más grave.
■ Pues para mí, lo peor es lo de la vivienda. Que los jóvenes no puedan pagar un piso. Los pisos están muy caros, carísimos...
❑ Yo pienso que Villarreal necesita una Universidad. La Universidad más cercana está a 200 kilómetros y muchos chicos quieren ir a estudiar pero... bueno, no pueden...
✖ La delicuencia, la inseguridad ciudadana... Eso es lo peor que hay... No se puede ir tranquilo a ningún sitio. Y la policía, que no hace nada.
▼ No, señor, lo peor es que no hay marcha, que esta ciudad está muerta, tío. No hay vida. Fíjate: solo hay tres discotecas...
▲ ¿Problemas? Muchos... Para mí, el paro, la vivienda... y el transporte. El transporte está fatal. Mire qué lío, qué atasco. Así todos los días, aquí en el centro... Y las afueras están muy mal comunicadas. Mire, por ejemplo, el barrio de Los Rosales no tiene ni autobús. Y luego, claro, la gente viene al centro en coche, y no sabe dónde aparcar...

12. Oaxaca, Buenos Aires y Baracoa

1.
Si usted va a Cuba, lo mejor que puede hacer es darse una vueltecita por la parte oriental. La parte oriental de Cuba es la zona caliente, es la zona más caribeña. Está Santiago de Cuba, que es famosa por su son, por sus calles empinadas, por su ron: hay un ron muy bueno que se llama Paticruzado, que no pueden dejar de probar... Pero en la parte oriental hay una ciudad enigmática, misteriosa, que se llama Baracoa. Es la ciudad más oriental, la puntita más oriental de toda la isla. Baracoa es una ciudad que tiene mucho encanto. Fue una de las primeras villas que se fundaron y tiene playa, una playa muy bonita. Tiene una laguna, que se llama la Laguna de la Miel, porque es muy clarita... Está cerca de la zona de la Sierra Maestra. La Sierra Maestra tiene ríos, tiene el río más caudaloso de Cuba, que es el Toa y ahí se puede hacer cámping, se puede hacer canoa, bajando el río. Hay zonas donde se cultivan especies que no se dan en ningún otro lugar y Baracoa tiene, además, una gente maravillosa. Vas caminando por la calle. Te paran, te llevan a tu casa. No se habla mucho de ella pero es una ciudad para conocer.

2.
Está al sureste de México y es una ciudad colonial, muy bonita, con muchas... este... mucha actividad cultural y está rodeado de pueblos indígenas. A la vez, está cerca Montealbán, que es un enclave prehispánico de la cultura zapoteca. Y bueno, es uno de los enclaves arqueológicos más significativos de México. Por otra parte, está también cerca la playa, bueno, a ocho horas... Pero, este... la ventaja que tiene ir a la zona de Oaxaca es que son playas, pues... las pocas playas que quedan vírgenes, ¿no? Y que, bueno, se puede vivir así... Es un especie de paraíso hippie, ¿no?, todavía.

3.
Bueno, Buenos Aires es una ciudad increíble. Es grande, llena de sitios para visitar y muchas salas de teatro y cines. Puedes ver absolutamente todo tipo de espectáculos, y al mismo tiempo es una ciudad con mucha gente diversa y distinto tipo de gente... y actitudes **y* inclinaciones y todo. Es la ciudad que no duerme, es el orgullo. La Avenida Corrientes no cierra durante las 24 horas y tienes todo abierto... No como aquí... O sea que cuando vas allá, la vas a pasar muy bien. Además la gente es muy agradable y te van... te tratan muy bien...

Unidad 10
Gente en casa

2. Una película: de visita en casa de unos amigos

● Hola, ¿qué tal?
❍ Hola, muy bien, ¿y tú?
■ Hola, ¿cómo estáis?
❑ ¿Qué tal?

● Pasad, pasad.
❍ ¿Por aquí?
■ Sí, sí, adelante.

❑ Toma, pon esto en el frigorífico.
● Si no hacía falta...

■ Esta es Celia, una sobrina. Está pasando unos días con nosotros.
❍ Hola, mucho gusto.
▼ Encantada.
■ Sentaos, sentaos.
● ¿Habéis encontrado bien la dirección?

❑ Sí, sí, sin problema. Nos lo has explicado muy bien.
❍ Vivís en un barrio muy agradable.
■ Sí, es bastante tranquilo.
❍ ¡Qué salón tan bonito!
■ ¿Os gusta? Venid, que os enseño la casa.

▲ Hola, buenas noches.
■ Hola, papá. Ven, mira, te presento a Hanna y Paul. Mi padre, que vive con nosotros.
❑ Hola, qué tal.
▲ Mucho gusto.

❍ Bueno, se está haciendo tarde.
■ Sí, tenemos que irnos...
❑ ¿Ya queréis iros?
● Si solo son las once...
❍ Es que mañana tengo que madrugar...

● Pues ya sabéis dónde tenéis vuestra casa.
❍ A ver cuándo venís vosotros.
■ Vale, nos llamamos y quedamos.

3. Piso en alquiler/B

● Dígame.
❍ Buenos días. Llamaba por el anuncio del piso.
● ¡Ajá!. Y dime, ¿ qué querías saber?
❍ Pues mira, necesitaba saber cuántas habitaciones tiene, si tiene ascensor, y el tema de la luz.
● Pues , mira, tiene cuatro habitaciones, las cuatro son exteriores, dos dan al jardín, al jardín comunitario, porque tiene también un jardín comunitario y dos dan a la calle. Además, tiene un baño y un aseo, y... un salón-comedor muy, muy grande y muy iluminado. Hay, además, una terraza, que está muy bien, y que también da al jardín comunitario.
❍ Perdón, ¿qué piso es?
● El sexto.
❍ ¿Y tiene ascensor?
● Sí, sí, claro.
❍ ¿Podríamos quedar para verlo?
● Sí, sí, por supuesato. Mira, si quieres apuntarte la dirección del piso. Y no sé, tal vez... ¿te va bien esta tarde...?
❍ ¿Esta tarde...? Sí, digame
● De acuerdo, pues mira, la dirección es...

3. Piso en alquiler/C

● Buenas tardes, hola.
❍ Hola, buenas tardes. Venía a ver el piso.
● Ah, sí, sí. ¿Hemos hablado esta mañana? De acuerdo, pase, pase. Pues..., mire, pase por aquí, como ve este es el salón-comedor del que le hablaba. Y bueno, como puede ver, tiene dos ambientes, uno para comer y..., pase, pase, y este para descansar y ver la televisión. Si se fija, el suelo es... todo de madera. Si quiere seguirme por aquí... Bueno, esta es una de las habitaciones de las que le hablaba, es una de las que da al jardín, al jardín comunitario. Y, bueno, como ve, tiene dos camas y un armario, un armario empotrado. Si quiere acompañarme a la otra habitación, que da también al jardín. Sí, por aquí. Cuidado. Sí, mire, esta es la habitación. Como ve, es bastante, bastante grande, tiene también como dos ambientes. Aquí puede estudiar... En fin.
❍ Sí, una pregunta le quería hacer...
● Sí, dígame.
❍ Me sobrarían un par de camas. Habría algún sitio donde las pudiera guardar?
● Sí, en los bajos hay cuartos trasteros.
❍ ¿Y la terraza, podemos pasar a la terraza?
● Sí, sí, por supuesto. Por aquí, sí.
❍ Ah, muy bien, tiene muy buena vista... Se nota que es un sexto, eh.
● Sí... ¿Vamos dentro? Y así le enseño el baño, la cocina...; en fin. Pase, por aquí, por aquí. A ver, déjeme que cerraré... Por aquí, venga. Este es el cuarto de baño. Como ve, tiene una bañera bastante grande. Y... si quiere venir por aquí... Y este es el aseo. Si me acompaña, ¿vamos a la cocina? Mire, bueno, pase, pase. Como ve está completamente reformada, es toda nueva. Hace dos años, la reformas. Bueno, tiene cocina vitrocerámica, tiene lavaplatos. Y bueno, como ve, la lavadora, la nevera... Todo esto lo dejaríamos.
❍ Muy bonita, muy bonita. Sí, me gusta, muy bien... Pues ahora lo único que nos faltaría sería el precio...
● Pues, mire, el piso lo alquilo por 1000 euros, al mes.
❍ ¿Mil?
● Piense que está en una zona residencial...
❍ Sí, sí...

4. Direcciones

1.
● Tienes mi dirección, ¿verdad?
❍ No, tu dirección, no. Sólo tengo el teléfono.
● Apunta: calle Cervantes...
❍ Calle Cervantes.
● Cervantes 13.
❍ 13.
● 3º, A.
❍ 3º, A.
● Eso.

2.
■ ¿Dónde vives?
❑ En la avenida Isaac Peral, 97.
■ Ya. Muy cerca de mi casa, entonces.
❑ Sí, no está lejos, unos diez minutos a pie.

3.
✖ ¿Me das tu dirección?
▼ ¿Mi dirección?
✖ Sí, quiero mandarte una cosa.
▼ Ah... Paseo de las Acacias, 29, ático.
✖ Perdona, paseo de las Acacias, ¿qué número?
▼ 29, ático izquierda.
✖ Gracias, Montse.

4.
✓ Su dirección, por favor.
◆ Plaza del Rey Juan Carlos, 83, escalera A, entresuelo 1ª.
✓ ¿Ochenta y...?
◆ 83. Escalera A, entresuelo 1ª.
✓ Entresuelo, 1ª. Muy bien, gracias. ¿Puede firmar aquí?

6. ¿Está Alejandro?

1.
● ¿Sí?
❍ ¿Está Maruja?
● Sí, pero en este momento se está duchando.
❍ Ah, ya... Pues..., pues dile que he llamado. Soy Luisa, una compañera de la oficina.
● Vale. Se lo digo.

2.
■ Diga.
❒ Elisabeth...
■ No, no soy yo... Es que... Bueno, es que está durmiendo.
❒ Ah, bueno, bueno... Pues ya la llamo luego. No hay problema.
■ Vale, sí... Dentro de un rato, no sé..., a las 4 ó así...
❒ Soy Miguel, un compañero de la escuela.
■ Vale, le digo que has llamado.
❒ Gracias.
■ Ciao.
❒ Adiós.

3.
✖ ¿Diga?
▼ Quería hablar con Gustavo. Soy su hermano, David.

* Ah, hola, David. Gustavo no está. Ha salido.
▾ ¿Sabes si ha ido a la Universidad?
* No, no creo. A esta hora, seguro que está en el club, jugando al tenis. ¿Le digo algo?
▾ Bueno, sí, que tengo que hablar con él. De lo del cumpleaños de mamá.
* Vale. Yo se le digo. Pero llámale al club.

4.

✓ El señor Rueda, por favor.
◆ ¿De parte de quién?
✓ De Maribel Botero, de CAMPOAMOR ABOGADOS.
◆ Pues no está. Está de viaje, trabajando en Bilbao. ¿Quiere dejarle algún recado?
✓ No, no, no es necesario. ¿Va a estar muchos días fuera?
◆ Hasta el jueves. Vuelve el mismo jueves.
✓ Pues nada, yo le llamaré el viernes.
◆ Vale.
✓ Adiós.

7. ¿Tú o usted?

1.

● Maruja, ven un momento. Mira te presento a Ignacio Valdés, de Oficsa...
○ Hola, qué tal, ¿cómo está usted?
● Bien, ¿y usted?

2.

■ Perdone... ¿La calle Olivares?
□ A ver... Siga por esta misma calle. Verá usted una plaza... La Plaza Santa Águeda... Pues es allí...
■ Muchas gracias, muy amable.

3.

✓ Perdona... ¿La carretera de Valencia?
✣ Si, sigan ustedes de frente... y en el semáforo, a la izquierda.
✓ Gracias.
✣ Adiós.

4.

● Ana, Felipe... Os presento a mi hermano Alberto.
○ Hola, ¿qué tal?
■ Muy bien, ¿y tú?
□ Encantada.
■ Teníamos muchas ganas de conocerte...
○ Yo también a vosotros...

5.

* Oye, ¿este autobús va para la Puerta del Sol?
▾ Sí.
* Ah... ¿Y falta mucho?
▾ Yo te indico... Yo también bajo en Sol.

Unidad 11
Gente e historias

6. Recuerdos en la radio

● ¿Y qué es lo que recuerda especialmente de su juventud?
○ Recuerdo especialmente el día en que vi por primera vez el plástico.
● ¿El plástico?
○ Sí, sí, el plástico. Esto era por el año... 54 ó 55. Antes del plástico, la vida era muy distinta. Ya cuando llegó el plástico, la vida cambió mucho, especialmente, en casa. Recuerdo que en las escuelas, por ejemplo, nos daban leche en polvo por las mañanas...
● La ayuda americana.
○ Sí, a raíz de los acuerdos de Franco con Eisenhower, que visitó España en 1955.
● El régimen buscaba el reconocimiento internacional.
○ Sí, claro. Estados Unidos, el Vaticano...
● Argentina; de Argentina vino Perón y su mujer, Eva Perón...
○ Exactamente. Eso fue, si no recuerdo mal, en el 56.
● ¿No fue antes? Yo creo...
○ Sí, creo que sí...
● En todo caso, nos estaba hablando de la leche en polvo...
○ Sí, una leche en polvo malísima. Yo la tomaba con cacao, mucho azúcar y cacao. Bueno, a lo que iba... Para los niños, el asunto era un problema, porque cada semana rompíamos un vaso de cristal.
● Para los niños, y para las familias... Comprar un vaso cada semana.
○ Comprar un vaso cada semana era más caro que comprar la leche... El caso es que recuerdo perfectamente el primer vaso de plástico que tuve: lo tirabas al suelo y no se rompía.
● Alucinante, ¿no?
○ Sí, alucinante. España entera era un país alucinante...
● ¿Y qué otras cosas recuerda?
○ Bueno, tengo recuerdos de hechos importantes, que me impresionaron mucho... Cuando mataron al Che. Fue en 1967. Yo tenía 32 años. Para los de mi generación, la noticia fue como una bomba. Entonces todavía no era el mito de póster. Era un mito vivo.
● Fue una época de atentados contra grandes mitos.
○ Sí... Recuerdo un año después la muerte de Lutero King, en el 68. Y los hermanos Kennedy; primero John, en el 63, y luego Robert... Pero la que más me impresionó fue la del Che.
● Y en cuanto a los avances de la ciencia, ¿qué noticias recuerda como más impresionantes?
○ Lo más espectacular fue la llegada a la luna. Lo recuerdo perfectamente. El día 21 de julio de 1969. Lo vimos por televisión.

8. A las 7.45 ha salido

● Perdonad el retraso, chicos...
○ ¿Pero qué te ha pasado? Estábamos preocupados...
● Nada, nada... Nada importante, vaya.
■ Te has mojado...
● Un poco, sí... Es que he salido de casa. He visto que llovía...
○ Y no llevabas paraguas...
● No, he vuelto a entrar a buscar uno...
■ A buscar un paraguas.
● Sí... Pero no tenía las llaves de casa...
○ Y no has podido entrar.
● Claro. He llamado a casa de los vecinos y me han prestado uno... Y luego... ¡un tráfico! Horrible... Y no había ni un taxi libre. Suerte que he visto a Elvira, una amiga mía, que pasaba por ahí y me ha llevado hasta la Plaza España. Pero el tráfico estaba fatal... Hemos tardado casi media hora.
○ ¿Y has venido a pie desde la Plaza España?
● Sí, claro, qué remedio. Un cuarto de hora a pie... ¡Y cómo llovía!
○ Bueno, venga, sécate un poco y empezamos.
■ Sí, a trabajar, que es tardísimo.
● Uy, sí. Ya son las diez menos cuarto.

VOCABULARIO

Vocabulary in alphabetical order

This vocabulary is a glossary for you to consult, and the intention is not for you to memorise all the words. To make finding words easier, the article indicating noun gender has generally been omitted. If the article isn't given, then all nouns ending in **-o** are masculine, and those ending in **-a** are feminine. When the noun has a different ending, the article is given.

NB: the following abbreviations are used:
sth: something
sb: somebody
adj: adjective

A

a to, at (preposition)
abajo down
a cambio de in exchange for
a cargo de to be charged to, in charge of; in the hands of
a causa (de) because of
a continuación next; then; afterwards
a favor de in favour of
a fuego lento cook on low heat; simmer
a la brasa barbecued
a la plancha grilled
a la romana fried with batter
a lo mejor probably; in all likelihood
a mediados de (mayo) mid-(May, etc)
a menudo frequently; often
a partir de starting from...
a pie on foot
a primera vista at first sight
a través de through; by means of
a un paso de one step away from (something).
a ver let's see
abandonado/a abandoned (adjective) place or person
abandonar to abandon; to leave; to abort
abierto/a open
abogado/a lawyer
abreviatura abbreviation
abril April
abrir to open
abuelito/a granddad / granny
abuelo/a grandfather / grandmother
aburrido/a bored; boring
aburrirse to get bored
acabar de + Inf. have/has just done sth.
acampada a camp
acampar to go camping
acceso access; entry
accidente, el accident
acción, la action
aceite, el cooking oil; olive oil
aceituna olive
aceptar to accept
acercarse a to approach; to come close to
aclaración clarification
acogedor/a warm; welcoming
acoger to take in; to welcome
acomodado/a settled in
acompañar to go with sb; to accompany sb
aconsejable advisable; recommendable
acontecimiento an (important) event
acordar to agree on sth/to do sth; to strike a deal.
acostarse to go to bed
acostumbrado/a (a) to be used to sb/sth; to be accustomed to sb/sth
acostumbrarse a to get used to sb/sth; to get accustomed to sb/sth
actividad, la activity
actividad física physical activity
activo/a active
actor, el actor
actriz, la actress
actual current (adj)
actualidad nowadays, at the moment
actualmente currently; at the moment
actuar to act
acuático/a aquatic
acueducto aqueduct
acuerdo agreement
adaptarse to adapt
adecuado/a appropriate; adequate
adecuarse (a) to meet requirements; to fit regulations etc
adelante from now on; go ahead
adelgazar to lose weight; to slim
además what's more; moreover
adiós goodbye
adivinar to guess; to work out
adjetivo, el adjective
adjunto/a attached; assistant
administrativo/a clerk; administration worker
admirar to admire
admitir to confess; to admit
adolescencia adolescence; early teens
adolescente adolescent
adoptar to adopt; to take on
adulto/a an adult
aéreo/a air (adj), as in eg: air shuttle
aeróbic aerobics
aeropuerto airport
afectivo/a loving; warm; tender, emotional
afeitarse to shave
afición, la fans; the crowd; the supporters
aficionado/a (a) fan; supporter
afín close to; linked; similar to
afirmar to declare; to state
afirmativo/a affirmative; positive response
afueras, las the outskirts
agencia agency; branch
agencia de colocación job agency
agencia de publicidad advertising agency
agencia inmobiliaria real estate agency
agenda diary; work diary
agonizar to doubt; to agonise; to suffer; to be indecisive;
agosto August
agradable nice; friendly; agreeable
agregar to add in; to include
agricultor/a farmer
agua, el (f) water
ahora now
ahorrar to save money/time etc
aire acondicionado, el air conditioning
ajardinado/a with a garden
ajo garlic
al final at the end
al horno roast; baked
al lado (de) next to; beside
al menos al least
al mismo tiempo at the same time; meanwhile
al revés back to front; inside out; the wrong way round
alarma alarm
albañil, el builder
albergue de juventud, el youth hostel
alcanzar to reach; to arrive
alcohol alcohol
alcoholismo alcoholism
alegre happy; gay
alegremente happily, gaily
alegría happiness
alemán/a German (person, language and thing)
Alemania Germany
alfabéticamente alphabetically
alfabeto alphabet
algo something; anything
alguien somebody; anybody
algún/a some or other (place, person etc)
alguno/as some or other (places, people etc)
alguna vez on occasions; sometimes
alimentación, la food; feeding; diet
alimentario/a of food, of feeding, of diet
alimento food; foodstuff
allí over there; there (place)
alma, el (f) soul; spirit
almacén, el warehouse; store
almendra almond
alojamiento accommodation
alojarse to stay; to put up; to accommodate
alquilado/a rented; hired
alquilar to rent; to hire
alquiler, el the rent; the hire
alrededor de... near; close to
alrededores, los the surroundings
alta, el (f) (en Seguridad Social) to register with the Social Security Dept.
aluminio aluminium
alumno/a student; pupil
alusión, la the reference; the allusion to sb/sth.
ama de casa, el (f) housewife
amable friendly, nice; amiable
amargo/a bitter
amargura bitterness
amarillo/a yellow
ambiente, el atmosphere; feeling; ambience; mood
America America (the American continent, not just the USA)
americano/a American/US (person or thing)

amigo/a friend
amistad, la friendship
amor, el love
amplio/a wide; vast
amueblado/a furnished
andar to walk
anfiteatro amphitheatre (natural or otherwise)
anfitrión/-ona host/hostess
animal, el animal
anímico/a state of feeling; state of health
anoche last night
anónimo/a anonymous
anotar to note down; to take down
anteayer the day before yesterday
antena antenna; aerial
antena parabólica satellite dish
anterior/a previous
antes before that; previously
anticonvencional unconventional
antiguo/a old; former; ex
antipático/a unfriendly
anual yearly; annual
anular to cancel; to annul
anuncio advertisement
anuncio de trabajo job advertisement
añadir to add; to mix in
año year
aparcamiento parking; parking place
aparecer to appear; to turn up
apartado de correos PO Box; Private Bag
apartamento apartment; flat
aparte de apart from
apasionante passionate; moving; exciting
apellido surname; family name
aperitivo aperitif; hors d'œuvres;
apetecer to feel like doing sth; to be in the mood for sth;
aportar to contribute; to bring; to offer
apóstol, el apostle
apoyado/a helped; backed; supported
apoyar to help; to back; to support
apreciar to value; to appreciate
aprender (a) to learn
aprovechar to make the most of; to take advantage of ; to make use of
aproximadamente roughly; about; approximately
aproximado/a rough; approximate
aptitud, la aptitude; appropriacy; fitness;
aquel/la/los/las that / those
aquello that
aquí here
árabe Arab / Arabic
aragonés/a Aragonese / from the province of Aragón
árbol (genealógico), el family tree
archipiélago archipelago
área, el (f) area
arena arena; stadium
argentino/a Argentinean
armario wardrobe
arqueológico/a archaeological
arquitecto/a architect
arquitectura architecture
arriesgado/a risky; dangerous
arroz, el rice
arte, el (f) art
artes gráficas graphic art(s); graphic design
artículo, el article (press and object)
artículo de deporte shorts article (in the press)
artista, el/la artist
artístico/a artistic
asado/a roasted
asar to roast
ascensor, el lift / elevator
aseo toilet
asesinado/a murdered; assassinated
asesinar to murder; to assassinate
así thus; so; in this way;
así que so; in other words
asignar to assign; to designate
asistente social, el/la social worker
asociar to associate; to enter into a business partnership
aspecto appearance; aspect
aspecto físico physical appearance; look
aspirina aspirin
astronómico/a astronomical
asunto issue; affair; business; question
atasco traffic jam; block; bottleneck
atender to attend; to serve; to deal with
ático top-floor flat; attic
atracción attraction
atractivo attractive
atrás behind; backwards
atún, el tuna
aumentar to increase, to go up; to rise
aún even (for emphasis), still (as in: Are you still here?)
aunque even though; although; though
Austria Austria
austríaco/a Austrian (person or thing)
autobús, el bus
autocar, el coach; long-distance bus
autoedición self-published title
autónomo autonomous; self-employed; (semi-)independent
autopista motorway
autovía dual carriageway
avanzado/a advanced
ave, el bird; fowl; high-speed train
avellana hazelnut
avenida avenue (=road)
aventura adventure; an affair
aventurero/a brave; courageous
averiguar to find out; to guess
ayer yesterday
avión plane; aeroplane; aircraft
ayuda help; assistant; support
ayudante, el/la helper; assistant
ayudar to help; to assist
ayuntamiento Town / City / Village Council (also the building)
azúcar, el sugar
azul blue

B

bacalao cod
bailar to dance
bajar to go down; to come down; to fall; to decrease etc
bala bullet
balcón, el balcony
baloncesto basketball
ballet, el ballet
banca the banking sector
bancario/a bank (adjective)
banco bank; park bench
banda sonora soundtrack
bando side (in a conflict)
banquero/a banker
bañarse to bath; to bathe; to swim
bar, le bar (in a café, pub, club, disco etc)
barato/a cheap
barco boat; ship
barrio district; neighbourhood; suburb
barroco/a baroque
bastante enough; sufficient
batería battery; drums
batir to beat (cooking, a record)
bebé baby
beber to drink
bebida a drink
beige beige
belga Belgian (person or thing)
Bélgica Belgium
beso a kiss
biblioteca library
bici(cleta) bike; bicycle
bien good; well
billar, el billiards; pool
billete de banco, el banknote
billete (de avión/de tren...), el ticket (for plane, train etc)
biografía biography
biográfico/a biographical
Biología biology
biólogo/a biologist
Bioquímica biochemistry
blanco/a white
blando/a soft (of food or of character)
blindado/a armoured; protected
boca mouth
bocadillo filled roll
bodega,la wine cellar; winery
bolívar bolivar (unit of currency in Venezuela)
bombero firefighter
bombón a chocolate sweet
bonito/a beautiful; pretty
bota boot
botella bottle
Brasil Brazil
brasileño/a Brazilian
británico/a British; a Briton
bueno/a good
buenos días good morning
buey, el ox
bufete de abogados, el lawyers' practice/ chambers / law firm

BUP (Bachillerato Unificado Polivalente) Secondary School Certificate (similar to GCSE)
burguesía the middle class; the bourgeoisie
buscar to look for; to search; to seek

C

C.V. (Curriculum Vitae), el Curriculum Vitae; CV
caballo horse
cabaret, el cabaret
cabeza head
cada (uno/a) each; every
caer to fall; to drop
café, el coffee
cafetería café; cafeteria; bar
caja box; carton
caja fuerte safe (noun); cash box
cajero automático cash dispenser; autoteller; ATM
calamar, el squid
calcetín, el sock
calcio calcium
caldo stock (=soup), broth
calefacción, la heating
calentar to heat; to warm
calidad de vida, la quality of life
caliente hot
callado/a quiet; silent; speechless
calle, la street; road
callejón, el alley; alleyway; passage
calma calm
calor, el heat
calzado, el wearing shoes; footwear
cama bed
cámara (de vídeo) videocamera; camcorder
camarero/a waiter / waitress
cambiar to change; to exchange
cambiarse to get changed (clothes)
cambio a change; the exchange rate
camello camel; drug dealer
camino path; way
Camino de Santiago The Santiago (St James) Pilgrimage
camión, el lorry; truck
camionero/a lorry driver; truck driver
camisa shirt
camiseta T-shirt
campana extractora extractor fan
campaña (de publicidad) advertising campaign
cámping, el go camping; campsite
campo the countryside; out of town
campo de concentración concentration camp
Canadá Canada
canadiense Canadian
canario canary; native of the Canary Islands
canción, la song
candidato/a candidate
cantar to sing
cantidad, la the amount; quantity
capacidad, la capacity; ability
capital, la capital (city and money)
capirotada hooded penitent
cara face (noun)
carácter, el personality; character
característica characteristic
caravana traffic jam; caravan; trailer
carbón, el coal
caribeño/a Caribbean
cariñoso/a affectionate; loving; warm; tender
carne, la meat
carné/carnet de conducir, el driving licence
caro/a expensive
carpintería carpentry
carretera road between towns; main road
carta letter (=correspondence)
cartel, el poster
cartero/a postman/woman
cartón, el carton; pack; box
casa house (noun)
casa adosada semi-detached house
casado/a married
casarse to get married
casi almost
casilla answer box (in a table); lozenge
casino casino
caso case (legal, etc)
castellano Castilian; Spanish language
castellano/a native of Castile
castillo castle
catedral, la cathedral
causa cause (noun)
cava, el cava (Spanish champagne)
cazadora hunter; leather jacket
cazuela saucepan; cooking pot
CD virgen writeable CD
cebolla onion
celebrar to celebrate; to hold (a ceremony, event, etc)
cena dinner; evening meal; supper
cenar to dine; to have dinner
central central; power station
céntrico/a central; in the town centre
centro centre
centro comercial shopping mall; shopping centre
centro de atención help centre; call centre
centro social social club
centro económico central business district
cerca (de) near (to)
cereales, los cereals
cereza cherry
cero zero
cerrado/a to close; to shut
cerrar to close; to shut; to shut down
cerro hill
cerveza beer
chalé/chalet, el chalet; detached house in the suburbs
chamán, el shaman
chaqueta jacket; coat; cardigan
charlar to chat; to talk
chico/a young man/woman; boy/girl
chile Chile
chileno/a Chilean
chimenea fireplace; hearth; chimney
chino/a Chinese (person, language or thing)
chiringuito simple beach bar; roadside bar
chocolate, el chocolate (uncountable)
chorizo cured pork sausage; small-scale thief or mugger
chulo/a arrogant; big-headed; a pimp
churro deep-fried strips of dough
ciego/a blind
cien a hundred
Cienciología Scientology
cierra see verb: cerrar
cierto/a certain; true
cinco five
cine, el cinema
cine mudo, el silent cinema
cinematográfico cinematic; filmic; film (adj)
cinta tape; belt, cassette tape; reel
cintura waist
circular to circulate; to walk on; to flow (traffic)
círculo circle; group
circunstancia circumstance
cisterciense Cistercian (relating to the Cistercian order of monks)
cita appointment; date; rendezvous
ciudad town; city
ciudad universitaria campus; university town
civil civilian; (boda civil=registry office wedding)
claro/a clear; obvious; evident
clase,la class (=type, =in school etc)
clásico/a classic; classical
clasificar to classify, to describe
claxon, el horn
cliente/a customer; client
clientela customers; clientele
clima, el climate; mood
clínica clinic; health centre
clínica dental dental clinic
cobrar to get paid; to charge
cocido cooked; boiled
cocina kitchen; cooking; cuisine
cocinar to cook
cocinero/a cook; chef
coche, el car
coche de ocasión, el second-hand car; used car
código code
codo elbow
coger to get; to take
coincidir to coincide; to be in the same place at the same time
cola (de buey) (ox) tail
coleccionar to collect
colega, el/la workmate; schoolmate etc
colegio school; professional association

colina hill
colocar to place sb; to put sb somewhere; to take on sb
colonia colony; summer camp
colonial colonial
color, el colour
colorido/a coloured; blushing
columna column
combinar to combine; to mix; to blend
comedor, el dining room
comentar to comment; to make a comment on
comer to eat
comercial commercial; sales rep
comerciante, el/la dealer; seller; sales rep
comercio trade; commerce
comida, la food; lunch
comida rápida fast food
comida para gatos cat food
comidas, las lunches; meals
comisión, la a commission; a cut
cómo how...? what...?
como as; like
compañía company
compañero/a (de clase / de trabajo) classmate; schoolmate; workmate
comparar to compare
competencia the competition; the legal right to do do sth
complejo difficult; hard; complex
completar to complete; to finish
completo/a to complete; to finish; to end
complicado/a difficult; hard; complicated
compra a purchase; the shopping
comprar to buy, to go shopping; to purchase
comprender to understand; to grasp; to comprehend
comprobar to check; to find out
comprueba see verb: comprobar
común common; normal; ordinary
comunicar to communicate; to tell
comunicativo/a communicative
comunitario/a commonly-held; common-property; of the community
con with
concepto concept; idea; notion
concierto concert
concretamente concretely; in real terms; in concrete terms
concurso quiz; contest; competition
condiciones laborales working conditions
conectar to connect; to put sb through (on a switchboard)
conferencia talk; lecture; speech
confesar to admit; to confess
confirmar to confirm
conjugación, la conjugation
conjugar to conjugate
conjunto a suit; joined; united; as a whole; altogether, unit; ensemble
conmigo with me
conocer to know; to meet
conocido/a known; acquainted with
conocimiento knowledge
conseguir to manage to do sth, to manage to get sth
consejo advice; counsel; council; board
Consejo de Europa Council of Europe
conservar to keep; to conserve
conservatorio conservatory
considerar to consider; to believe
consistir en to consist of, to comprise
consonante, la consonant
constante constant; regular
constelación, la constellation
constitución, la constitution
construcción, la construction; building
construir to build; to construct
consultar to consult
consultorio consultancy
consumir to consume
consumista, el/la consumer
contacto contact
contaminación, la pollution; contamination
contaminar to pollute; to contaminate
contar to tell (a story etc)
contener to contain; to hold
contenido contents
contestar to answer
contexto context
contigo with you
contrastar to contrast; to compare
contraste, el contrast
contrato contract
contrato laboral work/job contract
contribuir (a) to contribute to
control, el check; control
controlar to check; to control; to oversee
convencer to convince
conveniente handy; convenient
convenir to agree with; to agree to do sth
conversación, la conversation
convertirse (en) to turn into; to become
copa (ir de copas) after-dinner drink; to go drinking
copia copy
coralino/a coral
corazón, el heart
corbata tie
cordero lamb
corona crown
corral, el yard; farmyard; stockyard
correcto/a correct; right
corregir to correct; to rectify
correo the post (=correspondence)
correo electrónico e-mail
correr to run; to rush; to hurry
correspondencia correspondence
corresponder to correspond with; to write to
correspondiente correspondent
cortado a small coffee with a little milk
cortado/a cut (adj); broken
cortar to cut
cortesía courtesy; politeness
cosa thing
cosméticos, los cosmetics
costa the coast
costar to cost
costumbre,la the habit; the custom
crear to create
creativo/a creative
crecer to grow; to grow up
creer to believe
crisis, la crisis
crítica criticism; a review
criticar to criticise; to review
crítico/a critic
crucero cruiser; a cruise ship
cruz/ces, la crosses
cruzar to cross
cuadro frame; picture; painting
¿cuál? Which? What?
¿cuáles? Which? What?
cualidad, la the quality
cualquier/a any; whatever; anybody
¿cuándo? When?
cuando when
cuantificación, la quantifying
cuantificar to quantify
cuantificador, el quantifier
¿cuánto/a? How much/many?
¿cuántos/as? How many?
cuarto (de litro) a quarter of a litre
cuarto (de baño) bathroom
cuarto/a bedroom; a quarter
cuatro four
cucharada a teaspoon(ful)
cuchillo knife
cuello neck
cuenta the account; the bill
cuento story; account
cuerpo body; corpse
cuesta see verb: costar
cuestionario survey; questionnaire
cuidar to look after; to take care of
culpabilidad, la guilt
cultura culture; general knowledge
cultural cultural
cumpleaños, el birthday
cumplido a compliment
cura, el priest
curar to cure; to heal
curioso/a strange; curious;
currículo curriculum
curso course (academic etc)
cuscús, el couscous

D

dar to give
dar explicaciones to give an explanation, to render accounts; to make an excuse
dar las gracias to thank; to give thanks
dar pistas to give a clue
dar puntos to award points
dar recuerdos to give (your) regards to sb
dar un paseo to go for a stroll
datos, los data
de of

de acuerdo in agreement; I agree
de hecho in fact; in reality; actually
de media on average
de momento at the moment; right now
de pie on foot
de postre for dessert
de primero at first; for the first course
de repente suddenly; all of a sudden
de segundo for the second/main course
de vez en cuando from time to time; occasionally
debajo de under the
debatir to discuss, to debate
deber to owe; must; should; have to
decidir to decide; to reach a decision
decir to say; to tell
decisión, la the decision
declarar to declare; to claim
decorador/a decorator
dedicarse a to devote/give/dedicate oneself to sth
defender to defend
delante (de) in front of
deletrear to spell; to spell sth out
delgado/a thin; slim
delincuencia crime (uncountable)
demás, los/las the others
demasiado too much
demasiado/a/os/as too much/many
demostrar to show; to prove; to demonstrate
demostrativo demonstrative
dentista, el/la dentist
departamento department
depender (de) reports to; depends on; is responsible to
dependiente/a shop assistant
deporte, el sport
deporte náutico water sport
deportista, el/la sportsman/woman
deportivo/a sporting; sports
deprisa fast; quickly
derecha the right
Derecho (one's) right
derecho/a on/to the right
desagradable unpleasant; disagreeable; nasty
desamor, el coldness; dislike; enmity; indifference
desaparecer to disappear
desarrollo development; the undertaking
desayunar to have breakfast
desayuno breakfast
descansar to rest; to relax
describir to describe
descubierto/a uncovered; discovered; for all to see
descubrir to discover
descuidar to neglect; to disregard; to overlook
desde from; since
desenvolverse to unwrap; to untangle; to explain; to set out
desgracia misfortune; disfavour; accident
desierto desert
desigualdad inequality
desnatado/a skimmed (milk)
desocupado/a unemployed; unused
desodorante, el deodorant
despacio slow; slowly
despacho office; branch
despedida farewell (from a job),
despedirse to say farewell/goodbye
despertarse to wake up
después afterwards
después de after
destacar to highlight; to underline
destinado/a addressed to; fated/ destined to
destinar to destine; to assign; to earmark; to intend for
destino address; addressee; destination
desventaja disadvantage; con
detallado/a detailed, described
detalle, el detail
detective privado private detective
detrás de behind (the)
di first person singular past of to give (see verb; dar)
día, el day
diálogo dialogue
diario daily newspaper
diario/a daily; everyday
dibujo drawing; cartoon
diccionario dictionary
dice he/she says (see verb: decir)
diciembre December
dictar to dictate
dicho said; past participle of verb: decir
dieta diet
dieta mediterránea Mediterranean diet
dietético/a dietetic; dietary
dietista, el/la dietician
diez ten
diferente different
difícil hard; difficult
dificultad, la difficulty
diga Hello? (on the phone)
dile Tell him/her (see verb: decir)
dinámico/a dynamic
dinero money
dinosaurio dinosaur
dirección, la address; the direction
dirección electrónica e-mail address
directo/a direct
director/a de cine film director
discapacitado/a handicapped; with special needs
disco record
discoteca discotheque; club
discreto discreet
discutir to argue; to quarrel
diseñador/a designer
diseño design
disfrutar (de) to enjoy sth.
disponer de to have sth. available
disponibilidad, la availability
disposición, la willingness; position; posture
dispuesto/a (a) willing to do sth.
distancia distance
distinguir(se) to distinguish; to make out
distinto/a distinct; different
distribuir to distribute; to hand out
diversión, la fun; enjoyment
divorciado/a divorced
divorciarse to get divorced
doblar to fold; to double
doble, el double
docena dozen
doctor, el doctor
dólar, el dollar
doler to hurt; to ache
domicilio home; residence; home address; home delivery
dominar to dominate; to have under control
domingo Sunday
dominio dominion; domain
¿dónde? Where..?
donde where
don de gentes, el sb. who has a way with people; personable
dormirse to fall asleep
dos two
droga drug
droguería place selling cleaning materials and hygiene products
ducha shower (=have a shower)
ducharse to have a shower
duerme see verb: dormir
duermo see verb: dormir
duda doubt
dulces, los sweets; desserts
duración, la duration
durante during; for
duro/a hard; tough

E

eclipse, el eclipse
ecología ecology
ecológico/a green; ecological; earth-friendly
economía economy
Económicas, las economics
económico/a cheap; ecomomic
echar to get rid of; to throw out; to expel; to send off
edad, la age
Edad de Oro The Golden Age (the time of Cervantes) of Spanish letters
Edad Media the middle ages
edificado built; built up
edificio building; construction
editorial, la publisher
educación, la education
efectivo/a effective
EGB (Educación General Básica) Primary Education (to the age of 13/14)
egoísta selfish; egoist
ejecutivo/a executive; businessperson
ejemplo example
ejercicio exercise (both senses)
ejercicio físico physical exercise

el the (for maculine singular nouns)
él he; him
elaborar to make; to produce,
elección, la choice; election
elecciones, las election (political only)
eléctrico/a electronic
electrodoméstico, el (electrical) appliance
elegante elegant
elegido/a chosen; elected
elegir to choose; to elect
elemento element
elogiar to praise; to eulogise
ella she; her
ello that
ellos/as they; them
emisora radio station
emoción, la feeling; emotion
empezar (a/con) to begin; to start
empinado/a steep; steep gradient
empleado/a employee
empleo post; position, job
empotrado/a built-in (wardobe)
empresa company; firm
empresario/a businessperson; entrepeneur
en in; on
en común (tener...) in common
en contacto in contact
en contexto in context
en forma fit; in good physical condition
en general in general
en parejas two by two; in pairs
en público in public
en resumen to sum up; to conclude
en solitario alone; single-handed
en total in total
enamorarse to fall in love
encantado/a charmed; delighted
encantar to charm; to delight
encanto charm
encargado/a (de) (the person) in charge of; responsible for
encargarse (de) to take responsibility for; to be in charge of
enclave, la enclave
encontrar to find
encontrarse to meet up with sb; to run into sb.
encuesta survey; questionnaire; study; opinion poll
encuestado/a person questioend/polled in a survey etc.
enero January
enfadarse to get angry
enfermero/a sick; ill
enfermo/a the patient; the sick/ill person
enfrente (de) opposite; on the other side of
engordar to put on weight; to fatten up
enhorabuena congratulations! Well done!
enorme huge; enormous
ensalada salad
ensayo rehearsal; practice
enseñar to teach; to show
entender to understand
entero/a whole, entire
enterrado/a buried; (have) found out sth
entiendo see verb: entender
entonces then; so
entrada ticket for cinema/theatre/zoo/museum etc
entrante, el the new one; the one coming
entrar to enter; to go in; to come in
entrar en materia to get down to sth; to get to grips with sth.
entre among; between
entre todos amongst all of them/us
entreabierto/a ajar; half-open
entregar to hand in; to hand over; to deliver
entretenimiento entertainment; leisure
entrevista interview (media/job)
entrevistado/a the person interviewed
entrevistar to interview (in the media or for a job)
enviar to send; to post
época epoch; era; time; age
equilibrado/a balanced
equilibrio balance
equipado/a equipped
equipo team
equivocarse to make a mistake; to get sth. wrong
era era; time; age
eres see verb: ser
escala stopover; rest on a journey; scale
escalopa veal fillet; escalope of veal
escaparate, el shop-window
escena scene
escenario stage set; scene
escenificar to set; to stage
escribir to write
escribir a mano to write by hand
escrito/a written
escritor/a writer; author
escuchar to listen
escuela school; academy
escuetamente of few words; minimally
escurrir to drain; to rinse
ese/a/os/as that; those
esencial essential; basic
eslogan, el slogan; motto
eso that
ESO (Enseñanza Secundaria Obligatoria) Compulsory Seconday Education
espacial spatial
espacio space
espaguetis, los spaghetti
espalda back of person/animal
España Spain
español, el Spanish (language)
español/a Spaniard; Spanish person
español/a medio the "average Spaniard"
espárrago asparagous
especial special
especialidad, la speciality
especialista, el/la specialist
especializado/a specialising in
especialmente specially; especially
espectáculo show, piece of enetertainment; spectacle
espejo mirror
esperanza hope; expectancy
esperanza de vida life expectancy
espuma de afeitar shaving foam
esquí, el ski-ing
esquiar to ski; to go ski-ing
esquina (outside) corner
esquí(e)s, los skis
estabilidad, la stability
establecer to set up: to establish
establecimiento establishment
estación, la station
estadio stadium
estadística statistics
estado state; condition
estado civil marital status
Estados Unidos the United States
estantería shelving unit; bookshelf
estar to be (impermanent condition, and tion)
estar a punto de on the point of; about to
estar de acuerdo con to agree with
este, el East
este/a/os/as this; these
estilo style
estimar to esteem; to value
estirado/a stretched
estirar to stretch; to pull
esto this (neutral)
estratégico/a strategic; strategical
estrecho/a narrow; thin; strait
estrella star
estrés, el stress
estresante stressful
estructura structure
estudiante, el/la student; pupil
estudiar to study
estudio study; studies; studio; studio flat
estudios, los education; knowledge; studies
estupendo/a great; tremendous; stupendous
etapa stage (of life, of a race etc)
etiqueta label
europeo/a European
evento event
evitar to avoid
exactamente exactly
exacto/a exact
excelente excellent
exceso excess
excursión, la day trip; outing; excursion
exigencia demand (noun)
exigente demanding
exiliado/a exile (person); exiled
exiliarse to exile (onself)
exilio (in) exile
existencia existence
existir to exist
exótico/a exotic
experiencia experience

explicación, la explanation; excuse
explicar to tell; to explain
exponer to show; to display; to explain; to expound; to exhibit
exportar to export
exposición, la exhibition; exposition
expresar(se) to express (onself)
expresión, la expression
extenso/a extensive
exterior exterior; outdoor
extraer to take out; to extract
extranjero abroad; overseas
extranjero/a foreigner; foreign
extraño/a strange; odd
extremo/a extreme
extrovertido/a extrovert; extroverted; outgoing

F

fabricar to make, to manufacture
fácil easy
facilitar to enable; to facilitate; to make sth. easy
factor, el factor
Facultad, la faculty (university, etc)
falda skirt
falta foul (in sport); misdemeanour
faltar to lack; to need; to be missing/absent
familia family
familiar family (adj)
famoso/a famous
farmacéutico/a pharmacist
farmacia chemist's; pharmacy
fatal lethal; fatal
fauna fauna; animate non-human life
favor, el favour
favorito/a favourite
febrero February
fecha date (of year, etc)
fécula starch; potato flour
felicidad, la happiness
¡Felicidades! Happy birthday! Congratulations!
feliz happy
Feliz Navidad Merry Christmas
femenino/a feminine
fenomenal phenomenal
Feria de Abril Feria de Abril (traditional fiesta in Seville)
ferial relating to fairs, trade fairs, etc
festival festival
FF. CC. (ferrocarriles) railway
fibra fibre
ficha file; file card
fiesta fiesta; party
fiesta popular traditional (large-scale)
figura famous figure; a famous personality
figurar to figure; to shape; to represent
fijarse (en) to notice
fijo/a permanent (cotract etc), fixed
filosofía philospohy
fin de semana, el weekend
finalmente finally, at last
finanzas, las finance(s)
fino/a thin; highly-strung; sensitive; thin-skinned
firma signature
flamenco *flamenco* (traditional Andalusian music and dance)
flan, el creme caramel
flecha arrow
flor, la flower
floristería florist's
flora flora (plant life; vegetation)
folclórico/a folklore; folkloric
folleto brochure
forma shape; way
forma de vida lifestyle; way of life
formación, la training (course or department; education; upbringing; formation
formar to shape; to train; to bring up
formar parte de to be part of
formarse to train (onself); to educate (onself)
fórmula formula
formular to formulate
foto(grafía) photo/photograph
fotocopiar to photocopy
fotógrafo/a photographer
fotograma, el photogram; a still
FP (Formación Profesional) work or job training done at secondary school
fragancia fragrance; perfume
fragmento fragment; piece
francés/a French (person, language or thing)
Francia France
frase, la sentence; phrase
frecuencia frequency
frecuentar to frequent; to so somewhere often
frecuente frequent
frecuentemente frequently
freír to fry
frente a opposite; on the other side of
fresa strawberry
fresco/a cool; chilled; fresh
frigorífico fridge
frío cold (adj)
frío/a cold; chilled
frito/a fried
frontera frontier; border
fruta fruit
frutos secos nuts and dried fruits
fuego fire
fuente, la source; fountain; spring, fount
fuera (de) out (of); outside
fueron see verb: *ir*
fuerte strong; tough; rough; hard; powerful
fuerza strength; power
fugarse to escape; to get away
fuimos see verb: *ir*
fumar to smoke
funcionar to function; to work
funcionario/a civil servant
fundación, la foundation; the setting up
fundamental fundamental
fundar to found; to set up
fútbol, el football/soccer
futbolista, el footballer
futuro the future
futuro/a future (adj)

G

galería gallery
galería comercial shopping mall; shopping arcade
gallego/a Galician (native of Galicia, in north west Spain)
gamba shrimp; prawn
ganador/a winner
ganar to win; to defeat; to beat
garaje, el garage (not petrol station)
garbanzo chick peas
gas, el gas
gastar to spend
gastos, los expenses
gastos pagados expenses paid
gato/a cat
gazpacho *gazpacho* (vegetal soup served chilled)
genealógico/a genealogical
género gender; sex, genre
generosamente generously; kindly
genial brilliant; inspired; wonderful; of genius
gente, la people
geografía geography
gerundio gerund
gesto gesture
gestoría agency that handles business with government departments, etc
gimnasia gym (activity); gymnastics
gimnasio gym (place)
gira concert tour (etc); on tour
girar to turn
giro postal giro
global global
globo balloon; globe
gobernar to govern
gobierno the government
golf, el golf
gordo/a fat, overweight
gorra beret; cap
gótico/a gothic
grabación, la a recording
grabar to record
gracias thanks
grado degree (temperature); grade
grafía line; graph
gramática grammar
gramatical grammatical
gramo gram
gran large; big (before the noun)
grande/s large, big (after the noun)
gran superficie comercial department store
grasa fat (noun)
gratis free/gratis
grave serious; grave

Grecia Greece
griego/a Greek (language, person or thing)
gris grey
grupo group
grupo musical group; band
guapo/a good-looking
guardar to keep (=not throw away, =store)
guardia de seguridad, el/la security guard
guardería playschool; kindergarten; pre-school
guerra war
Guerra Civil The Spanish Civil War (1936-39)
guía, el/la guide (person)
guía, una guidebook
guión, el script (of a play, film, presentation etc)
guisado/a roasted; baked
guitarra guitar
gustar to like
gusto taste; liking

H

haber to have (compare with *tener*) in auxiliary constructions
habilidad, la skill; ability
habitación, la bedroom; room
habitante inhabitant
hábito habit; custom
habitualmente normally, habitually
hablado/a spoken; talked
hablar to speak; to talk
hacer to do; to make
hacer aeróbic to do aerobics
hacer de director to act as director
hacer cumplidos to pay compliments
hacer deporte to do sport
hacer falta to need; to lack; to be missing
hacer fotografías to take photos
hacer punto to knit
hacer teatro to do theatre
hacia towards; in the direction of
hallarse to be found somewhere; to be located
hambre, la hunger
harina flour
hasta until; till; up to; as far as
hay there is; there are
hay que (impersonal) have to; must; ought to
haz see verb: *hacer*
hecho see verb *hacer*
hemisferio hemisphere
hemos see verb *haber*
hermano/a brother; sister
hervido/a boiled
hervir to boil
hijo/a son; daughter
hipermercado hypermarket
hipótesis, la hypothesis
hispano/a Hispanic
historia story; history
histórico/a historical
hola hello
Holanda the Netherlands
holandés/a Dutch (person; language or thing)
hombre, el man (singular); mankind
hora time; hour
horario timetable; schedule
horno oven
hospital,el hospital
hostal, el hostel; inexpensive hotel
hotel, el hotel
hoy today
hoy en día nowadays; these days
huésped, el guest
huevo egg
humanidad, la humanity
húmedo/a wet; damp
humo smoke
hundir(se) to sink
huy ow! ouch!

I

ida y vuelta a return trip/ticket
idea idea
ideal ideal; perfect
identificar to identify
idioma, el language
IES (Instituto de Enseñanza Secundaria) secondary school; high school
iglesia church
igual the same; equal
igualdad, la equality
ilusión, la hope
imagen, la image
imaginar to imagine
imaginario/a imaginary
impaciente impatient
imperativo imperative
impersonal impersonal
importancia importance
importante important
importar to import
importe, el the bill; the total cost; the price
imposible impossible
impreso/a printed
inagotable bottomless/limitless supply of sth.
inauguración, la opening; inauguration
incluido/a included
incluir to include
incluso even
inconformista non-conformist
incorporación, la new signing; new staff member; incorporation
independiente independent
indicar to indicate; to show
indicativo indicative
índice, el index
individual individual
individualmente individually
industria industry; factory
infancia childhood; infancy
infinitivo infinitive
influencia influence
información, la information
informal informal; casual
informar(se) to be informed; to find out what you need to know
informática computers; IT (information technology)
informe, el report (not media)
infraestructura infrastructure
ingeniero/a engineer
Inglaterra England
inglés/a English (person, language, thing)
ingrediente, el ingredient
ingreso income
iniciativa initiative
inmediatamente immediately
inmediato/a immediate
inmejorable unbeatable; cannot be bettered
inscribirse to enrol; to sign on; to inscribe
insistir (en) to insist
instalación, la fittings; facilities; wiring; plant; installation
instalar(se) to settle; to install; to set up
instituto institute; secondary school
institución, la institution; establishment
instrucción, la instruction, education; teaching
instrumento (musical) instrument (musical)
inteligente intelligent
intensivo/a intensive
intenso/a intense
intentar to try
interés, el interest; concern
interesado/a interested; concerned; stake-holder
interesante interesting; convenient
interesar to interest; to be of interest to; to appeal to
interesarse (por) to be interested; to take an interest
interior, el interior; inland; inner; inside
intermitente intermittent
intermitente, el indicator; directional light
internacional international
interrumpir(se) to interrupt
intervenir to intervene; to take part; to participate
intimidad, la intimacy; familiarity
introducción, la introduction; insertion; creation; foreword
introvertido/a introverted
intuición, la intuition
inventar to invent; to come up with; to devise
invertir to invest
investigación, la research; investigation
invierno winter
invitar to invite; to pay for
ir to go
ir bien to go well
ir de compras to go shopping

ir en bici to cycle
Irlanda Ireland
irlandés/a Irish (person, language, thing)
ironía irony
irreal unreal
irregular irregular
isla island
islote, el small isle
Italia Italy
italiano/a Italian (person, language, thing)
itinerario route; itinerary
izquierda (on the) left, to the left, left (hand etc)

J

jamás never
jamón serrano cured Spanish ham
japonés/a Japanese
jardín, el Japanese (person, language, thing)
jefe/a boss
jersey, el jersey; sweater; pullover; jumper
jesuita, el Jesuit
jornada working day; day's journey
joven young; youthful
joven, el/al youth (of either sex)
joya jewel
joyería, la jeweller's
jubilado/a retired; pensioner; senior citizen
jubilarse to retire
juego gaming; gambling; play; playing; sport; game
juerga binge; spree; to go out on the town; to live it up; to go out for a good time
jueves, el Thursday
jugar (a) to play at sth
juguete, el toy
julio July
junio June
juntar to join
junto a together with; joined with
junto/a joined; united; together
justificar to justify
juvenil young; youth (team); early work
juventud, la youth (uncountable); early life

K

kilo kilo

L

la demonstrative pronoun for singular feminine nouns
laboral labour (adj)
laboratorio laboratory
lácteos, los dairy products
lado side
lago lake
lanzar to throw
largo/a long; lengthy
lata can of drink; tin of food; tinplate
latinoamericano/a Latin-American
lavadero laundry; wash-house
lavadora washing machine
lavandería laundry; laundrette
lavavajillas, el dishwasher; washing-up liquid
lectura reading; reading matter
leche (entera), la full-fat milk
leche (desnatada), la skimmed milk
leer to read
legumbres, las pulse (eg: chick peas, lentils)
lejano/a distant; remote; far-off; far
lejos (de) far; far-away
lengua language; tongue (both senses)
lento/a slow
letra lyrics; letter (typography); handwriting; letters
levantar to lift; to raise
levantarse to get up; to rise; to stand up
leyenda legend
libertad, la freedom; liberty
libra pound (weight & currency
libre free
librería, la bookshop
libro book
licenciado/a licentiate; bachelor; lawyer
licenciatura universitaria university degree
licor, el liquor; spirits; liqueur
líder leader
liderar to lead; to top; to head
limón, el lemon
línea line
línea aérea airline
lío mess; fuss; row; affair
líquido liquid
lista, la list
literatura literature
litro litre
llamada (telefónica) phone call
llamar to call; to phone
llamarse to be named; to call someone something
llave, la key
llegada arrival
llegar to arrive
llegar a to reach/get somewhere
lleno/a full
llevar una vida sana to lead a healthy life
llorar to cry; to weep
llover to rain
llueve third person singular present of *llover*
lluvia rain
lo neutral article, used with adjectives
local place; premises
localizador, el beeper; pager
locutor/a announcer; commentator; newscaster
los/las articles used with plural nouns
lucha struggle; fight
luchar to struggle; to fight
luego then; afterwards
lugar, el place; spot; position
lugar de interés interesting spot;
lugar de nacimiento birthplace
luminoso/a light; luminous
lunes, el Monday
Luxemburgo Luxembourg
luxemburgués/-esa person or thing from Luxembourg
luz, la light

M

macarrones, los macaroni
madre, la mother
madrileño/a native of Madrid
madrugada dawn; daybreak
madrugar to get up early
maestro/a masterly; skilled; expert
mágico/a magic; magical
magnetismo magnetism
magnífico/a magnificent
mal badly; poorly
malentendido misunderstanding
maleta suitcase; case
malo/a bad, evil; unpleasant
mamá mum/mummy
manchego/a ewe's milk cheese from La Mancha
mandar to give orders; to order
manera way; manner
manera de vivir way of living; lifestyle
manía obsession; mania; rage; craze
manifestación, la demonstration
mano, la hand
mantener to keep; to maintain; to stay
mantenerse to not give way; to stand one's ground
mantequilla butter
manzana apple; city block
manzanilla camomile
mañana tomorrow; morning
mapa, el map
máquina de escribir typewriter
mar, el sea
maravilloso/a marvellous; wonderful
marca make; brand; mark
marcador, el score (noun); scoreboard; bookmark
marcar to score; to mark; to indicate; to dial
marcha march; nightlife; speed; gear
marido husband
marino/a sea (adj); marine (adj)
mariposa butterfly; moth
marroquí Moroccan (person and thing)
Marruecos Morocco
martes, el Tuesday
marzo March
más more
masculino/a masculine
materia material; matter (physics)
matrícula licence plate; register; list; registration
máximo maximum
mayo May
mayoría the majority; most of
me me
mecánico/a mechanic; mechanical

mecanografiado/a typewritten; typescript
media stocking; medium
medicamento, el medication
medicina medicine
médico doctor
medida measurement
medio/a half; average; means
medio de comunicación media (of mass communication)
medio de transporte means of transport
Mediterráneo Mediterranean Sea
mediterráneo/a Mediterranean (adj)
mejillón, el mussel
mejor better; the best
memoria memory
memorias, las regards; remembrances
mencionar to mention; to refer to
mendigo/a beggar
menos less; the least
mensaje, el message
mensajero/a messenger
mentira lie (noun)
menú (del día) set meal
menudo/a small; tiny
mercado market
mercante merchant
merendar to have an afternoon snack
mes/es month
mesa table
mesilla coffee table
método method
metro underground railway; metro
metropolitano/a metropolitan
mexicano/a Mexican
mezcla mixture
mezclar to mix; to blend
mi my
mí me; myself
microondas, el microwave
miedo fear
miembro member
mientras while; as long as; whereas; meanwhile
miércoles, el Wednesday
migas crumbs
mil a thousand
milagro miracle
militar military (adj); warlike
militar soldier; serviceman
millón, el a million
mina mine (noun)
mineral, el mineral
minigolf, el miniature golf; crazy-golf
mínimo minimum
mío/a/os/as mine (possessive)
mirar to look
mis my (plural)
misión, la mission
misionero/a missionary
mismo/a the same (singular); myself, yourself etc
mismos/as the same (plural); ourselves, yourselves etc
misterioso/a mysterious
mito myth
mochila backpack; knapsack
moda fashion; trend
modelo model; pattern; standard
modificar to modify
modo way, manner
mole pueblano, el Mexican meat dish with *mole* sauce
molestarse to bother; to go to trouble
momento moment; time
monasterio monastery
moneda coin, currency
monótono/a monotonous
montaña mountain
monte countryside; mountain(s)
monumento sight (=sightseeing); monument
moralmente morally
morir to die
mostrar to show; to demonstrate; to prove
motivo motive
moto, la motorbike
móvil, el mobile phone; cell phone
movimiento movement
mozo young lad
muchas gracias thanks a lot
muchas veces many times; often
mucho/a/os/as many; a lot
mucho gusto pleased (to meet you)
mudanza home removal; change of place
mudo/a silent; speechless; mute
mueble, el piece of furniture
muebles empotrados, los built-in cupboards etc
muerte, la death
muestra show; display; exhibition
mujer, la woman
multinacional multinational (adj)
multinacional, la multinational/ transnational company
mundial, el world wide; universal; the World Cup
mundo the world
municipal municipal
muñeco/a doll; puppet; dummy
muralla town wall
murmullo murmur; whipser
musa muse
músculo muscle
museo museum; gallery
Museo del Prado large art museum in Madrid (the largest collection in Spain)
Museo Reina Sofía an art museum in Madrid
música (clásica) music (classical)
musical musical
músico/a musician
muy very

N

nacer to be born
nacido/a born
nacimiento birth
nacional national
nacionalidad, la nationality
nada nothing; anything
nadar to swim
naranja orange
natación, la swimming
natural natural; plain
naturaleza nature
náutico/a nautical
navegar to sail; to navigate
Navidad, la Christmas
necesidad, la need; necessity
necesitar to need
negativo/a negative
negocio trade; business; affair; deal
negro/a/os/as black
neón, el neon
nervioso/a upset; nervous
ni/no... ni neither ... nor ...
ni siquiera not even
niño/a child; kid
ningún/a (see *ninguno*)
ninguno/a no; nobody; neither
nivel, el level (noun)
nivel del mar, el sea level
no no
nocturno/a of night; nocturnal; evening
noche, la night
Nochebuena Christmas Eve
nombre, el name
nórdico/a Nordic
normalmente normally
norte, el north
norteamericano/a native of the USA; US; American
nos us
nosotros/as we
nota note; mark; grade; result
noticias the news
novela novel
noviembre, el November
novio/a boyfriend/girlfriend; fiancée; newly weds
nuestro/a our; ours (with singular noun)
nuestros/as our; ours (with plural noun)
nueve nine
nuevo/a new
nuez, la nut; walnut
numeral, el numeral
número, el number
número de teléfono phone number
numeroso/a numerous; various; several
nunca never

O

o either... or...
o sea in other words; so
objeto object
objeto directo (OD) direct object
objeto indirecto (OI) indirect object
obligación, la obligation; compulsion

obrero/a worker
obsequio free gift; present
observar to observe
observatorio astronómico observatory
obsesionado/a obsessed
obtener to obtain; to get
ocasión, la occasion; time
occidental western
ocho eight
ocio leisure; free time
octubre, el October
ocupado/a busy; occupied; taken
ocupar to take up; to occupy; to squat
ocuparse (de) to concern yourself with sth; to busy yourself with sth.
oda ode
oeste west
oferta special offer; bargain; offer; proposal
oficina office; branch
oficina de turismo tourist office
ofrecer to offer
ofrecimiento offer; offering
oír to hear
ojo eye
olimpiada the Olympic Games
oliva olive
olivo olive tree
olor, el smell (noun)
olvidar to forget; to leave something
olla saucepan; pot; pan
OMS (Organización Mundial de la Salud), la WHO (World Health Organisation)
ONU (Organización de las Naciones Unidas), la UNO (United Nations Organisation)
opción, la option
opcional optional
opinar to think; to believe; to give an opinion
opinión, la opinion
optativo/a optional subject at school etc
oración, la clause; sentence; oration; speech; prayer
oración de relativo relative clause
oralmente orally
orden, la order
ordenador, el computer
ordenar to put sth. in order, to tidy up
organismo organism
organizado/a organised
organizar(se) to organise; to get organised
orgulloso/a proud
Oriente, el the East
origen, el origin; source
orquídea orchid
os to you (plural)
otoño autumn
otorgado/a given; awarded; granted; conferred on
otro/a other (singular noun)
otros other (plural noun)
otros/as other people
otra vez again

P

paciencia patience
padre, el father
padres, los parents
paella *paella* (typical rice and seafood dish)
pagar to pay
pago payment
página page (noun)
aís, el country (countable noun)
paisaje, el country (uncountable); countryside
pan, el bread
pantalones, los trousers
pantalla screen
pañuelo handkerchief; headscarf
papá dad; daddy
Papá Noel, el Father Christmas; Santa Claus
papel, el paper; role
papelería, la stationer's
paquete, el packet; parcel
para for; intended for
paraguas, el umbrella
paraíso paradise; heaven
paraje, el place; spot
parecer to seem; to appear; to look
parecerse to look like; to take after
parecido/a similar
pared, la wall
pareja a couple; a partner (in the romantic sense)
pareja, el/la the other oartner, the other one in a couple
paro unemployment; unemployed
parque, el park (noun)
parqué/parquet, el parquet
parte, la part; section; share
participar to take part; to participate
participativo/a participatory
participio participle
particular private; particular; special
partido de fútbol football match
partir to leave; to set off; to split in two
pasado, el past; the past
pasado/a outrage; stale; bad; overripe
pasajero/a passenger
pasar to pass; to hand; to move
pasar de largo to not stop (and say hello, etc)
pasar lista to check off, take a roll call
pasear to go for a stroll
paseo a stroll; a walk
pasillo passageway; corridor
pasión, la passion
paso passing; step; pace; crossing
pasta pasta; money (informal=*dough, bread*)
pastel (de cumpleaños), el birthday cake
pastelería, la confectioner's; cake shop
patata potato
patines, los skates
patines en línea, los in-line skates
patrimonio heritage; inheritance
Patrimonio de la Humanidad World Heritage Site

pecho breast
pedante pedant; pedantic; pompous
pedido order (in a retaurant, between supplier & client etc)
pedir to order (in a retaurant, between supplier & client etc); to ask for;
pegar(se) to hit; to stick; to match
pelar to peel
película film; movie,
peligroso/a dangerous
pelo hair
peluquería hairdresser's
península peninsula
pensamiento thought; thinking
pensar (en) to think about
pensión, la allowance; persion; boarding house
peor worse; worst
pequeño/a small; little
pera pear
perder to lose
perder peso to lose weight
¡Perdona! (¡Disculpa!) Excuse me; sorry
¿Perdón/a/e? Sorry? Excuse me?
peregrino/a pilgrim
perezosa/o lazy
perfeccionar to perfect
perfecto/a perfect
perfil, el profile
perfume, el perfume; scent
perfumería perfume shop
periódico, el newspaper
periódico periodic
periodista, el/la journalist
permiso permission; permit
permiso de conducir driving licence
permitir to let; to allow
pero but
perro/a dog
persona person
persona mayor elderly person
personaje, el character (in a film, etc) part
personal personal
personal, el staff; personnel
pertenecer to belong
pescado fish (noun)
pescar to fish
peso weight
pesquero/a fishing boat
pianista, el/la pianist
piano piano
picante hot; spicy
picar to puncture; to sting; to itch
piden see verb *pedir*
pie, el foot
piensa see verb *pensar*
pierna leg
pila battery
pimienta pepper
pimiento bell pepper; capsicum
pintar to paint
pintor/a painter
pintoresco/a picturesque
pintura painting
pirámide, la pyramid

Pirineos, los The Pyrenees
piscina swimming pool
piso flat; apartment
pista clue
pizarra blackboard; whiteboard
plan, el plan
plancha iron (countable); ironing; grill
planeta, el planet
plano (de la ciudad) map of the town
planta plant; floor
plástico plastic
plátano banana
plato dish (of food); plate
playa beach
plaza (town) square
plaza libre free space; place
plazuela small square (in a village, town etc)
plural, el plural
población, la population
pobre poor
pobreza poverty
poco/a little; few
poder to be able; can; power
poema, el poem
poesía poetry
polenta cornflour; ground maize
policía police
policía, el/la police officer
polideportivo sports centre; leisure centre
polígono industrial industrial estate
poliomielitis, la poliomyelitis
política policy; politics
político/a politician
pollo chicken
poner to put; to lay (an egg)
ponerse to put oneself; to place oneself
ponerse de acuerdo to reach an agreement; to srike a deal
popular popular; of the people; folk
popularidad, la popularity
poquito a little; a bit
por in order to; for; because of
por cierto by the way,
por desgracia unfortunately, regrettably
por eso that's why...; for that reason,
por favor please
por la mañana in the morning
por lo menos at least
por otra parte on the other hand; in addition
por otro lado on the other hand; in addition
¿por qué? Why? What for?
por su cuenta on his/her own initiative; without anyone else
por supuesto of course
por último finally,
por un lado on one hand; firstly
porque because
porqué, el the reason why
portal, el website; hall; doorway
portavoz, el/la spokesperson
portero/a doorman; porter; caretaker
Portugal Portugal
portugués/a Portuguese (person; language & thing)
posada lodging; inn
posibilidad, la chance; possibility
posición, la position; standing; status
positivo/a positive
postal, la postcard
postre, el dessert; sweet
pozo well (noun)
practicar to practise; to do
practicar un deporte to do a sport
precio price
precioso/a beautiful; precious
precisar to need; to require; to determine
preferencia preference
preferido/a favourite; preferred
preferir to prefer
prefijo prefix
pregunta question
preguntar to question; to ask
premio prize; award
prensa press (=media); press (=machine)
preocupación, la (por) concern for; worry about; preoccupation for
preocupado/a concerned; worried; preoccupied
preocuparse (por) to worry; to care; to bother
preparado/a trained; skilled; ready; prepared; cooked
preparar to cook; to prepare; to get ready; to train
preposición, la preposition
presencia presence
presentación, la presentation
presentar to present; to offer
presentarse to present oneself for sth, to introduce onself
presente, el the present (time)
presidente, el president
presión, la pressure
preso the prisoner
presupuesto budget; quote
pretérito imperfecto *pretérito imperfecto*
pretérito indefinido *pretérito indefinido*
pretérito perfecto *pretérito perfecto*
primavera spring (time)
primer/o/a first
Principado de Andorra Andorra
principal main; principal
principio principle; beginning; start
prioridad, la priority
prisa rush; in a hurry
privado/a private
privilegiado/a privileged; elite
probar to prove; to test; to try on
probarse to try sth. on
probeta test-tube
problema, el problem
producir to produce; to make
producirse to be produced; to be made
producto product
produjeron see verb: *producir*
profesión, el profession
profesional professional (adj)
profesional, el/la professional (noun)
profesor/a teacher; instructor
profe, el/la teacher (informal)
profundo/a deep; profound
programa, el programme; program
programa de radio, radio programme
programa informático news programme
progresar to progress
prohibir to ban, to prohibit
pronombre, el pronoun
pronto soon
pronunciar to pronounce
propio/a own; of one's own
proponer to propose; to suggest
propuesta proposal; suggestion
prostituta prostitute; sex-worker
protagonista, el/la protagonist; star; leading part
proteína protein
provincial provincial
provocar to cause; to tempt; to provoke
próximo/a next; near; close
proyecto project
prueba proof; evidence
psicología psychology
psicólogo/a psychologist
publicar to publish; to publicize
publicidad, la publicity; advertising
público/a public (adj)
pueblecito small village; hamlet
pueblo village
puedes see verb: *poder*
puerta door; gate
puerto port; harbour
pues then; well then; so;
puesto place; position
puesto de trabajo job; post; position
puesto/a elegant, well-dressed
pulmón, el lung
pulpa pulp
pulpo octopus
pulpo a la gallega boiled octopus served with chilli pepper
punto dot; spot
punto de vista viewpoint

Q

que that, which
¿qué? What? Which?
qué va No way!
¿qué tal? How are things?
quedar to arrange to meet
quedar to stay behind
querer to want; to love
querido/a darling; lover; mistress
queso cheese
quien who (relative pronoun)
¿quién? who (question)
quieres see verb: *querer*
quiero see verb: *querer*
quiosco kiosk
quitar to take out; to get rid of

R

radio, la radio
radiofónico/a radio (adj)
rápido/a quick; fast
raro/a unusual; strange; rare
rato while; period
raza race; breed
razón, la reason; motive
real(mente) really
real real
realidad, la reality
realizador/a filmmaker; director
realizar to attain; to come true; to make
recado message
recepcionista receptionist
receta recipe; prescription
recibidor, el entrance hall
recibir to welcome; to receive
reciente recent
recientemente recently
recinto (ferial) enclosure; precinct; area
recomendable recommendable
recomendación, la recommendation
recomendar to recommend
reconocer to recognise
reconstruir to reconstruct
recordar(se) to remember; to recall
recorrer to have recourse to; to have back on; to go across
recreo recreation; play-time; break
recto/a straight (on)
recuerdo memory; recollection
recurso resource
recursos humanos human resources
redactar to write; to compose; to draft
redondo/a round
reducir to reduce
referencia (a) (in/with) reference to
referéndum, el referendum
referido a (in/with) reference to; referred to
referirse (a) to refer to
reflejar to reflect
reflexivo/a reflexive
regalar to give away; to give as a present
regalo gift; present
región, la region
regional regional
regla rule; ruler; period
regresar to go back; to return
regular to regulate
rehabilitado/a rehabilitaded
reina queen
relación, la relation; relationship
relacionar to relate
relativo/a relative to; with relation to
relato story; tale
relieve, el relief; embsossing
religión, la religion
religioso/a religious
reloj, el watch; clock
relucir to shine; to glitter; to harp on
rellenar to fill in (a form etc)
remitir to remit; to send
remover to stir
remuneración, la remuneration; pay
renovado/a renovated
repasar to do again, to check; to revise
repetido/a repeated
repetir to repeat
reportaje, el report (=media)
representar to represent
representativo/a rep; sales rep
república republic
republicano/a republican
requerido/a send for; sent for
reservar to reserve; to keep
reserva reserve; spare
residencia residence
residencia de ancianos old folks' home
residencial residential
respecto a with respect to
respuesta answer
restaurado/a restored
restaurante, el restaurant
resto the rest
resultado result
resumen, el summary; the highlights
resumir to summarise
retirar to move back; to leave; to withdraw
retirarse to move back; to leave; to withdraw
retiro retirement; quiet place
reunión, la meeting
reunir to meet; to hold a meeting
revés, el the wrong way round; the other way round; inside out etc
revista magazine; review
rey, el king
Reyes Magos the Three Wise Men
rico/a rich; wealthy
riesgo risk, danger
río river
ritmo rhythm
rizo/a curl
rodaja slice
rodar to film, to shoot
rodeado/a de surrounded by
rodear to surround
rodilla knee
rojo/a red
románico/a Romanesque
romántico/a romantic
romper to break
ropa clothes
rosa rose; pink
ruido sound; noise
ruidoso/a noisy
rupia rupee
ruso Russian
ruso/a Russia (person, language, thing)
ruta route
rutina routine

S

sábado Saturday
saber to know
sacar to get sth out; to withdraw; to take out
Sagrada Familia unfinished *art nouveau* basilica by Antonio Gaudí in Barcelona
sal, la salt
sala room; hall
salar to salt; to cure
salario salary
salida exit
salir to go out; to leave
salón, el living room; lounge; trade fair
salsa sauce; salsa music
saltar to jump
salud, la health; state of health
saludar to greet; to say hello
sanidad, la health; healthiness
sanitario/a sanitary; sanitation; health centre
sano/a healthy
santo/a saint
sartén, la frying pan
satisfacción, la satisfaction
sauna sauna
saxofón, el saxophone
se him/her/itself; each other
sé see verb: *saber*
secretario/a secretary
secreto secret
sector, el sector
secuencia sequence; scene
sed, la thirst
sede head office
seguir to follow
según according to
Segunda Guerra Mundial The Second World War
segundo/a a second
segundo (plato) second course
seguramente surely; certainly
seguridad, la security; safety
Seguridad Social Social Security/Welfare
seguro/a safe; sure; secure
seis six
selección, la the selection, the national team; the choice
seleccionar to select; to pick; to choose
selva jungle; rainforest
sello stamp (postage)
semáforo traffic light
semana week
Semana Santa Easter Week
semanal weekly
semitropical sub-tropical
senderismo trekking; tramping
sensación, la sensation; feeling
sensibilidad, la sensitivity
sentar mal a alg. to not suit sb
sentarse to sit; to sit down
sentimiento feeling
sentir to feel
señal, la signal; sign (noun)
señalar to indicate; to signal
señor/a sir; madam; Mr; Ms/Mrs
separado/a (estar) separarated
septiembre, el September

ser to be; a being
ser un encanto to be a delight; to be a treasure
serie, la series
seriedad, la seriousness
serio/a serious
servicio service; toilet
servir to serve
sesión, la session
sevillana native of Seville; typical dance/music from there
sí yes
si if
siempre always; forever
siento see verb: *sentir*
sierra sierra; mountain range; saw
siesta siesta; nap; forty winks
siga see verb: *seguir*
siglo century
significar to mean
signo sign
siguiente the following; the next
silencio silence
silla chair
sillón, el armchair
simpático/a nice; friendly
simple simple; mere
simplemente simply
simular to simulate; to feign
sin without
sin duda (alguna) without any doubt
sin embargo nevertheless; however
sin lugar a dudas without any shred of a doubt
sindicato union; trade union
singular, el singular
síntoma, el symptom
(ni) siquiera not even
sirena siren; mermaid
sirve see verb: *servir*
sitio place (noun)
situación, la situation
situado/a located; situated
situar to put sth somewhere; to place;
sobre above; over
sobre todo above all
sobre, el envelope
sobrino/a nephew; neice
sociable sociable
sociedad, la society
sofá, el sofa
sofisticado/a sophisticated
sois see verb: *ser*
sol, el the Sun
solar, el building site; lot
solárium, el solarium
soleado/a sunny
solicitar to ask for; to solicit; to request; to apply for
solicitud, la care; diligence; request; application
solidario/a showing solidarity; showing support for others
solo/a alone; lonely
soltero/a single; unmarried
solución, la solution
solucionar to solve
son sound; pleasant sound
sonar to ring; to play; to sound; to be pronounced
sonido sound (countable)
sorpresa surprise
sorteo draw; lottery
soso/a dull; tastless; bland; insipid
sótano basement; cellar
souvenir, el souvenir
soy see verb: *ser*
squash, el squash
su/s his/her/its
suave soft; gentle
subir to go up; to rise
subrayar to highlight; to underline
suceder to happen
sucesivamente in succession
suceso event; incident
sucre sugar
sudamericano/a South American (person or thing)
sueldo wages; salary; pay
suelo floor
suena see verb: *sonar*
suerte, la luck; fortune
suficiente enough; sufficient
sufrir to suffer
sugerencia suggestion
suizo/a Swiss (person or thing)
sujeto subject
supe see verb: *saber*
superar to get over sth.; to recover
superficie, la surface area
superior/a superior, better
superioridad, la superiority
supermercado supermarket
suplemento supplement
suponer to suppose
sur, el the south
surrealismo surrealism
surrealista surrealist
sustantivo substantive
suyo/a/os/as yours/his/hers/its

T

tabacalero/a tobacconist's; cigarette factory;
taberna bar; pub; tavern
tabla board; plank; surfboard
tablón, el notice board
talasoterapia thalassotherapy
talla size of clothes
tamaño size
también too; also
tampoco neither
tan (+ adj) como as (adj) as ...
tango tango (dance and music)
tanto/a/os/as (... como) as much/ many as ...
tapa tapa; small snack; lid; cover
taquilla ticket office; box office
tardar to be late; to take a long time
tarde, la afternoon/early evening
tarde late
tarea task; job
tarjeta (de crédito) cradit card; debit card
tarta cake
taxista, el/la taxi-driver
taza cup (for tea, coffee etc)
teatro theatre
técnica technique; technical
técnico/a technician
tele(visión), la television
telecomunicación, la telecommunications
telefónico/a realting to telephones
teléfono telephone
teléfono móvil mobile phone; cell phone
telenovela soap-opera; TV serial
televisor, el TV set
tema, el subject; theme
temperatura temperature
templado/a cool (temperature); moderate
temporada season (of sport, of tourism)
temporada alta high season (tourism)
temporada baja low season (tourism)
temprano early
tener to have; to have got
tener que to have to
tener razón to be right
tenis, el tennis
tengo see verb: *tener*
tercio a third
termas spa; hot springs
terminación, la ending; termination
terminar to end; to finish
ternera *veal* (beef slaughtered at about one year)
terraza terrace; flat roof; balcony
terrazo terrazzo; polished marble foor
terreno piece of land; terrain, ground
terrible terrible; awful
test, el test
test psicotécnico response test
texto text
ti you (informal object pronoun)
ticket de la compra, el receipt
tiempo time; weather
tiempo libre free time; leisure time
tiempo verbal verb tense
tienda, la shop; tent
tienda de campaña camping tent
tienda de ropa clothes shop
tiene see verb: *tener*
timbre, el fiscal stamp; seal; bell
tímido/a shy; timid
tintorería dry cleaner's
típicamente typically
típico/a typical; traditional
tipo type; standard; guy; build
titulado/a superior postgraduate degree or diploma
título (universitario) university degree
tocar to touch; to play an instrument

tocarle a alguien to be relevant to sb.; to concern sb
todas partes/lados, (por/en...) everywhere
todavía still; yet
todo el mundo everybody
todo/a/os/as all (the people)
todo terreno four-wheel drive
tomar(se) to take; to get
tomar nota(s) to take note
tomate, el tomato
tono tone; way
tono muscular muscle tone
tópico cliché; stereotype; platitude
tortilla omelette
toxicómano/a drug addict
trabajador/a worker
trabajar to work
trabajar en equipo teamwork
trabajar por cuenta propia/ajena self-employed; employee
trabajo work; job
tradición, la tradition
tradicional traditional
traducción, la translation
traducir translate
traductor/a translator
traer to bring; to fetch
tráfico traffic
traje suit (noun)
tranquilidad, la calm; peace and quiet
tranquilo/a calm; relaxed; tranquil
transcurrir (for time) to pass; to go by; to turn out
transferencia bank transfer
transiberiano Trans-Siberian Railway
transmitir to transmit; to tell
transporte, el transport
tras after; behind
trastero storage room; junk room
tratamiento treatment
tratar to deal with; to treat
tratar de tú/usted talking to sb on informal/informal terms
trato con la gente dealing with people
travesti, el trans-sexual; transvestite
travieso/a naughty
tren, el train
tres three
trofeo trophy
tropical tropical
truco trick; device
tu/s your (with singular & plural nouns)
tú you (personal pronoun)
tubo tube; pipe
tumba tomb; grave
tumbarse to lie down
turismo tourism
turístico/a tourist (adj)
tutear talking informally to sb.
tuyo/a/os/as yours (singular & plural nouns)

U

último/a final; last; latest
un poco de a bit of
un/a a/one
únicamente only; just
unidad, la per unit
unifamiliar for one family (detached house)
unir to join; to inite
universidad, la university
universitario/a university student
universo universe
uno one
unos/as some
urbanismo town-planning
urbanización, la housing estate; urban development
urgente urgent
urgentemente urgently
usar to use
uso, el use (noun)
usted/es you (formal)
útil useful
utilizar to use; to utilise; to make use of
uva grape

V

vacaciones, las holidays
vais see verb: *ir*
valer to be worth; to cost
¡vale! okay; all right
valorar to value; to price
vamos a + Inf. let's....
vaqueros, los jeans
variado/a varied
varios/as various; several
vaya see verb: *ir*
vecino/a neighbour
vegetariano/a vegetarian
vehículo vehicle
vejez, la old age
vela sail (noun)
ven see verb: *venir*
vendedor/a shop assistant; salesperson; sales rep
vender to sell
venta a sale; for sale
ventaja advantage
ventana window
ver to see
verano summer
verbo verb
verdad, la truth
verdadero/a true; truthful
verde/s green
verdura vegetable
versión, la version
vestíbulo hall, foyer; vestibule
vestido dressed
vez, la time; occasion; instance
viajar to travel
viaje, el trip; journey
viaje de negocios business trip
viajeorganizado package holiday
víctima victim
vídeo video
viernes, el Friday
vino wine
vino blanco white wine
vino rosado rosé wine
vino tinto red wine
viñeta cartoon; vignette
violencia violence
violento/a violent
víscera guts
visita visit (noun)
visita guiada guided visit
visitante, el/la visitor
vista view
viudo/a widow/widower
vivienda housing, accommodation; dwelling
viviente living
vivir to live
vocal, la vocal; chairperson
volar to fly
voluntad, la will; willpower
voluntario/a volunteer
volver to go back; to return
volver a + Inf. to do sth. again
vosotros/as you (informal plural)
votar to vote
voy see verb: *ir*
voz, la voice
vuelo flight
vuelta return trip; a turn, a walk
vuestro/a/os/as yours (singular and plural nouns)

Y

y and
ya already, yet; now
yen, el yen
yo I
yoga, el yoga
yogur, el yoghurt
yonki junkie; drug addict

Z

zapato, el shoe
zona zone
zona peatonal pedestrian zone
zona verde green area
zumo fruit juice

Libro del alumno 1

Autores:
Ernesto Martín Peris
Neus Sans Baulenas

Coordinación editorial y redacción: Agustín Garmendia y Montse Belver
Corrección: Eulàlia Mata

Diseño y dirección de arte: Ángel Viola
Maquetación: David Portillo
Ilustraciones: Pere Virgili / Ángel Viola

Asesores internacionales:
Mercedes Rodríguez Castrillón, y Carmen Ramos, Universidad de Wuerzburg, Alemania; María Soledad Gómez, Instituto Hispanohablantes de Porto Alegre, Brasil; Manuela Gil-Toresano, Instituto Cervantes, Madrid, España; Edith Aurrecoechea Montenegro y Carmen Soriano Escolar, International House Barcelona, España; Bibiana Tonnelier, Escuela Aprender de Atenas, Grecia; Giovanna Benetti, Liceo Scientifico F. Cecioni de Livorno, Italia; Emilia Di Giorgio, Istituto Magistrale Statale A. Manzoni, Italia; Marina Russo, I.T.C.G. Federico Caffé, Roma, Italia; Victoria Cañal, Centro Español Lorca, Glasgow, Reino Unido; Pablo Martínez Gila y equipo de profesores del Instituto Cervantes de Estambul, Turquía.

Asesores para la versión inglesa:
Brian Brennan, International House Company Training; Eva García; Jaime Corpas, Editorial Difusión.

Fotografías:
Llorenç Conejo: páginas 14 (B), 32 (pueblo costero), 52-53 (central y bicicleta), 74, 81, 102 (A, B, C y E), 110 (chalé) y 111; Miguel Ángel Chazo: página 18 (5 y 8); Frank Kalero: páginas 12-13, 22-23, 34 (David), 52-53 (*skater*), 54-55, 60-61, 69, 71 (central superior), 72-73, 76, 78, 82 (salidas y viajeros), 114 (Alba); Miguel Raurich: páginas 14 (A, C y F), 20-21 (1, 2, 4, 5, 6 y 7), 32-33 (todas, excepto pueblo costero), 40, 82-83 (central), 89, 92-93 (Sevilla y Las Palmas), 95 (Valparaíso), 97, 102 (D) y 110 (edificio); Jordi Sangenís: páginas 39, 71 (inferiores) y 101 (Oaxaca); Nelson Souto: página 100 (Baracoa); El deseo s.a: página 113 (P. Almodóvar); Embajada de Colombia en España: páginas 93 (foto Bogotá) y 95 (Cartagena); Europa Press: páginas 18 (1, 3, 4, 6, 8 y 9), 112-113 (excepto P. Almodóvar) y 118 (Chavela Vargas); Filmoteca española: página 118 (Buñuel); Fundación Vicente Ferrer: 118 (Vicente Ferrer); Secretaría de la nación de la República de Argentina: páginas 14 (foto D), 20-21 (foto 2), 52 (foto bailarinas y *rafting*), 92 y 100 (Buenos Aires) y 101 (La Boca, Buenos Aires).

Infografía: Pere Arriaga / Angels Soler

Textos:
© Julio Llamazares, "Extraños en la noche" de *Escenas de cine mudo,* (página 120); © 1981, Augusto Monterroso, "El dinosaurio" de *El eclipse y otros cuentos* (página 121); ; © Pablo Neruda, "Oda al tomate y Oda a la cebolla" de *Odas elementales* (página 81).

Material auditivo (CD y transcripciones):
Voces: Silvia Alcaide, España; Maribel Álvarez, España; José Antonio Benítez Morales, España; Ana Cadiñanos, España; Fabián Fattore, Argentina; Laura Fernández Jubrias, Cuba; Montserrat Fernández, España; Paula Lehner, Argentina; Oswaldo López, España; Gema Miralles Esteve, España; Pilar Morales, España; Pepe Navarro, España; Begoña Pavón, España; Mª Carmen Rivera, España; Felix Ronda Rivero, Cuba; Rosa María Rosales Nava, México; Amalia Sancho Vinuesa, España; Clara Segura Crespo, España; Víctor J. Torres, España; Lisandro Vela, Argentina; Carlos Vicente, España; Armand Villén García, España.
Música: Juanjo Gutiérrez.
Grabación: Estudios 103 y CYO Studios, Barcelona.

Agradecimientos:
Mireia Boadella, Unai Castells, Begoña Cugat, Alain Daniel, Roberts Daniels, Pascual Esteve, Gibson Garcia, Trini García, Pablo Garrido, José Alberto Juan Lázaro, Marianne Koppelman, Sara Polo, Elena Martín Martínez, Ivan Margot, Armand Mercier, Natalia Rodríguez, Jordi Sangenís, Nynke Scholtens, Margarita Tejado, Carlos Vicente, Carlitos Viola López.

ISBN: 978-84-8443-205-0
Reimpresión: febrero 2011

Impreso en España por Tallers Gràfics Soler S.A.

C/Trafalgar, 10, entlo. 1ª
08010 Barcelona
Tel. (+34) 93 268 03 00
Fax (+34) 93 310 33 40
editorial@difusion.com

www.difusion.com